PEDRO ANTONIO
DE ALARCÓN

CLÁSICOS CASTELLANOS

PEDRO ANTONIO DE ALARCÓN

EL ESCÁNDALO

II

EDICIÓN, INTRODUCCIÓN Y NOTAS
DE MARIANO BAQUERO GOYANES

ESPASA-CALPE, S. A.

MADRID, 1973

ES PROPIEDAD

© Espasa-Calpe, S. A., Madrid, 1973

Impreso en España
Printed in Spain

———

Depósito legal: M. 15.938—1973

ISBN 84—239—6820—0 (Obra completa) Rústica
ISBN 84—239—6821—9 (Obra completa) Tela
ISBN 84—239—6822—7 (Obra completa) Piel
ISBN 84—239—3178—1 (Tomo II) Rústica
ISBN 84—239—3478—0 (Tomo II) Tela
ISBN 84—239—3778—X (Tomo II) Piel

Talleres tipográficos de la Editorial Espasa-Calpe, S. A.
Carretera de Irún, km. 12,200. Madrid-34

LIBRO CUARTO

QUIÉN ERA GABRIELA

I

UNA MUJER BIEN RECIBIDA EN TODAS PARTES

—Cuando, a la edad de veintiún años, regresé de mi largo viaje por Europa, una de las primeras deidades aristocráticas que cortejé (o por quienes me vi cortejado) en Madrid, fue la Generala***, mujer que frisaría entonces en los treinta y cinco, alta, bella, elegantísima, impávida, familiarizada con el escándalo; esto es, sabedora de que el mundo conocía sus fragilidades, y atenta únicamente a que las ignorase su marido. —El mundo, por su parte, no la castigaba de manera alguna: antes parecía premiar su desordenada vida con el continuo agasajo que le ofrecía en salones, teatros y paseos. Hasta las damas de virtud ejemplar alternaban con ella cariñosamente, la visitaban, la convidaban a sus fiestas, y solían preguntarle por mí, dándose por entendidas de que yo era su amante del momento. —¡Tal anda el mundo, padre..., y sirva esto, ya que no de disculpa, de explicación a muchos horrores de mi vida!

Cuando yo entré en relaciones con Matilde (así se llamaba la Generala), su marido (uno de los generales que más gloria habían alcanzado en la guerra civil,

hombre ya de cincuenta y cinco años, muy entregado
a las contiendas políticas) acababa de ser enviado de
cuartel a Canarias *contra su voluntad...*, lo cual en
substancia quiere decir que estaba *desterrado* de la
5 Península. —De buena gana se hubiera llevado el General a su mujer al africano archipiélago, pues la
adoraba ciegamente; pero Matilde aparentó tanto
miedo al mar, que aquél prefirió el dolor de la ausencia a imponerle los tormentos de la navegación; con
10 lo que la infiel esposa, sola ya en Madrid, tuvo mayor holgura para seguir mancillando las honradas
canas de su marido en unión de feroces desalmados
de mi jaez...

—Principia usted a hablar como Dios manda...
15 —murmuró el jesuita.

—¡Es que ahora pienso en Gabriela! —respondió
Fabián.

Aquel mal concertado matrimonio no había tenido
hijos, con gran contentamiento de Matilde, que sólo
20 pensaba en conservar su hermosura, y con evidente
disgusto del viejo soldado, que estaba siempre deseando servir de algo sobre la tierra... Ello fue que,
antes de salir para Canarias, escribió a un hermano
suyo residente en Aragón, escaso de bienes de fortu-
25 na, suplicándole que *le cediese* (y enviase desde luego
a Madrid, para que acompañase a Matilde) una de
sus tiernas hijas, a la que adoptaría más adelante y
nombraría su heredera. —La Generala, más rica aún
que su marido y que no unía a sus otros defectos el
30 de codiciosa, holgóse en cierto modo de esta deter-
minación, lejos de apesararse de ella; pues tiempo
hacía (me dijo) que «deseaba que el General *la amase*
»y cuidase menos, y que contrajese *nuevas afecciones*
»de cualquiera índole en que emplear la excesiva y abru-
35 *»madora ternura de su alma.»* —Son palabras textua-
les suyas.

—¡Y elocuentísimas! —añadió el P. Manrique.

II

LA NIÑA ARAGONESA

Llegó, pues, a Madrid Gabriela.

Tendría entonces catorce o quince años; pero aún estaba vestida de corto, en atención, sin duda, a su retrasada naturaleza física, que parecía agobiada bajo el peso de un precoz idealismo. Sin embargo, su gracioso semblante, indicio apenas de lo que pronto llegó a ser, ostentaba ya una belleza expresiva, aunque infantil, que hablaba directamente al alma, y cautivaban todavía más los corazones su claro ingenio, su buena crianza moral y social (debida exclusivamente a sus padres, con quienes había vivido siempre en el campo), y su angelical inocencia, cariñosa condición y reposada y constante alegría. —La primera impresión que sentí al verla fue de miedo; de un miedo semejante al que causa la mucha luz a las personas desaseadas o mal vestidas.

Cuando Gabriela llegó a Madrid, hacía ya un mes del destierro del General, y llevaba yo casi el mismo tiempo de estar en relaciones con su esposa y de no salir a ninguna hora de su casa... —Matilde me quería con el ansia ardiente que caracteriza los últimos amores de las grandes pecadoras, sobre todo cuando cogen entre sus garras un corazón juvenil, y yo estimaba en ella, no tanto su persona, como el fanático amor que me profesaba. —¡Necio de mí! ¡Me envanecía de ser objeto de aquel culto criminal, y, huérfano y solo sobre la tierra, complacíame en arrimarme a aquel hogar ajeno, en disfrutar de su calor robado, en creerme allí dentro de mi casa, en dejarme dirigir por aquella afable tutora, que más me parecía a veces una madre que una querida!

La inexperta recién llegada no tardó en preguntar
quién era yo, y Matilde le dijo:

—«Considérale como una especie de hermano tuyo.
»Su difunta madre, que fue mi mejor amiga de la
5 »niñez, y que murió hace un año en Italia, me lo
»recomendó en sus últimos momentos, entregándole
»una carta para que me la presentase cuando viniese
»a Madrid... El pobre llegó hace pocas semanas... y
»yo lo quiero ya como si fuera mi hijo...»

10 Excusado es decir que no dejé de confirmar esta
sacrílega invención de la adúltera; invención que había de servir también para deslumbrar a su marido
cuando regresase... Ello es que Gabriela se dio por
satisfecha, y que desde tal momento contrajimos una
15 de aquellas deliciosas amistades de los hombres con
los niños, de la experiencia con la ignorancia, de la
misantropía con la candidez, que hacía exclamar a
lord Byron: —*«¡Lástima que estos pequeñuelos se con-*
»viertan en hombres!»

20 Matilde, que me adoraba cada vez más, y cuyo
mayor empeño era que me tomasen cariño todos sus
parientes, todas las personas que entraban en la casa
y hasta su misma servidumbre (preparando así el
terreno para imponerme a su esposo cuando regresase
25 y forzarlo a ser mi amigo), holgóse mucho en que nos
entendiésemos y llevásemos tan bien la gentil aragonesa y yo, y se deleitaba grandemente al oírnos tu-

---

19 Sobre lord Byron y su influencia en Alarcón, véase lo apuntado en el t. I, pág. 7, nota 2. No me ha sido posible localizar el
texto byroniano reproducido aquí por Alarcón y que ya había
sido recordado en un pasaje de la obra *De Madrid a Nápoles:*
«¡Oh! ¡Los niños!... ¡Los niños!... *¡Lástima que se conviertan en*
hombres!..., exclamaba lord Byron.» (*O. C.*, pág. 1545.) Tal vez
la frase no proceda de ningún poema byroniano, sino de algún
dicho formulado personalmente por el poeta, tal y como pudo ser
conocido a través de memorias, recuerdos, conversaciones, etc.,
recogidas por contemporáneos y amigos: Moore, Madwin, la condesa de Blessington, etc.

tearnos, al verme a mí reír y jugar con ella, cual si
yo fuera otro niño de su edad, al mirarla a ella en-
golfada conmigo en graves coloquios referentes a mis
viajes, a mis estudios y a mis aficiones artísticas,
como si fuese una mujer hecha y derecha, y al ob-   5
servar, finalmente, la admiración y el respeto que
sentía hacia mí aquella celestial criatura en medio de
la más tierna confianza.

Natural era que la pobre niña, ignorante del odioso
papel que yo representaba en la casa, y acostumbra-   10
da ya a oír a su segunda madre celebrarme desde por
la mañana hasta la noche «como al joven más honrado, más discreto, más valiente, más sabio y más
distinguido de toda España y aun de todo el mundo»,
me profesase aquel amor infantil, aquella franca ido-   15
latría, aquel reverente culto que yo estaba tan lejos
de merecer... Pero más natural era aún el que yo me
avergonzase, como me avergonzaba muchas veces, al
comparar mi alma con la de Gabriela, y contemplara
con aversión, con tedio y hasta con asco el amor de   20
Matilde, o sea la criminal torpeza del único vínculo
que ligaba mi existencia a la de aquel ángel de quince años.

Ni ¿cómo había yo de ser insensible al divino encanto de semejante intimidad con un ser tan noble,   25
tan puro, tan bello, tan inocente? ¡Era la primera
vez que trataba a un niño; la primera vez que me
comunicaba con un espíritu candoroso; la primera
vez que me miraba en agua cristalina; la primera
vez (desde que murió mi madre) que respetaba a una   30
criatura de Dios que la creía superior a mí, que envidiaba sus virtudes, que me arrepentía de mis vicios!... —Así es que cuando aquella niña me hablaba,
creía yo escuchar gorjeos de aves que me llamaban al
cielo; cuando contemplaba sus ojos, figurábame que   35
penetraba en el cielo mismo; cuando la veía sonreír,
parecíame que Dios me perdonaba mis pecados...

Asegúrole a usted, padre mío, que por entonces no
había considerado todavía a Gabriela como a una
amable criatura de distinto sexo, como a una doncella adolescente, como a una futura *mujer*... —¡Hubiera sido Gabriela un niño en vez de una niña, y la
adoración que me inspiraba no habría cambiado en
manera alguna! —Lo que yo amaba en ella era la
limpieza de su corazón, la santidad del afecto que
me tenía, la aureola angelical de la niñez, todas aquellas músicas y fragancias del cielo para mí descono-
cidas, que ponían en actividad y como que me revelaban las mejores facultades de mi espíritu.

Por lo demás, Gabriela reunía condiciones especia-
les y puramente humanas para conturbarme de tal
modo. —Era aragonesa..., y ya comprenderá usted
todo lo que le quiero decir con esto. Era la personificación más expresa y aquilatada que pueda imaginarse de aquella raza nobilísima cuya impertérrita
sinceridad e invencible constancia han sido en todo
tiempo asombro y admiración del mundo. Era sencilla, confiada, crédula; pero, así que formaba una opinión, que aprehendía una fe, que concebía un sentimiento, no había manera de arrancárselos. Tenía, en
suma, lo que hoy llamaríamos *el valor de sus conviccio-
nes*, y una lógica implacable, como todos los niños y
como todos los aragoneses... —Digo esto, suponiendo
que habrá usted reparado en que el aragonés, por varo-
nil y rudo que sea y por muchos años que cuente,
parece siempre niño; habla con la inconsiderada ingenuidad de los *enfants terribles*, que dicen los fran-
ceses; no conoce el peligro, ni mide las consecuencias
de sus actos; allá va adonde le impulsa su corazón;
pide justicia y defiende su derecho con el generoso
ímpetu de la inocencia; quéjase cándidamente y en
son de maravilla de las más comunes ruindades de
los hombres; no da, en fin, nunca cuartel a la iniqui-
dad ni al absurdo, y de aquí la fama de terco y

obstinado que tiene entre las gentes; terquedad y
obstinación que la patria historia denomina *fortaleza, magnanimidad, heroísmo*... —Pero divago...

—No divaga usted (pronunció el jesuita). Lo que
hace es profundizar en busca de las raíces de las co- 5
sas, y me alegro de verle ya tan reflexivo. Todo
cuanto acaba usted de decir acerca de Gabriela y de
los aragoneses, puede resumirse en una fórmula que
le dará a usted mucha luz para apreciar ese período
de su vida... ¡Aquella niña era franca, ingenua, va- 10
lerosa, implacable como lo es siempre la conciencia!...
¡Aquella niña era *su conciencia de usted!*

—¡Usted lo ha dicho! (exclamó Fabián fervorosamente). ¡Aquella niña era el limpio espejo en que yo
veía la fealdad de mi conducta! —Porque hay que 15
notar (y es a lo que iba cuando principié a discurrir
acerca de su carácter) que todas sus observaciones,
todos sus razonamientos, todas sus preguntas me hacían ruborizarme, y avergonzaron también algunas
veces a Matilde. 20

—«¿Cuándo trabajas, Fabián?»—solía interrogarme.

—«Tía... (le dijo una noche a la Generala): ¡las gentes van a figurarse que Fabián está enamorado de usted
al observar que no sale de esta casa!... En cambio,
cuando yo sea más grande, todo el mundo dirá que 25
es mi novio... ¡Cómo nos vamos a reír entonces!»

—«Si tanto te gustan los niños, Fabián... (preguntóme en otra ocasión), ¿por qué no te casas? Yo he
oído decir que para tener hijos es menester casarse.»

—«Fabián, ¿tienes novia? —¡Por qué no la tienes?» 30

—«¿Por qué no has ido hoy a misa? ¡Dices que no
has salido de casa hasta las tres..., y la última misa
es a las dos!»

—«Tía, ¿le ha escrito usted a tío que Fabián está
en Madrid y nos acompaña a todas horas? ¿Cómo es 35

---

21   En la 1.ª ed.: «¿For qué no trabajas, Pabián?»

que el General no se refiere a él en sus cartas? ¡Yo
se lo contaba todo en las que le escribí cuando llegué!... —¿Por qué no me habrá contestado sobre el
particular? ¿Dejaría usted de meter mi carta dentro
5 de la suya? ¡Yo quiero que el tío ame a Fabián tanto
como nosotras!»

—«Fabián, ¿a qué hora te marchaste anoche? ¡Ju-
raría que te oí toser a las cuatro de la madrugada!»

—«Dime, Fabián: ¿y por qué no has traído a Es-
10 paña el cadáver de tu madre? ¡Cruel! ¡Dejarlo en
tierra extranjera!....»

—«Tía, ¿por qué se opone usted siempre a que
cuente a mis padres en mis cartas lo muy bueno que
es Fabián para nosotras?»

15 —«Fabián, ¿por qué no haces mención de tu padre en tus conversaciones? ¿No te refirió tu madre
su historia? ¡Me gustaría tanto oírtela contar!»

—«Tía, ¿por qué no cuelga usted en el gabinete el
retrato de Fabián? ¿Por qué lo tiene usted escondido
20 en aquel armario? ¿Por qué no quiere usted que yo
lleve uno chiquito en mi guardapelo, como el que
lleva usted en el suyo?»

Interminable fuera mi tarea si hubiera de decir
todas las frases por el mismo orden que pronunciaba
25 diariamente aquella candorosa niña, y las fulminan-
tes réplicas, llenas de lógica y buen sentido, que oponía a nuestras balbucientes contestaciones... —Baste
asegurarle a usted que Matilde y yo llegamos a te-
merle como a un juez, y que ésta hubiera quizá aca-
30 bado por odiarla (¡yo de manera alguna!) si su hechicero rostro, su celeste bondad y el entrañable cariño que nos tenía no compensaran con exceso la
especie de tormento a que nos sometían sus interro-
gatorios. —La amábamos, pues, ambos cada día más,
35 como los padres delincuentes aman a los mismos hijos a quienes afrentan y perjudican con sus crímenes;
la respetábamos como se respeta a todo aquel de

quien se abusa o a quien se engaña, y sentíamos a su lado tales remordimientos... (a lo menos yo...), que hubo ocasiones en que me faltó poco para decirle: «¡*Aborréceme, niña mía: yo soy indigno de que poses en mí tus ojos!*»   5

*

—¡Qué alma tan hermosa le debe usted a Dios! (exclamó el P. Manrique). ¡Qué trabajo le ha costado a usted siempre no ser bueno!

—¡Mucho, padre! (contestó Fabián). ¡Y ése es mi mayor delito! ¡Eso es lo que más me pesa hoy! ¡Yo   10 he sentido siempre honda pena al realizar el mal, y hoy me encuentro con que el haber sido malo me incapacita ya para realizar el bien! —¡Nadie cree ya en mí!

—¡Bah, bah! (repuso el sacerdote). ¡Creo yo! ¡Cree usted mismo! ¡Y, sobre todo, cree Dios, testigo de   15 todos los pensamientos humanos! —No se preocupe usted, pues, con el porvenir: cuénteme lo pasado..., y confíe en que ya pondremos remedio a las enfermedades de su espíritu.

—¡No lo espero, mi querido padre! (suspiró Fabián).   20 —Pero, en fin..., continúo, como si lo esperara...

III

GABRIELA

Había llegado entretanto para Gabriela la hora crítica y solemne de su transfiguración. La niña se   25 convertía en mujer por momentos, o, más bien dicho, este cambio se había verificado ya bruscamente y como por ensalmo, bajo el disfraz de las infantiles vestimentas, antes de que Matilde pronunciara la

---

21 En la 1.ª ed. sólo: «Pero, en fin..., continúo.»

frase gráfica y sacramental de: «¡*Esta muchacha no cabe dentro de la ropa!*...»; frase que yo traduje al lenguaje poético, exclamando: —«*Sí, sí: la mariposa quiere romper su capullo.*»

5   Hubo, pues, que ponerla de largo; y por cierto que el día que esto se realizó quedamos absortos ante su espléndida hermosura. ¡Dijérase que una magnolia se había abierto repentinamente, trocándose de comprimido pimpollo en flor magnífica y olorosa! ¡Dijé-
10   rase que un velo de nubes acababa de desgarrarse, dejando libre campo a la triunfante y refulgente luna!

Es el momento de retratarle a usted la portentosa figura de Gabriela, tal como apareció entonces a nuestros ojos, y tal como dejé de verla al poco tiempo...
15   ¡ay! ¡Para siempre quizá! ¡Para siempre, mi querido padre, en justo castigo de mis pecados!

Había crecido hasta ser más bien alta que baja y más mujer que adolescente... —Perdóneme usted lo profano de la comparación, y perdónemelo también
20   la sombra adorada de aquella noble virgen; pero la verdad es que tenía la cabal estatura y las ricas y acabadas proporciones de la Venus de Milo, que se guarda en el Museo del Louvre. Sin embargo, sólo un artista de profesión como yo hubiera traslucido la
25   clásica perfección de su belleza, honestísimamente disimulada por su decente y recatada manera de vestir, de andar y de sentarse. Infundía, pues, invencible respeto aquella misteriosa, inconsciente beldad, púdica por instinto, y no resultaba audaz y provo-
30   cativa como la diosa griega, sino atemperada y venerable como las doncellas cristianas, castas, cuanto hermosas, que prefirieron el cielo a la tierra, y cuyas efigies reciben culto en los altares.

Gabriela era blanca como el mármol nuevo, con un
35   suave sonrosado en las mejillas, que las hacía semejarse a dos delicadas rosas de primavera, abiertas junto a las últimas nieves del invierno. Su altiva

frente, un poco grande, pero de artística traza, parecía el trono de la inteligencia y el sagrario del candor. Sus cabellos eran luz; sus ojos cielo; nido de gracias su linda boca; regalada música su voz, y un premio que nadie merecía cada sonrisa suya. —Tras 5 aquel cielo de sus azules pupilas veíase más cielo..., ¡y era su alma! La melodía de su voz llegaba hasta el corazón como una caricia, o como leve, piadosa mano que curaba las heridas sin lastimarlas, o como el propio bálsamo de salud... Y, en fin, todo aquel 10 semblante tan hechicero, tan sencillo, tan leal, tan sublime y tan franco a un mismo tiempo, ostentaba no sé qué sello de *extranjería en la tierra*, no sé qué aire inmortal, no sé qué tipo o qué blasón divino... —¡Indudablemente Gabriela era un ángel! 15

Por lo demás, de tan aturdida, locuaz y bulliciosa como había sido hasta el postrer momento de la niñez, tornóse grave y reflexiva desde la primera hora de la juventud, sin perder por eso su afable ingenuidad ni su alegría, bien que ésta resultase ya moderada 20 por una plácida serenidad, que tenía algo de beatitud celeste. —Y, en efecto: la viveza de su imaginación y la natural tendencia de su carácter aragonés a considerarlo todo, así las ideas como los sentimientos, de un modo absoluto, categórico, decisivo, *a muerte o a vida* 25 (como le decía yo), no tardaron en lanzarla a la región de las aspiraciones eternas y de las complacencias abstractas, en busca del Bien incondicional; y, procediendo con su inflexible lógica de siempre, en el mero hecho de no ser atea, fue mística, amó verdadera- 30 mente a *Dios sobre todas las cosas*, como manda el Decálogo; y le entregó su alma antes de empezar a vivir, con el mismo afán y premura que le entregan la suya a última hora ciertos moribundos..., después de una larga vida de abominación. 35

*

—¡Hijo! ¡Mi querido hijo! (exclamó el P. Manrique con entusiasmo). ¿A qué ha venido usted aquí pidiéndome que lo cure? —¡Usted está curado radicalmente, o cuando menos, conoce tanto como yo la
5 medicina de todo mal!

—¡Le engaña a usted el deseo, padre mío!... Ahora no habla mi pobre corazón: habla mi crítica. No trato de mí, sino de Gabriela. —¡Yo no he tenido nunca fuerzas para abrazar el bien!

10 —¡Pero basta que lo conozca usted y lo ame de esa manera!...

—¡Oh!... ¡no basta!... Y, sobre todo, ¡ya es tarde!...

—¡Eso... lo veremos! —repuso el jesuita.

—¡Desgraciadamente lo verá usted muy pronto!
15 —replicó Fabián.

*

Dije a usted antes, y tengo que repetir ahora, que Gabriela, en medio de su misticismo, se hallaba muy tranquila y contenta en este valle de lágrimas. No, no era, ni por asomos, la devota entristecida que
20 enferma y muere de *nostalgia del cielo*... Era una valiente amazona, que miraba sin miedo la ruda batalla del mundo, segura de vencer siempre, o dispuesta a morir antes de ser vencida. Entraba en lucha contra el mal con la serenidad y el denuedo de la que nació
25 heroína, o como si continuase entre nosotros una profesión a que se hubiera acostumbrado en el Empíreo durante aquella terrible guerra de las milicias celestes que describió el inimitable épico inglés en tan grandiosos versos...

---

8   Se ha suprimido la frase «Yo he vuelto a ser malo después de haberla conocido», que figuraba en la 1.ª ed.

29   En la 1.ª ed. se lee: «o como si continuara entre nosotros una profesión a que se hubiera acostumbrado tomando parte en la antigua guerra de las milicias celestes contra los ángeles que siguieron a Satán..., que diría Milton». Cfr. t. I, pág. 69, nota 31.

Era, pues, admirable el equilibrio de su naturaleza privilegiada, así en el orden moral como en el físico. Juventud, hermosura, talento, alegría, inocencia, fuerza, valor, todo lo juntaba. Su belleza parecía el reflejo de su bondad. La salud de su cuerpo retrataba 5 la salud de su espíritu. Dijérase que para ella se había inventado la fórmula antigua de *mens sana in corpore sano*.

Y, sin embargo (vuelvo a rogarle a usted que me crea), yo no la amaba todavía como se ama a una 10 mujer. La veneraba demasiado para llevar tan alto mi ambición. A las santas no se las ama con idolatría mortal. Los santos no tienen sexo. No sé qué pudor invencible o respeto supersticioso me hacía considerar a Gabriela como a un ser superior y extraño a la 15 órbita de mi vida. Era yo, en fin, a su lado el súbdito delante de la reina... ¡Podría ella bajar hasta mí los ojos...; pero, mientras no lo hiciera, nunca me proparía yo a alzar los míos hasta su soberana hermosura!

Por el contrario: al verla aparecer, clavábalos en 20 tierra lleno de confusión y de bochorno. La misma Matilde, a pesar de todo su descaro, no podía soportar en mi presencia las miradas de aquella extraordinaria criatura... ¡Gabriela (repito) había llegado a ser acusador espejo en que veíamos nuestra fealdad, 25 o inevitable luz que delataba nuestras miserias! No ya con preguntas, como antes, sino con su solo aspecto, establecía una serie de penosas comparaciones entre lo que éramos y lo que debíamos ser; entre ella y nosotros; entre la propia Matilde y yo, y entre mi 30 persona y la del ausente marido. Semejantes comparaciones nos humillaban y escarnecían a todas horas; pues harto comprenderá usted que al fulgor de la belleza, de la castidad, de la fe religiosa y de los nobles pensamientos de Gabriela, Matilde resultaba 35 marchita, impura, criminal, ingrata, sin lozanía física ni prenda alguna moral, y yo aparecía a mis propios

ojos como un vicioso grosero, adorador de mustios
encantos que otros hombres habían dejado ya con
hastío, como un ladrón que merodeaba en la casa
ajena aprovechando la ausencia de su dueño; como
5 un asesino de la honra del noble y proscrito General;
como un traidor...

*

—¡No siga usted!... (interrumpió el P. Manrique).
¡Está usted escarneciendo la memoria de su señor
padre!... Quiero decir: está usted repitiendo las más
10 terribles palabras de Lázaro en la célebre noche de la
consulta...
Fabián bajó la cabeza, murmurando:
—¡Es verdad, y siempre que pienso en Gabriela me
pasa lo mismo!... —¡Oh! Si Gabriela hubiese estado
15 junto a mí aquella noche, los sanos consejos de Lázaro
habrían prevalecido en mi decisión... —Pero el ángel
de mi guarda me había dejado ya solo en este bajo
mundo..., ¡y solo, enteramente solo he vivido en él
hasta hoy, que tengo la dicha de hallar a usted!
20 —Olvida usted a Lázaro... —¡Él hizo también esfuerzos extraordinarios para apartarle a usted del mal!...
—Puede que los hiciera en efecto... —¡Pero ya me
era odioso, y, además, estaba Diego a mi lado!...
¡Diego..., el huracán que avivaba todos los incendios
25 de mis pasiones!
—¡No olvide usted lo que acaba de decir!... —Eso,
y no otra cosa, era Diego en su vida de usted...
—¡Principia usted a ver claro, muy claro!... —Pero
volvamos a Gabriela.
30 —Volvamos a Gabriela... —repitió Fabián.

---

6   Este pasaje presenta varias modificaciones con referencia
a su redacción en 1875, la cual concluía así: «como un ladrón que
se había introducido en la casa ajena, aprovechando la ausencia
de su dueño; como asesino de la honra de un noble desterrado,
encanecido en el servicio de la patria; como un traidor...».

IV

«AMOR, CH'A NULLO AMATO AMAR PERDONA»

Hacía ya algún tiempo que la joven se había vuelto muy taciturna, sobre todo en los breves momentos que estaba sola conmigo. No parecía, sin embargo, triste ni enojada. Era su silencio como el de la meditación, o más bien como el que se guarda para escuchar. Tal vez se escuchaba a sí misma, tratando de enterarse de algo que balbucía su espíritu. O dijérase que escuchaba... y hasta *oía* lo que nosotros pensábamos y ocultábamos en su presencia...

Yo me incliné a creer esto último, y principié a advertir a Matilde:

—Gabriela no me habla ni me mira sino lo puramente indispensable... Gabriela calla y observa mucho... Gabriela sospecha nuestras relaciones...

—¡Te engañas! (me respondía Matilde). Yo leo en el alma de Gabriela como en un libro abierto, y sé además... cosas que ella y yo hablamos cuando tú te marchas... —Puedes tranquilizarte completamente.

Ni aun así me tranquilicé. A todas horas echaba de menos la familiaridad y la confianza con que antes me trataba la joven... —¡No, no podía contentarme con la mansa dulzura y la actitud pasiva, muy semejantes a costosa indulgencia, que habían sucedido al antiguo entusiasmo fraternal, a aquel tierno afán por escudriñar mi vida, a aquellos continuos asaltos dados a mi alma!

—¡Repara que ya es una señorita... (seguía dicién-

---

2 Verso puesto en boca de Francesca, junto a Paolo, en el famoso episodio de la *Divina Comedia* de Dante Alighieri (*Infierno*, canto V).

11 En la 1.ª ed.: «O dijérase que escuchaba... lo que nosotros no proferíamos con los labios en su presencia.»

dome Matilde), y que no tiene nada de particular que
reserve algo sus pensamientos! ¡Dejaría de ser mujer
si procediera de otro modo!

—¡Pero es que, en el presente caso, esa reserva en-
5 vuelve una censura!...

—Estás equivocado: esa reserva corresponde a tu
propia seriedad. Tú no te das cuenta, por lo visto, de
que hace algunos meses la tratas con demasiado respeto..., lo cual es muy peligroso..., o por lo menos,
10 muy inconveniente para la amistad de hermano que
quieres seguir manteniendo con ella. —A las niñas no
se les debe dar importancia... De lo contrario, se
tornan fatuas y presumidas, y pierden toda la gracia y
ligereza de su edad. —Trátala igual que antes, y
15 verás cómo ella hace lo mismo.

Intenté seguir el consejo de la Generala, que me
pareció muy atinado; pero, en vez de librarme de mis
recelos, di ocasión a que Matilde concibiese otros
mucho más graves. —Gabriela respondió con seque-
20 dad a mis nuevas bromas, con desvío a mis llanezas,
con enojo y hasta con dolor a mi alegría... Pero al
ver que yo me ponía entonces más triste que nunca,
como muy herido de su esquivez, ella solía volver a
contentarse y a tratarme con afabilidad y dulzura...
25 —En resumen: el día que yo estaba melancólico, Gabriela cantaba y reía, y hasta me invitaba a cualquiera
de nuestros pasados juegos; y el día que yo me mos-
traba regocijado y aturdido, ella parecía callada e
indiferente como una estatua.

30 —Tenías razón, Fabián... (me dijo entonces Matilde). Hay que mudar de sistema con mi sobrina...

Y, al hablar así, la infiel esposa temblaba ligeramente, mientras que una mortal palidez cubría su
rostro.

35 —Es menester (continuó) que no le des bromas;
que la trates muy superficialmente, o, por mejor
decir, que no le hagas caso alguno...; que la induzcas,

en fin, a creer que no reparas en las alternativas de
su conducta contigo...

—¿Por qué me lo dices? (interrogué). Y, sobre todo,
¿por qué me lo dices con esa voz y con esos ojos?

—Voy a ser enteramente franca. —Si yo te quisiese menos, si yo te quisiera como he querido a otros
hombres, no daría el paso que estoy dando, sino que
te hubiera dicho hace días: «Fabián: mi marido va a
»venir. Es menester que nos separemos para siem-
»pre...»

—¡Cómo! (exclamé). ¿El General viene a España?

—Es muy posible que venga pronto... —Pero no
se trata ahora de eso... Se trata de si tú me quieres
o no me quieres.

—¡Yo te quiero..., y lo sabes! —le respondí.

—Sé que me quieres como un niño..., y como un
niño mimado... Pero yo necesito saber que me quieres
también como un hombre..., es decir, como un hombre formal, de palabra, de conciencia...

—Pues ¿qué sucede? ¿Qué te ha dicho esa muchacha?

—Necesito saber (continuó Matilde) que eres incapaz de someterme, en pago del entrañable amor que
te tengo, al martirio más bárbaro, más horrible, más
espantoso...

—¡Explícate de una vez! ¿Qué nos ocurre?

—Todavía... nada. ¡Pero yo conozco el mundo, y
quiero prevenir las cosas a tiempo! —Conque dime,
Fabián, ¿cuento contigo?

—¡Para todo!

—¿No abusarás nunca de mi confianza?

—¡Jamás!

—Pues bien; escucha: Gabriela te ama...

Yo me sentí como deslumbrado, o más bien como
resucitado. Una alegría del cielo estremeció lo profundo de mi corazón, y mi pobre alma resplandeció
agradecida, al modo del universo cuando sale el sol
después de la tormenta...

Todo esto fue rápido como un relámpago. Observé que Matilde tenía clavados sus ojos en los míos, y echéme a reír inmediatamente.

—¡Tú deliras! (le dije). ¡Eso es un absurdo!

5 La infeliz guardó un instante de silencio, durante el cual su inquisidora mirada parecía querer leer dentro de mi cabeza... Y en seguida añadió:

—Pero, en fin, ¿si no me equivocase?...

—¡Sería lo mismo! —contesté apresuradamente.

10 —¿No te halagaría su pasión? ¿No tratarías de fomentarla? ¿No corresponderías a ella en secreto?

—¡Qué locura! —exclamé con gran energía, como para ahogar otra voz que murmuraba ya lo contrario en lo hondo de mi conciencia.

15 Matilde respiró: estrechó mis manos entre las suyas, y echóse a llorar y a reír al mismo tiempo, con el franco abandono de quien recobra su perdida paz.

¡En cambio, yo había perdido la mía para siempre!

—Quedamos, pues... (añadí entonces hipócrita-
20 mente, enjugando con mis labios las últimas lágrimas de aquella insensata), en que eso que me has dicho de Gabriela no tiene más fundamento que una cavilosidad de tu parte..., una suspicacia como tantas otras con que me has atormentado...

25 Y, pronunciadas estas palabras, púseme a escuchar ávidamente, deseando oír su completa refutación.

—¡Lo que te he dicho de Gabriela (respondió Matilde) tiene fundamento, y mucho! Por consiguiente, ya que cuento contigo, es menester que discurramos
30 la manera de atajar el mal...

—¿Te ha revelado algo Gabriela?

—¡Oh! no... ¡Ella no sabe nada!

—¿Cómo que no lo sabe? (exclamé lleno de asombro). Amiga mía, tú has perdido el juicio... ¡Te juro
35 que no te comprendo!

_____

24   Esta última frase falta en la 1.ª ed.

—Porque no conoces a Gabriela. Si la conocieras
como yo, entenderías perfectamente que pueda estar
enamorada de ti sin darse cuenta de ello. Gabriela es
la sencillez y la espontaneidad personificadas. Ignora
completamente nuestras relaciones, cuya mera posi- 5
bilidad no puede alcanzársele, y lleva mucho tiempo
de oírme celebrarte a todas horas y de ver la adoración que te profeso. Es joven como tú, y pasa a tu
lado la mayor parte del día... La naturaleza tiene sus
leyes, y Gabriela dejaría de ser mujer si, por resultas 10
de todo esto, su corazón y su espíritu no estuvieran
viviendo de tu vida, sometidos a tu influencia y ali-
mentándose de tu ser, complemento del suyo y necesidad de su organismo... —Hasta aquí la razón de
que te ame. —En cuanto a la razón por qué lo ignora, 15
es algo más sutil; pero no por eso la consideres vana
paradoja... Gabriela no conoce el amor sino de nombre; no había amado todavía; no habla con nadie que
pueda explicarle lo que experimenta ahora, y carece,
por tanto, de términos de comparación para apreciar 20
el estado de su alma. —Como es tan *natural* lo que
sucede; como nada se opone a su satisfacción de verte
y de oírte; como no recela perderla; como no le cuesta
trabajo lograrla; como no contrasta nunca con la
prohibición ni con la privación, no ha llegado todavía 25
a graduar su intensidad ni a agradecer su goce. Pero
si de pronto dejara de verte; si descubriese que tu
corazón era de otra mujer; si, por ejemplo, averiguara
nuestras relaciones..., adquiriría la conciencia de su
amor, y a la muda complacencia de que hoy disfruta 30
sucedería una pasión activa y devoradora. —Observa,
si no, el despecho que ya experimenta por instinto
cuando la tratas como a una niña o con el atolondrado
júbilo de quien no le profesa un sentimiento inefable
y místico en consonancia con el suyo... Y observa, 35
de otra parte, la ufanía y alborozo de que da muestras
cuando te ve triste, inquieto y como necesitado de

su concurso para ser feliz... —¿Por qué me miras tan
espantado? ¿Te asombra oírme hablar este lenguaje,
analizar tan íntimamente el amor, reducirlo a
fórmulas casi científicas?... —¡Ah, Fabián mío!... ¡El
5 amor es mi única ciencia..., y, además, hoy vienen
en mi ayuda la funesta lucidez y dolorosa perspicacia
de los celos!...

—¿Conque eso es todo? (respondí yo, sediento de
mayores pruebas de mi ventura). —Pues, amiga mía,
10 no me convenzo... Creo que ves visiones... —¡Precisamente hace algunas semanas que Gabriela no me
mira!...

—¡No te mira... cuando tú la miras a ella. Pero
cuando no puedes observarlo, apenas aparta de ti
15 sus ojos...

—Lo cual podrá muy bien consistir en que efectivamente sospecha nuestras relaciones... (repliqué,
mirando al suelo y dibujando con el bastón sobre la
alfombra, para que no se pudiese leer en mi rostro la
20 alegría del alma). —Gabriela me espía..., y, en vez de
ese amor que me supones, comienzo ya a inspirarle
odio y desprecio... —Créeme, Matilde: lo mejor que
podemos hacer es evitar su fiscalización, vernos
menos; vernos a solas; no vernos acá... Yo dejaré de
25 visitaros, por mucho que me cueste...

—¡Eso... de manera alguna! (prorrumpió Matilde).
¡No exageres las cosas! —Para conllevar nuestra situación bastará que yo te celebre menos en presencia
de Gabriela, y con que tú la trates superficialmente,
30 según ya te he dicho...

—¡Pero es que yo no puedo soportar su desprecio ni su odio!... ¡Esta idea, que no consi-
gues arrancarme, de que conoce y abomina nuestras relaciones, me llena de confusión y de ver-
35 güenza!

20   En la 1.ª ed. este paréntesis se reduce a «(repliqué)».

—¡Qué terquedad!... Me pones en el caso de ser
más explícita. —¡Pero cuidado, Fabián, que no abuses de lo que te voy a decir! —Tan cierto y tan positivo es que Gabriela no te desprecia ni te odia, que
ayer la sorprendí con mi guardapelo en la mano, con- 5
templando extasiada tu retrato... Llevaba ya algunos
minutos de estar así abstraída y medio llorosa, cuando
notó mi presencia: púsose muy colorada, y me dijo
sonriendo sin ingenuidad: —*«No sé qué hay en el
rostro de Fabián que no se cansa una de mirarlo...»* 10
—¡Creo, amigo mío, que este lance no necesita explicación..., y que ya no volverás a hablarme de sospechas, espionaje, odio ni desprecio de esa ambiciosa
señorita!

Yo estaba como embelesado desde que oí aquella 15
melodía celeste, transmitida a mí por un ángel caído.
Costóme, pues, gran trabajo disimular de nuevo,
fingir una carcajada, abrazar a Matilde, y prorrumpir
en las siguientes sacrílegas frases:

—¡Estamos conformes! ¡Estamos de perfecto acuer- 20
do! —Pues, señor, mataremos en su cuna ese amorcillo de adolescente, que lo mismo podría haber sentido
Gabriela por el más lindo de tus lacayos. —¡Nada
temas, Matilde mía!... ¡Yo te adoro, y sabré corresponder a tu noble franqueza! ¡Dentro de una semana, 25
Gabriela se habrá *cansado* ya de mirarnos a mi retrato
y a mí!... ¡Te lo juro solemnemente!

Matilde, no obstante todo su saber, creyó en mi
sinceridad y en mi constancia. —Y es que ni el amor
ni los celos son tan lúcidos y perspicaces como ella 30
me dijo.

---

14   En la 1.ª ed.: «desprecio de Gabriela».
18   En la 1.ª ed. falta «fingir una carcajada».

V

LAS CADENAS DEL PECADO

No debo ocultar a usted que, durante aquel plazo de una semana, lejos de hacer algo para desimpresionar a Gabriela, procuré acabar de enamorarla con el pretendido remedio que puse a su pasión... —¡Perdone usted, y considere que desde el punto y hora en que Matilde me reveló y demostró que Gabriela me amaba, ya no fui dueño de mi voluntad, ni de mi corazón, ni de mis pensamientos, ni de mi conciencia!

¡Oh gloria! ¡Oh infierno! —Un ángel se había acercado a mi alma... Mi disfraz lo había atraído, le había inspirado confianza, le había hecho creer que yo era digno de su nobilísima compañía... ¡Estaba redimido... o podía redimirme! ¡Dios me ponía en el camino de la virtud..., o me daba un guía que me sacase del abismo de mis dolores! —Pero, ¡oh desventura!, yo tenía prometido no salir de aquel abismo; yo había jurado esquivar a aquel ángel; yo había dado palabra de rechazar aquella mano que me tendía el cielo; yo no podía (para decirlo terminantemente) permanecer al lado de Gabriela sino como amante de Matilde; ¡yo tenía que desdeñar a la que ya adoraba y que acariciar a la que ya aborrecía, o que alejarme a un mismo tiempo de la una y de la otra!

Adoraba, sí, a Gabriela. ¡La adoraba sin duda alguna antes de saber que ella me amaba, y la revelación de Matilde no había hecho más que prestar las

---

6   En la i.ª ed.: «No acierto a discernir en este momento si, durante aquella semana, hice yo algo para desimpresionar a Gabriela, o si por el contrario, procuré que el pretendido antídoto que opuse a su pasión con mi conducta, acabase de envenenarla.» En la redacción posterior, suprimidos el veneno y el antídoto, se quitó énfasis romántico al pasaje.

alas del aire a un incendio encerrado en mi corazón!
—Como le dije a usted hace poco, yo no me había
atrevido hasta entonces en ver en Gabriela una criatura mortal, una mujer colocada al alcance de mis
esperanzas ni de mis deseos; pero, al saber que aquella 5
seráfica virgen palpitaba por mí, todo mi ser se
abrasó en amor de su alma, en adoración de su hermosura, en sed de las limpias aguas de su pureza, y
sentíme lleno de orgullo, penetrado de agradecimiento, devorado de curiosidad, ansioso, en fin, de 10
oír a aquellos labios de santa, pero también de diosa,
decirme entre las lumbraradas del rubor: —¡Fabián,
tuya soy; yo te amo!

¡Sublimes emociones de mi primero, de mi único
amor!..., ¿adónde sois idas? —¡Ay! Por lo tocante a 15
ella, ¡cuán cierto era que me amaba! —No sé cómo la
miré la primera vez que compareció en mi presencia
después que Matilde me arrancó la venda de los ojos;
no sé qué le dijo aquella mirada mía..., pero ello fue
que la arrogante doncella se detuvo asombrada; una 20
modestia divina enrojeció su semblante; tembló ligeramente, y sus párpados se inclinaron hacia la tierra...
—Parecióme contemplar a la Virgen del Beato Angélico en el momento que responde al Mensajero de
Dios: —Ecce ancilla domini... 25

¡Y, sin embargo, desde aquel mismo instante principié a insultar y escandalizar deliberadamente su
generoso y puro sentimiento! —«Que mi alma había
»abrigado ya muchos amores; que a la sazón estaba
»prendado de la esposa de un amigo mío; que yo no 30
»me casaría nunca; que la constancia amorosa se
»oponía a las leyes naturales...»: estas y otras abominaciones proclamé aquel día y los siguientes delante
de la noble aragonesa, entre las despiadadas risas de

---

25 Alusión a la famosa pintura de Fra Angélico, La Anuncia-
ción, que se encuentra en el madrileño Museo del Prado.

Matilde, quien dicho se está que se guardaba muy
bien de llevarme la contraria.

Gabriela principió por condenar mis declaraciones
con tanta indignación como denuedo: después (todo
5 esto en el primer día) me estuvo mirando a la cara
horas y horas, como dudando de la verdad de mis
palabras, y sin pronunciar ninguna por su parte: al
otro día dijo que estaba enferma, y no se presentó
delante de mí; y al otro y en los que se siguieron,
10 mostróseme tranquila, mansa, afable, como resignada
con su dolor y hasta complacida de padecer, no hablando más que de asuntos místicos, y oyendo con
una indulgente sonrisa de duda mis alardes de insen-
sibilidad y descreimiento.

15   ¡Faltábanme las fuerzas para proseguir aquella comedia infernal! Todas las noches, al salir de casa de
Matilde, derramaba torrentes de lágrimas, y, en
lugar de encaminarme a mi albergue, me estaba hasta
el amanecer contemplando el cerrado balcón del
20 aposento de Gabriela, abjurando, con muda contri-
ción, todo lo que había hecho y dicho aquel día, y
murmurando en las tinieblas todas las bendiciones y
todas las protestas de amor que no le había dirigido
estando a su lado... —¡Íbame luego a mi casa, y no
25 dormía, no vivía!... No hacía más que pensar en
Gabriela y analizar sus menores palabras, sus gestos,
sus actitudes, sus miradas de la víspera, deduciendo
de aquel examen esta horrible verdad, que acrecenta-
ba mis tormentos: «*¡Todavía me ama!*»

30   —«¡Ay! (exclamaba entonces, en medio de la más
cruel desesperación). ¿Por qué he sido malo hasta
ahora? ¿Por qué no me ha de ser posible principiar a
vivir otra vez, perdiendo la memoria y la responsabi-
lidad de mis pasadas acciones? ¿Por qué no conocí a
35 esta niña antes que a la mujer de quien soy amador
infame? ¿Por qué no la he encontrado en otra casa?...
¡Entonces podría alejarme del mal sin apartarme del

bien! ¡Entonces no me vería obligado a confundir
en una sola mirada a Matilde y a Gabriela! ¡Entonces no tendría que pagarle a la adúltera con
impuros halagos la dicha de haber contemplado al
ángel de mi guarda!

No tardó Matilde en observar mi inquietud y mi
angustia y en leer dentro de mi corazón.

—«¡Pobre Fabián mío! (díjome al fin un día). Conozco todo lo que estás padeciendo, y me da pena
verte sonreírme mientras que tu alma llora secreta-
mente. —¡No disimules más! Yo estoy agradecida a
los esfuerzos que haces por sofocar y ocultarme un
sentimiento que es superior a ti..., y debo corresponder con generosidad a tu sacrificio. —¡Lo que sucede
debía suceder!... Gabriela es joven como tú... ¿Qué
cosa más natural sino que la ames? —Dime si es así,
y cuenta desde ahora con la abnegación de mi
cariño. —De todos modos, al cabo tendríamos que
separarnos... Yo te doblo casi la edad, y pronto seré
vieja, mientras que tú habrías de casarte tarde o
temprano... Prefiero, pues, que permanezcas en mi
casa, en mi familia, a mi lado, ya que no con el título
de amante, que acabarías por dejar, con el de hijo...
¡Así no te perderé nunca! —Hasta ahora he sido feliz
sin atender más que a gozar de tus halagos... En
adelante lo seré procurando tu ventura, pagándote
toda la que te debo, consagrándome a tu felicidad y a
la de Gabriela como una verdadera madre.»

Aunque yo era muy joven, dudé de la sinceridad
o de las fuerzas de Matilde, y le negué resueltamente
durante algunos días, que estuviese enamorado de
Gabriela. Pero esforzó ella tanto sus razones; des-
vaneció de tal manera mis recelos; mostróseme tan
tierna, tan grande y tan generosa, que acabé por
creer en su lealtad y en su heroísmo, y, dando rienda
suelta a mi comprimida pasión, caí de rodillas a sus
plantas, y le dije:

—¡Bendita seas! ¡Bendita seas por la felicidad que
me has dado en este mundo y por la nueva dicha que
te voy a deber! —Tu sublime conducta me impone la
obligación de ser sincero contigo... ¡Es cierto, sí!
5 ¡Amo, adoro, idolatro a Gabriela!... ¡Pero cree que
también te quiero a ti más que nunca; cree que te
admiro y te reverencio como a una madre..., como
a una santa, como a un ser sobrenatural, como a un
Dios!
10   Un rayo que hubiera caído a los pies de Matilde
no le habría causado más horror que estas palabras
mías.

—¡Infame! ¡Perjuro! ¡Malvado! ¡Conque es verdad
que la amas! —prorrumpió frenéticamente.

15   Y quiso llorar; no pudo, lanzó un sollozo, y cayó al
suelo, agitada por una violenta convulsión verdadera
o fingida.

. . . .

Resultado de esta escena fue que, a propuesta mía,
y entre lágrimas y besos, Matilde y yo acordamos se-
20 pararnos para siempre. Y, en efecto, algunas horas
después salía yo de aquella casa en son de eterna
despedida, bien que sin haber dicho *adiós* a Gabriela
y sin esperanza de volver a hablarle nunca... —Es
decir, que salía de allí como había entrado... (y

_____

12 Comparación o latiguillo romántico, muy del gusto de los
folletinistas del XIX, usado alguna vez por Bécquer (así, en *El
rayo de luna* [1862]: «un rayo cayendo de improviso a sus pies no
le hubiera causado más asombro que le causaron estas palabras»)
e incluso por Galdós en *Misericordia* (1897): «un suceso tan extraño, fenomenal e inaudito que no podría ser comparado sino con la
súbita caída de un rayo en medio de la comunidad mendicante».
Ya Leopoldo Alas, *Clarín*, en *Su único hijo* (1891) acertó a señalar,
burlescamente, el carácter topiqueramente romántico que tal
comparación suponía: «En las novelas románticas de aquel tiempo
usaban los autores muy a menudo, en las circunstancias críticas,
esta frase expresiva: ¡Un rayo que hubiera caído a sus pies no le
hubiera causado mayor espanto!»
17 En la 1.ª ed. falta «verdadera o fingida».

perdóneme la memoria de mi padre, si vuelvo a emplear el horrible símil de Lázaro). ¡Salía furtivamente, como un verdadero ladrón, llevándome en las garras, no sólo la honra del General, sino el amor propio de Matilde y el corazón de Gabriela!... 5

Para colmo de desdicha, al llegar a mi casa, y cuando ya estaba arrepentido de aquel rompimiento y deseando que Matilde flaqueara y me llamase, pasé maquinalmente la vista por un periódico, y leí estas líneas: 10

«Acabamos de saber que el General *** y los demás »altos militares que estaban de *cuartel* en Canarias, »han recibido orden del Gobierno para regresar a »Madrid, y deben desembarcar en Alicante de un »momento a otro. Felicitamos a la nueva situa- 15 »ción, etc., etc.»

—¡No hay esperanza! (exclamé entonces). ¡Ya no puede Matilde flaquear y llamarme! ¡Ya no puedo yo arrepentirme, e ir a demandarle clemencia! ¡Ya no puedo ver a Gabriela de manera alguna! —¡La ve- 20 nida del General me cierra herméticamente las puertas de aquella casa! ¡La fatalidad se ha encargado de sancionar nuestra separación! ¡El infierno ha conseguido alejarme de Gabriela!

VI 25

LA NECESIDAD POR GALA

Me equivocaba... ¡Aún no había terminado aquella repugnante historia, en que la única verdadera víctima era la nobilísima doncella cuyo corazón está-

---

22 En la 1.ª ed. figuraba aquí una frase luego suprimida: «No está, pues, en mis manos ni en las de Matilde deshacer lo hecho.»

bamos desgarrando los dos adúlteros y cuya inocencia acabaríamos por escandalizar sacrílegamente!
—Tres días después de mi rompimiento con Matilde,
recibí la siguiente carta:

5   «Fabián: No llores ni me maldigas. Ven a verme.
Te necesito.

»En cambio, te dará toda la felicidad que deseas.

»Tu madre,

»MATILDE.»

10   Y debajo de estos renglones había otro... ¡escrito
de puño y letra de Gabriela!... que me hizo temblar
de amor y de respeto, o más bien de remordimientos
y de gratitud, como todo bien inmerecido. —Decía
así:

15   *«Ven..., para que sea feliz tu*

»GABRIELA.»

Abismos de horror entrevieron mis ojos al través
del velo de gloria y de ventura que envolvía esta
carta; pero acudí al llamamiento sin vacilar... —¡La
20 misma muerte érame preferible al dolor y a la desesperación en que había pasado aquellos tres días, lejos
de Gabriela!

Encontré sola a Matilde cuando penetré en su
gabinete. Estaba pálida, como si acabara de salir de
25 una enfermedad.

En la efusión de mi agradecimiento por la generosa
carta que me había escrito, quise apoderarme de sus
manos y besárselas; pero ella me esquivó tristemente,
y dijo:

30   —Ya sabía yo que vendrías si Gabriela te llamaba. —En cuanto a ella, puedo asegurar que todavía
ignora el valor de las palabras, *dictadas por mí*, que
te ha escrito al pie de mi carta... Pero descuida...,

que hoy mismo te cumpliré la promesa de hacerte
dichoso, y, para que no dudes de mi sinceridad, he
querido que tú propio oigas la explicación que voy a
tener con Gabriela... Bueno será, sin embargo, que
me explique también contigo..., no ya como tu amada 5
que fui, sino como tu mejor amiga que *quiero ser*...
Siéntate, pues, y escucha.

Yo callaba... ¡La tristeza de Matilde me causaba
espanto! ¡Parecíame una nueva forma de su amor!

Ella suspiró profundamente, como si aquel silencio 10
mío le arrebatase su última esperanza, y ya, desde
entonces, marchó resueltamente al anunciado sacrificio.

—¡Fabián! (exclamó, con una dignidad y una fortaleza de que nunca la hubiera creído capaz). Debo 15
ser sincera contigo... Yo te adoro todavía; pero ni
mi amor ni mi compasión entran por nada en lo que
te voy a decir..., en lo que voy a hacer... No: no te
he llamado para pedirte de nuevo el lugar que ocupé
en tu corazón, ni tampoco llena de generoso afán 20
por tu felicidad y la de Gabriela... ¡No soy tan
grande! Te llamo, obligada a ello, por mi propia
conveniencia; por puro egoísmo; para que me salves,
en fin, del grave riesgo que corren mi bienestar y
hasta mi vida... Oye lo que me sucede. 25

Y entonces me contó la siguiente historia:

Su marido había llegado a Madrid, enterado (seguramente por algún anónimo) de que existía un joven
llamado *Fabián Conde*, que no salía a ninguna hora
de su casa. Guardóse, sin embargo, de preguntarle 30
por mí a Matilde (sospechando sin duda su deshonra),
y púsose a averiguar la verdad del caso. Pronto le
confirmaron criados, amigos y parientes que llevaba
yo cerca de dos años de visitar íntimamente a la
Generala a todas horas del día y de la noche; por lo 35
que el celoso marido pasó de las preguntas a las
pesquisas, y encontró en el cuarto de Matilde, y en

sus muebles, cinco o seis retratos míos (uno de ellos
en el famoso medallón) y varios pañuelos y otros
regalos con mis iniciales...

Provisto de estas armas, y también de un puñal y
5 un veneno, el general, que era esencialmente trágico,
encerróse con su mujer y le dijo:

—Aquí tienes las pruebas de que eres la querida
de un cierto Fabián que hace dos días ha interrum-
pido la continua corte que te ha hecho durante mi
10 ausencia... —¡Mátate con este veneno, o yo te mato
con este puñal!

Matilde se echó a reír, y abrazó cariñosamente al
anciano, diciéndole entre sus alegres carcajadas:

—¡He aquí una prueba de tu amor, que me enlo-
15 quece de júbilo! ¡Cuán feliz soy en verte celoso, y
cuán equivocado estás al serlo!

El General se quedó desconcertado..., y a los pocos
segundos mostrábase dispuesto a admitir como buena
cualquier explicación, en vista de la serena, descuida-
20 da y seductora actitud de su esposa.

Entonces le dijo ésta: que yo amaba locamente a
Gabriela, y que Gabriela también estaba enamorada
de mí, no siendo otro el motivo de mis frecuentes
visitas; que ella, Matilde, había sido débil y condes-
25 cendiente con nosotros, permitiéndonos vernos y
hablarnos a todas horas, por considerarme un buen
partido para la joven; pero que no había permitido
se formalizara ningún compromiso hasta que viniese
el General y diese su asentimiento; que cierta per-
30 secución de la policía, por razones políticas, había
dado margen a que algunas noches me quedase yo
a dormir en su casa; que aquellos retratos y aquellos

---

32   Todo este párrafo de la persecución policiaca falta en
la 1.ª ed. Se ve que Alarcón consideró frágil la justificación de
Matilde, y la reforzó con estas consideraciones enderezadas a
explicar, ante el General, el porqué de las estancias nocturnas de
Fabián en su casa; no tenidas en cuenta en la edición de 1875.

pañuelos habían sido regalados por mí a Gabriela, la cual se los había ido entregando a ella por no creerse autorizada a guardarlos, y, en fin, que si el General le quedaba alguna duda, llamase a la hermosa niña y la interpelase sobre el asunto.

Matilde conocía el corazón humano, y muy especialmente el de su marido. Adivinó, pues, desde luego que éste se avergonzaría de llevar adelante sus averiguaciones tan pronto como temiese estar calumniando la inocencia y ofendiendo el verdadero amor. ¡Y así fue! El noble veterano se echó a llorar, cayó de rodillas, pidió perdón a Matilde..., y tuvo a mengua comprobar la verdad de aquellas atrevidas explicaciones.

Pero también sabía Matilde que los celos del General revivirían seguramente si hechos ulteriores no confirmaban mi noviazgo con Gabriela, y de aquí la carta que ella me había escrito llamándome, y las palabras que hizo añadir a la pobre niña...

—No me agradezcas, por tanto (concluyó Matilde), el sacrificio que voy a hacer uniéndote a la venturosa rival que me ha robado tu corazón... ¡Dios sabe que no lo hago por virtud, sino por necesidad! Pero el tiempo cambiará nuestra situación respectiva. Yo trataré de extinguir los recuerdos de tu cariño y de curar la herida de mi amor propio; y cuando esto consiga y pueda sentir hacia ti una noble amistad, en vez de la adoración y el rencor que juntamente me inspiras hoy, me complaceré en haber contribuido a tu dicha, en presenciarla, en no haberme quedado sin ti para siempre, y en ser como una segunda madre... de tus hijos ya que nunca pueda pasar como madre tuya a los ojos de mi conciencia...

---

14 En la I.ª ed.: «la verdad de sus palabras». A la vista de lo apuntado en la nota anterior sobre la adición introducida en las explicaciones de Matilde, se comprende el que Alarcón las califique ahora de «atrevidas».

—¡Oh, Matilde! (exclamé, profundamente conmovido por estas últimas palabras). ¡Tú te calumnias!
¡Tú eres la mujer más grande, el ser más sublime
que he encontrado sobre la tierra!... ¡Gracias! ¡Gra-
5 cias! ¡Yo procuraré merecer tanta generosidad a
fuerza de veneración y cariño! ¡Yo seré tu hijo, tu
hermano, tu siervo! ¡Yo besaré la huella de tus
pasos!...

Y, hablando así, quise coger de nuevo sus manos y
10 besárselas.

Matilde me rechazó con mayor severidad que antes,
y tiró del cordón de la campanilla.

—¡Que venga la señorita Gabriela! —dijo al criado
que acudió.

15 Yo caí de rodillas ante la Generala, exclamando:

—¡Dime antes que me perdonas!

Ella me miró entonces de una manera indefinible,
que me dio miedo... Pero luego se pasó las manos
por los ojos y la frente, y, señalando a su tocador,
20 exclamó con renovada energía.

—¡Déjame en paz! Entra ahí, y oye mi conversación con Gabriela... Es menester que, para cuando
mi marido vuelva esta noche, la joven sepa ya que
es tu prometida y que le pertenecen tus retratos y
25 demás objetos que esta mañana han podido causar mi
perdición...

Yo obedecí con ruin humildad, y entré en el tocador de Matilde, el cual estaba separado de su gabinete por unas cortinas.

30 Poco después llegaba Gabriela a presencia de la
Generala.

VII

LUZ Y SOMBRA

Empezaba a caer la tarde.

Era el 27 de Abril... ¡Lo tengo muy presente! Matilde y Gabriela se sentaron delante de una gran reja que daba al jardín de la casa.

Por los hierros de aquella reja trepaban los endebles y enmarañados tallos de un jazmín, cuyas nevadas florecillas recibían los últimos resplandores del sol poniente...

Matilde se había colocado de espaldas al tocador. A Gabriela la veía yo frente a frente por entre el filo de las dos cortinas.

Estaba pálida, pero tranquila como su inocencia, y más hermosa que nunca... En sus ojos resplandecían sentimientos de *mujer*, de los cuales seguramente se había dado ya cuenta durante aquellos tres borrascosos días...

—¡*Es mi esposa!*... murmuré en lo profundo del alma, con un recogimiento y una unción que jamás creí pudiera llegar a inspirarme la alegre niña de otros tiempos.

—¡Hija! (pronunció al fin Matilde con voz trémula): te debo una explicación de las palabras que, a mi ruego, has escrito hoy a Fabián, al pie de una carta mía que no te leí...

La aragonesa se sonrió humildemente, en prueba de ilimitada confianza. ¡Aquella sonrisa hubiera desarmado al demonio!

Matilde no fue desarmada, y continuó:

—Habrás extrañado también, aunque nada me has dicho, que nuestro pobre Fabián no haya parecido por acá hace dos días...

---

29 En la I.ª ed.: «Matilde continuó.»

—¡Tres con hoy, mi querida madre! —respondió Gabriela melancólicamente.

—Y, además de extrañarlo, lo sentirás mucho..., lo sentirás con toda el alma... ¿No es cierto, querida mía?

Gabriela levantó los ojos al cielo, y murmuró:

—¡Lo siento por él!

—¡Pues qué! ¿tú no le amas?

La casta beldad se llevó una mano al corazón, y dijo:

—Yo no sabía anteayer lo que era amar... Hoy... siento aquí una angustia infinita, que, si no es la muerte, de seguro es el amor.

—¡Es el amor! —repuso Matilde con fatídico acento.

Callaron un instante.

La Generala debió recordar entonces que yo era testigo de aquella escena, y dijo valerosamente:

—Pues bien, hija mía, tengo una buena noticia que darte: Fabián te ama tanto como tú a él.

—¡Ojalá! —murmuró piadosamente la joven, como si rezara por mí; como si mi ventura le importase más que la suya; como si acabaran de decirle que podía redimir mi alma.

Matilde no comprendió aquella exclamación, y dijo:

—No lo dudes, Gabriela... Si Fabián te lo ha ocultado hasta hoy; si ha asegurado en tu presencia que tenía innobles amoríos; si se ha calumniado a sí propio, mostrándose incapaz de puros y grandes sentimientos, todo ha sido por culpa mía...

Los ojos de Gabriela expresaron el mayor y más inocente asombro.

—¡Por culpa de usted!... (profirió luego con adorable candor). ¡No lo comprendo, mi querida madre!

—¡Sí!... (continuó Matilde). Yo le ordené que procurase combatir y desalentar tu pasión hasta que el General viniese y dijera si aceptaba a Fabián por esposo tuyo...

—¿Y qué? (prorrumpió la joven con inefable regocijo). ¿El General lo acepta?

—Sí, hija mía; el General y yo os anticipamos
desde hoy nuestra bendición...

Un sollozo cortó aquí la palabra a Matilde.

Yo participé de aquella emoción, y me sentí lleno
de piedad y de agradecimiento hacia tan heroica
mujer...

Gabriela, por su parte, cruzadas las manos y alza-
dos al cielo los ojos, en los cuales reverberaban los
últimos destellos del sol de aquel día, parecía un
serafín cantando las alabanzas del Eterno.

La voz de la Generala, que volvió a sonar, me
detuvo en el instante en que yo iba a salir de mi
escondite y a postrarme a sus pies.

—Esta misma noche (continuó diciendo la presun-
ta víctima) escribiremos a tus padres pidiéndoles su
consentimiento. Antes habremos visto a Fabián, y
yo lo habré presentado a mi marido, lo cual quiere
decir que acabará por quedarse hoy a comer acá, lo
mismo que en los mejores tiempos de vuestros disi-
mulados amoríos... ¡Ah! ¡se me olvidaba! Aquí tienes estos retratos, este medallón y estas flores mar-
chitas... Son los regalos que Fabián te ha ido desti-
nando (y depositando sumisamente en mi poder) los
días de tu santo, de tu cumpleaños, de año nuevo,
etcétera, etc. Yo he dejado de entregártelos hasta hoy
por no alimentar en tu corazón unas esperanzas que
podía haber disipado la llegada del General... Pero
ya no hay miedo... Ya es Fabián tuyo, y tú eres de
Fabián... ¡Abrázame, hija mía, y sé tan feliz como
te mereces!

Matilde no se pudo contener al pronunciar aquellas últimas palabras y hacer entrega de las prendas
de nuestros pasados amores... Echóse, pues, a llorar

22   En la I.ª ed.: «como en los mejores tiempos».

amarguísimamente. Entonces Gabriela, llorando también, se precipitó en sus brazos y le cubrió el rostro de besos, mientras que yo penetraba en el gabinete y me arrojaba a los pies de aquel ternísimo grupo, que resumía todos los afectos de mi alma.

Gabriela, al verme, ocultó la ruborizada faz en el seno de la que consideraba nuestra madre. Ésta se apresuró a enjugar sus lágrimas con no sé qué presteza febril o puramente dramática; levantóse tranquila en apariencia, y tratando de sonreírse, impulsó blandamente hacia mí a la conturbada joven, y se retiró por su parte al opuesto lado del gabinete, donde se dejó caer en una butaca.

—¡Fabián! (había dicho entretanto): aquí tiene usted a su esposa... —¡Hágala usted feliz!...

—¡Matilde! —murmuré, siguiendo a la Generala en vez de acercarme a Gabriela.

—¡Déjeme usted ahora, Fabián! (dijo la pobre mujer con imponente resignación). Estoy muy fatigada... —Luego hablaremos nosotros... No se inquiete usted por mí... Desenoje usted a Gabriela. —¡El General estará aquí dentro de una hora, y *es menester que nos encuentre a todos muy amigos!*

¡Terrible egoísmo del amor! Yo tomé estas palabras al pie de la letra, y, aprovechando el permiso de Matilde, y utilizando ferozmente su dolorosa magnanimidad, me acerqué a Gabriela como si estuviéramos solos; le cogí una mano, y contemplé con arrobamiento su peregrina hermosura.

El sol se había puesto, y los resplandores del crepúsculo, filtrándose a través de los jazmines de la reja, sólo iluminaban aquel lado de la habitación, dejando en sombra el sitio en que había quedado Matilde.

Gabriela, inocente, dichosa, triunfante, estaba de pie, a mi lado, junto a la florida reja, dejándome estrechar y acariciar aquella mano tibia y suave,

confiada y cariñosa, que no temblaba entre las mías,
sino que facilitaba ingenuamente la comunicación de
los amantes efluvios de nuestras almas, de nuestros
corazones, de nuestra sangre juvenil..., alimento
ya de dos vidas que principiaban a fundirse en 5
una sola.

Alzó al fin ella la pudorosa vista, nos miramos...,
y sus ojos y los míos quedaron contemplándose infi-
nitamente, inmóviles y como extasiados, sin vislum-
brar otro mundo que el abismo de luz de nuestras 10
ansias. Hablábanse y besábanse nuestras pupilas, y
yo advertía con inefable orgullo que, efectivamente,
en las de Gabriela fulguraba toda la pasión de la
mujer al través de la santidad del ángel, dejándome
ya presentir a la tierna esposa, con su doble aureola 15
de dulce compañera y de futura madre...

—¡Gabriela mía!...

—¡Fabián mío!... —murmuraron al fin nuestros labios, buscándose indeliberada e instintivamente.

Pero antes de que se tocaran, un sordo gemido 20
sonó allá en las tinieblas que envolvían el fondo del
gabinete.

¡Era Matilde, de quien nos habíamos olvidado!

Yo me quedé helado de terror, y solté la mano de
Gabriela. 25

Ésta retrocedió avergonzada y confusa; alzó las
cortinas de una puerta inmediata y desapareció rápidamente.

—¡Pobre Matilde mía! (exclamé entonces, corriendo asustado hacia la implacable Generala). ¡Perdo- 30
na!... ¡He sido cruel!... ¡He sido egoísta!

—¡Muy egoísta! ¡Muy cruel! (respondió ella con
enronquecido acento, enjugándose las lágrimas que

---

7   En la 1.ª ed.: falta «Alzó ella, al fin, la pudorosa vista».
16   En la 1.ª ed. el párrafo final es más largo: «con su doble
aureola de compañera y de madre, rendida a mis halagos y pagán-
domelos con los suyos y con los de nuestros hijos...».

bañaban su rostro). ¡Yo creía que siquiera hoy, me
guardarías la consideración de no acariciarla en mi
presencia!...

—¡Perdona!... ¡perdona, santa mía!

5   —¡Oh! ¡no! (prosiguió Matilde). ¡Tú eres quien ha
de perdonar!... ¡Yo debí morir el día que descubrí
que no me amabas!... —¡Y yo me moriré!... Descuida... ¡Yo me moriré!

Parecióme que el mundo se hundía en torno mío,
10 y, para evitar la total ruina de mis esperanzas, contesté atolondradamente:

—¡No digas eso! —Yo te amo más que nunca...
—Yo os amaré a las dos... —Tú serás siempre *mi
Matilde*.

15   Y, conociendo el ascendiente que tenían sobre ella,
más que mis palabras, mis caricias, cubrí su rostro
de atropellados, ruidosísimos besos, que la fementida
no tardó en principiar a pagarme...

Un lamento más triste que el anterior resonó
20 entonces dentro del gabinete, y al mismo tiempo
oímos, detrás del cortinaje que había cedido paso
a Gabriela, el sordo golpe de un cuerpo que se
desploma.

Fuimos allá, y vimos que la joven, en lugar de
25 irse a su aposento, como nosotros nos figuramos, se
había ocultado, llena de turbación y de curiosidad,
hijas de su inocencia, detrás de aquellas cortinas, y
que desde allí lo había oído todo...

—¡La hemos matado! —grité fuera de mí, tratan-
30 do de socorrer a la infortunada joven.

—¡Tú nos has matado a las dos!... (rugió Matilde,
impidiendo que me acercara a Gabriela). —¡Vete!...,
¡Vete! —¡Ya no tengo defensa contra los celos de mi
marido!

35   —¡Tú no morirás! (repuse entonces ferozmente).
¡Dios conserva vivos a los demonios para castigo de los culpables como yo!... —¡Matilde! Escu-

cha la última palabra que oirás de mis labios...,
oye el resumen de nuestra historia: —¡Maldita
seas!

Dije, y salí definitivamente de aquella casa, loco
de amor y desesperación.

VIII

LA FUENTE DEL BIEN

Como loco estuve, en efecto, muchos días. —Mi
primer movimiento fue *huir*, sin pararme a examinar
la extensión del daño que había hecho, pareciéndome
en ello al asesino y al incendiario y a todo el que
comete un delito horrendo, indisculpable, para el cual
no cree posible hallar perdón ni en su conciencia ni
en la ajena... Huí, digo, sin atreverme a averiguar
si Gabriela había muerto aquella noche, si se había
marchado de la casa, si con sus declaraciones o con
su silencio consumó la perdición de Matilde a los
ojos del General, ni si éste pensaba o no pedirme
razón de sus agravios...

Pero no imagine usted que mi fuga fue material;
no crea usted que huí de Madrid... De donde huí
verdaderamente fue de la virtud, del deber, de mí
mismo, de mi propia memoria... Lo que hice fue
desesperar del bien para siempre y arrojarme en brazos del mal; buscar refugio y compañía en los vicios,
únicos amigos que no me desdeñarían ya en el mundo; intimar con los jóvenes más escandalosos que im-
peraban entonces en ciertos salones, en los dorados
garitos y en los lupanares públicos o privados; dejarme llevar del huracán de la disipación y de las
corrientes de la moda; no perdonar baile, festín, aven-

---

2   En la 1.ª ed.: falta «oye el resumen de nuestra historia».

tura galante, bastidores de teatro, ocasión de desafío,
mesa de juego, ni desenfrenada orgía; y todo ello...
con tal de no quedarme nunca solo, con tal de no
pensar en Gabriela, con tal de no tener noticias suyas, o más bien dicho, con tal de no tenerlas de mí
propio... —¡Horrorizábame la idea de entrar en cuentas con mi alma!

Pronto, sin embargo, oí decir a personas indiferen-
tes que Gabriela había regresado a Aragón.

El mismo día que supe esto fue también el primero
que me encontré a Matilde en la calle... —Iba en
carretela descubierta, al lado de su infortunado esposo, el anciano y digno caudillo, que la miraba en
aquel instante con adoración y arrobamiento. —Él
no me conocía... ¡Ella me miró imperturbable y des-
cuidada, como si tampoco me conociera! —Digo más:
la graciosa sonrisa que en aquel instante dirigía a su
marido no se heló en sus labios, ¡y sonriéndole pasó
y desapareció, más espléndidamente ataviada que
nunca, más hermosa, más cínica, más desvergonzada!

Yo sentí un profundo dolor y luego un extraordinario bienestar... —Era que Matilde acababa de mo-
rirse en mi corazón.

A la noche oí contar en el Casino que la Generala*** tenía un nuevo amante; ¡y hasta hubo quien
dijo que me había reemplazado con *dos!*...

Alegréme intensamente. ¡Aquello equivalía a echar
paletadas de tierra sobre un cadáver cuya pestilen-
cia hubiera podido inficionar el resto de mi vida!

Borróse, pues, poco a poco hasta el recuerdo de
Matilde en mi atormentado corazón..., el cual ya no
sintió hacia ella ni amor, ni odio, ni tan siquiera
desprecio... ¡Érame, y me es hoy su persona, indiferente de todo punto; y puedo compararla a los

---

26 En la I.ª ed.: «y hasta hubo quien dijo que los nuevos
afortunados eran dos».

cabellos que fueron nuestros, que luego nos deja-
mos cortar, y que gentes extrañas pisotean en seguida a nuestra presencia en el sucio salón de la
peluquería!

*

—¡Es usted muy inhumano con sus cómplices! —
exclamó el padre de almas, sonriéndose al oír aquel
implacable símil.

—¡Tiene usted razón! —contestó Fabián, cerrando
los ojos como para contemplar mejor los tiempos
pasados...

Y después dijo:

—No he vuelto a ver a Matilde. —Pocos meses
después falleció el anciano General, y ella se marchó
a Italia, donde parece que ha vuelto a casarse...

—¡Dios tenga misericordia de sus culpas! —murmuró el jesuita.

—¡Yo la perdono..., pero con la condición de no volver a verla nunca! —respondió lúgubremente Fabián.

Y, pasado un rato, continuó de este modo:

*

—A los dos o tres meses de llevar aquella espantosa vida apoderóse de mi alma no sé qué invencible
cansancio, hasta que un día quedéme atrás en la vertiginosa carrera del desorden y del escándalo, y ha-

---

3 En la 1.ª ed.: «púplico salón».

7 En la 1.ª ed.: falta «implacable». Al sustituir Alarcón «público» por «sucio», el símil, efectivamente, se hizo mucho más duro.
En definitiva, las correcciones introducidas —así, la señalada en
la pág. 46, nota 26— tienden a reforzar la impresión de total
ruptura de Fabián con Matilde. Desde esa perspectiva, mal podía
considerarse «afortunados» a los nuevos amantes de la Generala.

18 En la 1.ª ed. simplemente: «¡Yo la perdono!» La nueva
«condición» se relaciona con lo apuntado en la nota anterior.

lléme solo, desvalido y miserable, como soldado reza-
gado que ve desaparecer a sus camaradas y no tarda
en caer en manos del enemigo. —Mi enemigo era yo
propio, según acabo de decir, y en tan funesta com-
5 pañía torné al fin a mi desierta casa, sin esperanza
alguna de ser dichoso...

Para colmo de infortunio, pronto observé que, por
más que había revuelto y enturbiado mi vida, por
más que había pisoteado y encenagado mi corazón,
10 no había conseguido cegar en mi alma la fuente del
bien, manantial inagotable de remordimientos. —Por
el contrario, tan luego como empezó a serenarse el
fangoso mar de mis pasiones, vi dibujarse en su fondo la luminosa figura de Gabriela... —¡Allí estaba,
15 fija, inmóvil, indestructible cual mi propia conciencia, pero no echándome en cara, como ésta, mi infame conducta; no despreciándome ni escarneciéndome,
sino triste y afable a un tiempo mismo, mirándome
con lástima y sonriendo dulcemente en medio de su
20 lloro, como para animarme a intentar una reconciliación con el cielo!

Aquella visión, que principió por causarme espanto, me fue inspirando poco a poco, primero una tími-
da confianza, y luego una fe ciega en la inagotable
25 bondad y acendrado cariño de mi adorada. —«¡Nun-
»ca podrá Gabriela (díjome todo mi ser) olvidar lo
»que sintió por mí la tarde que se desposaron nues-
»tras almas junto a la reja de los jazmines; ni su
»angelical misericordia me negará un generoso per-
30 »dón cuando vea todo lo que padezco!»

No bien alimenté esta esperanza, mi pasión por
Gabriela recobró su antiguo aliento y regeneró totalmente su espíritu. —Parecióme que resucitaba a una
nueva vida. Desconocí y reprobé mis excesos y locu-
35 ras de aquellos últimos meses, como si no fuesen
actos míos (sin considerar que el mundo, a quien
había escandalizado, los reputaría siempre tales), y

principié a buscar a mi adorada con el mismo afán
que había puesto poco antes en huir hasta de su
recuerdo... —¡Así soy, padre mío; quiero decir, *así
era* antes de consumarse mi desventura!

Lo primero que averigüé fue que Gabriela partió, en efecto, de casa del General al otro día de
la terrible escena del gabinete. Di, pues, por cierto que había regresado a Aragón, a casa de sus
padres, y me encaminé al pueblo en que éstos
vivían.

Allí supe (no por ellos, a quienes no me atreví a
presentarme, sino por el Administrador de Correos)
que la joven no había llegado a salir de Madrid,
adonde sus padres le escribían con este sobre:

*«Señora Abadesa del convento de***, para entregar
a Gabriela de la Guardia. —Madrid.»*

Torné a la corte; fui al mencionado convento, y
obtuve que la Abadesa se dignase oírme.

A las primeras palabras que le dije con relación a
Gabriela, preguntóme vivamente, y como si hiciese
ya mucho tiempo que me esperaba:

—¿Es usted Fabián Conde?

—Sí, señora... —le respondí maravillado.

—Pues vaya usted al torno, y allí le pasarán una
carta que tengo para usted hace tres meses. —No se
canse usted, por lo demás, en volver aquí ni en pedirme nuevas audiencias... Yo no puedo oír hablar,
ni hablar por mi parte, del asunto a que dicha carta
se refiere, ni menos permitiré jamás que usted se co-
munique de manera alguna con la persona por quien
acaba de preguntarme.

Y, dicho esto, me saludó fríamente y bajó la per-
siana del locutorio.

---

12   En la 1.ª ed. falta «sino por el Administrador de Correos».
15   En la 1.ª ed. figura el nombre de tal Abadesa: «A Sor
María del Consuelo.»

Imagínese usted el afán con que volé en busca de aquella carta, que sólo podía ser de Gabriela...

De ella era efectivamente, y en el bolsillo la traigo, con otras que leeré a usted dentro de poco...

5   Hela aquí:

«Fabián: sé que, tarde o temprano, vendrás a buscarme, no ciertamente por lo que yo soy, pobre criatura mortal llena de imperfecciones y miserias, sino por lo que Dios Nuestro Señor ha querido que mi
10   humilde persona represente y signifique en tu desgraciada vida.

»Lo que no sé a punto fijo es cuándo y cómo vendrás. Podrás venir inmediatamente, impulsado por tu egoísmo, que a ti te parecerá amor y compasión.
15   Podrás venir más adelante, impulsado por mejores sentimientos, esto es, por devoción al bien, creyendo, en tu locura, que yo soy el bien mismo... Podrás, en fin, venir muy tardíamente, cuando, próximo a la tumba, te veas ya desechado por el mal, como un
20   instrumento inútil, en vez de haberlo desechado tú a él en tiempo hábil...

»Ello es que vendrás sin duda alguna, ora creyendo que me debes algo, que yo te necesito y que puedes darme una felicidad que no tienes, ora imaginando
25   que yo puedo darte esa felicidad, perdonarte, absolverte, redimirte...; cosas todas que no cabe obtener sino de Dios, directamente y por los propios merecimientos.

»Como quiera que sea, te escribo esta carta al día
30   siguiente de nuestra última entrevista y el primero que paso aquí a solas con mi Eterno Padre, para que no dejes de encontrar, al buscarme, el único bien que puedo darte ya en el mundo, que es un *buen consejo*.

---

33   En la I.ª ed.: «para que no dejes de encontrar, al acudir a mí, el único bien y el único consuelo que puede darte tu Gabriela».

»Fabián: no me juzgo ofendida por ti, ni te guardo rencor alguno. —El ofendido es Dios, y el rencor te lo guardarás tú a ti mismo. —Yo no he deseado más que tu bien, que hubiera sido el mío, y, al repudiarme como lo has hecho, tú eres el que resultas perjudicado. Quise guiarte por los senderos de la virtud, cuyos abrojos se convierten en blandas flores cuando no vacilamos en entregar nuestra carne a sus aparentes asperezas, y has preferido volver a los caminos del pecado, cuyas mentidas flores son el disfraz de punzantes espinas... —Te compadezco, pues, con toda mi alma.

»Pero dirás tú, y hasta creerás, *que te arrepientes*, y que por eso me buscas, para que yo te reconcilie con el bien, o creyendo, repito, que el bien y yo somos una sola cosa... —¡Fabián! El bien no se busca meramente con el deseo: se busca con méritos y penitencia. No basta querer ser bueno: es menester serlo. —No me busques, por tanto, tú mismo: haz que me busquen tus obras. Verás entonces cómo me hallas, aunque no me encuentres. Verás cómo me tienes, aunque no me veas. Verás cómo estoy dondequiera que tú estés. Verás como no me echas de menos, aunque yo desaparezca de este mundo. Verás cómo no necesitas de medianeros para obtener la paz, la dicha, la bendición de Dios. —Porque Dios es el bien, y no yo, como sacrílegamente imaginarás algún día; y Dios solamente podrá hacerte feliz, cuando lo merezcas, sin necesidad de mi cooperación.

---

16   En la 1.ª ed. falta «o creyendo, repito, que el bien y yo somos una sola cosa».

29   En la 1.ª ed. falta este párrafo final. Alarcón ha reforzado, una vez más, la parte que pudiéramos llamar catequística o de predicación cristiana. Gabriela queda así allegada al papel moralizador confiado al P. Manrique. Lo que éste dice, al comienzo del capítulo IX, constituye un dato muy expresivo acerca de esa identificación.

»Si yo creyera lo contrario, si yo creyera que per-
maneciendo cerca de ti, alentándote en tu camino y
hasta premiándote *anticipadamente*, pudiera contribuir al mejoramiento de tu alma, créeme, Fabián, en
5 lugar de haberme encerrado en esta celda, me habría
ido a tu casa, sin dolor ni resentimiento alguno por
lo acontecido ayer tarde, y feliz, cuanto puede serlo
una criatura humana, al verte en camino de salvación. Pero eso hubiera sido curarte en falso, sin ex-
10 tirpar las raíces del mal, cuando es indispensable que
tú te cures solo; que andes sin compaña la gloriosa
calle de la Amargura; que pruebes tus fuerzas contra
Lucifer y lo venzas en singular combate, y que no te
propongas otro premio de tu victoria que *la victoria
15 misma*. —Al que no le basta *merecer el bien* para ser
feliz, no le pueden hacer dichoso todos los bienes del
cielo y de la tierra.

»Adiós, Fabián. Nada temas por Matilde... Antes
de dejarla he hablado con el General y echado sobre
20 mí todo lo que hubiera podido comprometerla, afligir al venerable anciano y ser un peligro para ti.
Así es que (¡Dios me perdone la mentira!), en concepto de mi tío, yo he sido tu prometida desde que
llegué de Aragón hasta que ayer tarde rompí volun-
25 tariamente mi conpromiso, prefiriendo el claustro al
matrimonio. —No desmientas nunca esta explicación,
que deja en salvo a Matilde.

»Concluyo aconsejándote que no te afanes en procurar verme, ni en hacer llegar a mi poder cartas
30 tuyas. —Conoces mi constancia aragonesa. Todo lo
que intentes con semejantes propósitos será inútil.
¡Yo no volveré a hablarte ni a leer una palabra escrita
de tu mano, sino en el caso de que llegues a merecerlo,
no a tu juicio, sino al mío; no porque tú me lo digas,
35 sino porque lo cuente la fama! —Es el único voto que
he pronunciado al pisar estos umbrales, y pienso
cumplirlo religiosamente. —Por lo demás, ten enten-

dido que, aunque encerrada aquí, conoceré todas tus acciones y sabré día por día cuanto hagas, cuanto digas, cuanto pienses.

»Hasta la vista, en este mundo o en el otro,

»GABRIELA.» 5

IX

EL TORMENTO DE SÍSIFO

—¡Prodigiosa carta! (exclamó el P. Manrique, cruzando las manos con fervorosa admiración). Nadie diría que está redactada por una adolescente... Antes 10 parece obra de un doctor de la Iglesia, largamente probado por el infortunio. —¡Bien que Gabriela, según resulta de todo lo que usted me ha contado, era de la raza de las Mónicas y Teresas y de la Santa Catalina de Alejandría! Como ellas y como los ángeles 15 del cielo, tenía la ciencia infusa del bien, y su misión sobre la tierra era sacarlo a usted del abismo del pecado. —Guarde usted esta carta y léala continuamente... Yo no tengo nada que añadir a sus saludables preceptos. 20

—¡Siempre la llevo sobre el corazón... (respondió Fabián), y muchas veces la he leído! —Sin embargo, confieso a usted que, cuando la recibí, no la aprecié debidamente, o, por mejor decir, no acerté a comprenderla. Sus más profundos consejos carecieron 25 para mí de sentido, y sólo supe deducir de aquella especie de *teología amorosa* (así la calificó mi soberbia satánica), que Gabriela seguía queriéndome a pesar de todo, y que nada me sería más fácil que obtener su perdón y su mano, a pocas muestras que le diese 30 de arrepentimiento y de cariño.

---

15 Santa Mónica, madre de San Agustín. Santa Teresa de Jesús.

Ahora bien: como mi alma superabundaba en este cariño y este arrepentimiento (a lo menos, tal y como yo podía sentir semejantes afectos en aquel entonces), resolví desde luego todo lo contrario de lo que Gabriela me prevenía en su carta, creyendo, ¡loco de mí!, complacerla más realmente y probarle mejor mi pasión con un *sitio* en toda regla, que con la vida penitente que me aconsejaba.

Comencé, pues, a rondar el convento a todas horas. Gané al jardinero y al despensero, y por medio de ellos y de las sirvientas de la santa casa conseguí que Gabriela encontrase diariamente sobre la mesa de su celda una carta mía. —En aquellas cartas le confesé todos mis pecados; le expliqué los remordimientos que me hizo sentir desde que, tan niña todavía, llegó de Aragón y fijó sus claros ojos en los míos; le pinté el inmenso amor que no tardó en inspirarme, primero hacia la virtud y luego hacia ella; el odio y la repugnancia con que de resultas miré ya a Matilde; mis luchas con ésta; mi debilidad de no romper con la adúltera por seguir viendo de cerca a mi adorado ángel, y las horribles escenas a que dio origen la llegada del General a Madrid. Le hablé, en fin, un día y otro de la vehemencia y sinceridad de mi amor, de mis propósitos de enmienda, de la triste soledad en que vivía y de lo necesitado que estaba de aliento y de esperanza, y le pedí, como a mi Ángel Custodio que era, que me guiase por la senda del bien, o sea que me escribiese de vez en cuando una palabra de consuelo, diciéndome que estaba contenta de mí y animándome en la batalla contra los espíritus de las tinieblas, o sea contra el mundo y contra mis pasiones...

Por lo demás, pasaba casi toda mi vida en la iglesia del convento. Allí estaba, desde que la abrían al amanecer hasta que la cerraban al mediodía, y desde que volvían a abrirla por la tarde hasta después de anochecido, sin apartar mis ojos del coro por si cruzaba la sombra de Gabriela al través de las celosías, y atento siempre a los cantos y rezos de las vírgenes del Señor, tratando de percibir entre sus voces la de mi adorada... —¡Pero todo fue inútil! ¡Ni Gabriela 5 contestó a mis cartas, ni respondió cosa alguna a los recados verbales que hice llegar hasta ella, ni columbré su sombra a través de la gran reja del coro, ni distinguí siquiera una vez su dulce voz en los conciertos místicos que allí dentro resonaban... 10

Principiaron a faltarme las fuerzas. —Entonces volví a leer su carta, y fijé mi atención en estas frases: —*«No me busques tú mismo; haz que me busquen tus obras...»* *«No basta querer ser bueno; es menester serlo...»* *«Es indispensable que tú te cures solo; que* 15 *andes sin compaña la gloriosa calle de la Amargura...; que no te propongas otro premio de tu victoria que la victoria misma.»*

La tremenda austeridad de estos preceptos y la invencible constancia con que Gabriela subordinaba 20 a ellos su conducta respecto de mí, causáronme espanto, y convirtieron mi desaliento en la más ruin cobardía. ¡Vime en la situación de un hombre que, después de haber marchado de sol a sol por ásperos breñales, oyese decir que todavía estaba tan lejos del 25 punto en que se proponía descansar, como cuando emprendió su fatigosa jornada!

Desesperé, por consiguiente. —Yo no podía, yo no sabía ser bueno a solas, sin público, sin recompensa, sin auxilio; ¡sin que a lo menos me constase que al- 30 guien me anotaba en cuenta el esfuerzo y el mérito de cada día!...

*

—¡Alguien! (exclamó el P. Manrique). Pues ¿y usted? ¿No era nadie para llevar esa cuenta?...

—No me bastaba mi testimonio... 35

—¡Es verdad!... Usted no vivía entonces por dentro; usted no tenía vida interior; usted no tenía conciencia... —¡Pero quedaba Dios, supremo testigo de todas nuestras acciones!

5 —Olvida usted... —tartamudeó el joven.

—¡También es verdad! ¡Usted no se comunicaba tampoco con Dios, de resultas de no comunicarse consigo mismo! —Continúe usted..., continúe usted... ¡Los términos del problema se van simplificando, y 10 pronto lo resolverá usted sin mi ayuda!

—Digo que desesperé cobardemente. Parecióme que no era posible, que no era racional, que no era humano lo que Gabriela exigía de mí. Atribuía su silencio a terquedad aragonesa o a falta de amor. 15 Creíla exenta de naturaleza mortal y de pasiones terrestres, y consideré que, pues no todos los hombres han nacido para santos..., yo no estaba en aptitud de consagrar toda mi vida a una lucha estéril, de la cual resultaría sin felicidad en este mundo ni biena- 20 venturanza en el otro. —Porque, ¿cómo ser feliz aquí abajo, amando a una mujer que se negaba a oírme? Ni ¿cómo escalar el cielo, sin ayuda de nadie, desde el infierno de mi desesperación?

—Siga usted... Siga usted... (replicó el P. Manri- 25 que con visible enojo). ¡No intente disculparse! ¿Qué quiere decir eso de que *no todos los hombres han nacido para santos?* —¡Todos, Sr. D. Fabián; todos podemos llegar a la beatitud, porque todos hemos nacido libres! —Ya se lo dijo a usted Lázaro la noche de la 30 consulta: «*Los santos fueron hombres de nuestra misma arcilla.*» ¡Sólo que ellos usaron de su libre albedrío abrazándose al bien, mientras que usted y yo, y la mayoría de los hombres, transigimos con el mal, *a sabiendas* de que ofendemos a Dios y manchamos 35 nuestra alma!

—¡Es verdad! Mi conciencia, aun en los días que menos le he prestado oídos, me ha advertido siempre cuál era el camino de la perfección... Pero faltábanme fuerzas (o, a lo menos, tal me lo imaginaba) para marchar a solas por el áspero sendero de la virtud, y de aquí el que, con objeto de no oír los gritos de mis remordimientos, acabase siempre en mis recaídas por buscar el estruendo del mundo, el vocerío del escándalo, el vértigo de la orgía, el delirio de la embriaguez, hasta conseguir aturdirme, ensordecer, embrutecerme, o, cuando menos, no tener tiempo ni ocio para pensar en mi pobre alma.

*

Esto hice de nuevo en aquella ocasión. —Abandonado por Gabriela, y no bastándome a mí mismo para ser dichoso, torné poco a poco a mi antigua vida, primero tímidamente, o sea procurando que mis excesos no fueran conocidos del público, a fin de que no pudiesen llegar a oídos de ella, y más tarde (cuando me convencí de que el mundo conocía mis nuevos extravíos, y que, por consiguiente, Gabriela no podría ya ignorarlos de manera alguna), entregándome a velas desplegadas a los cuatro vientos del libertinaje, escandalizando a Madrid con lo que mis aduladores y discípulos llamaban mi *fortuna amorosa*, y eclipsando a veces la audacia y la impiedad de Don Juan Tenorio y de lord Byron.

¡Fue ésta, entre todas mis campañas de calavera, la más ruidosa, la más *brillante*, la más terrible!... ¡Llegué entonces al apogeo de mi execrable popularidad!... —Los padres y los esposos se indignaban o temblaban al oír pronunciar mi nombre; las mujeres

---

5 En la 1.ª ed.: «de ahí el que, con objeto de sofocar los gritos de mis remordimientos, o más bien *para no oírlos*».

9 En la 1.ª ed.: «mi espacio».

24 Véase t. I, pág. 7, nota 2, sobre la admiración alarconiana por lord Byron.

honradas ponían la cruz al verme; los hombres mori-
gerados y pacíficos evitaban mi encuentro... En
cambio, las hembras sin pudor, de cualquiera alcurnia
que fuesen, se disputaban una mirada mía, mientras
5 que los troneras más valientes y los duelistas de profesión procuraban apartarse de mi camino. —¡Mi
cólera era tan avasalladora como mi amor! ¡Todo el
mundo me temía!... ¡Solamente yo me despreciaba!

Despreciábame, sí, tan luego como me quedaba
10 solo y pensaba en Gabriela; y, cual si la Justicia
divina se complaciese en prodigarme estas horas de
amarguísima soledad e insoportable tedio, me hallé
pronto con que el vino se negó a enloquecerme y el
sueño a coronarme de adormideras. —Cuando, al
15 remate de frenética orgía, todos los comensales estaban entregados al febril alborozo y a los delirios de
la embriaguez, yo permanecía frío y sereno, como la
roca en medio de un mar alborotado; y cuando el
sueño cerraba los ojos del último camarada que de-
20 partía conmigo, o de la pobre mujer que reposaba
entre mis brazos, sólo yo quedaba despierto, vigilante,
pensativo, contemplando, a la luz de las moribundas
lámparas y de la naciente aurora, las botellas vacías,
las copas derribadas y a los calaveras y a las bacantes
25 sumergidos en la estupidez del sueño, o sea en el
negro océano del olvido...

Por entonces conocí a Lázaro y a Diego. —Después
de estas noches de disipación íbame a pasear mi in-
somnio y mi tristeza por las calles de Madrid durante
30 las primeras horas de la mañana, y así es como pasé
un día por delante del Colegio de San Carlos, y me
ocurrió la lúgubre idea de penetrar en él a contemplar,
muerta y despedazada, a una de aquellas sacerdotisas
de Venus que acababa de morir en el Hospital General,
35 y cuyo cadáver habían elegido los profesores de Medicina para estudiar no sé qué enfermedad del corazón...

. . . .

Pocas semanas tardé en referir a Diego y a Lázaro, entre mis demás historias de amores, la relativa a Gabriela. —Diego opinó, como yo, que era un delirio y un absurdo lo que la joven exigía de mí...

—«Gabriela (exclamó, resumiendo su dictamen) es 5 »un espíritu enfermo, una fanática, un ser privilegia- »do, si queréis; una criatura semidivina...; pero inca- »paz, por lo mismo, de subordinarse a las leyes de la »naturaleza humana y de labrar la felicidad terrena »de débiles mortales como tú, como yo y como la casi 10 »universalidad de los hombres... —Prefiero a mi Gre- »goria.»

Lázaro nos hizo la oposición, según costumbre, en nombre de sus ascéticas teorías, y me suplicó una vez, y otra, y ciento, que renunciase completamente al 15 mundo; que me encerrase en mi taller de escultor, a labrar estatuas de vírgenes y de santos, en vez de divinidades paganas; que pensase allí en Gabriela a todas horas, sin cuidarme de que mis amantes re- cuerdos llegasen a sus oídos, y, en fin, que pro- 20 curara *merecerla* a mis ojos, aun sin esperanza de *conseguirla*.

La fría insistencia e insoportable pesadez con que Lázaro me predicaba continuamente en este sentido, acabaron por hacerme odiosa aquella conversación, a 25 tal punto (rubor me causa decirlo), que hube de pro- hibirle al cabo, con desabrida seriedad, que en ade- lante me hablase de Gabriela...

---

1 En la 1.ª ed. no hay indicación tipográfica alguna que marque una pausa, y tras el párrafo que concluye «no sé qué en- fermedad del corazón», va, con punto y aparte, el que comienza: «No tardé en referir...» Al novelista debió parecerle inverosímil el que, recién conocidos Diego y Lázaro, Fabián les contase en seguida su historia con Gabriela, y de ahí el marcar una pausa con la línea de puntos y la precisión temporal: «Pocas semanas.» Todas estas correcciones, más muchas otras que no se indican aquí por su menor entidad, revelan la atención con que el autor procedió, a la hora de modificar el texto publicado en 1875.

En cuanto a Diego, también recuerdo con rubor que trató indignamente más de una vez materia tan delicada y santa, presentándola por vulgares aspectos, y procurando ridiculizar a mis ojos el carácter y el *pretendido* amor de la joven aragonesa...

Pero yo necesitaba entonces creer que Diego estaba en lo justo, y nunca le prohibí ni le censuré que hablase en aquellos términos de la que seguía siendo, a pesar de todo, alma de mi alma.

Así vivía cuando sobrevinieron los sucesos que ya le he referido a usted, o sea la llegada de Gutiérrez a Madrid, portador de mi fortuna y de mi título de Conde, la violenta discusión que Diego y yo tuvimos con Lázaro la noche de la célebre consulta, nuestro definitivo rompimiento con él, mi grave enfermedad, resultado de aquella espantosa escena, la rehabilitación de la memoria de mi padre y mi nombramiento diplomático para Londres. —Tiempo es, por consiguiente, de que pase a contarle a usted la última parte de mi complicada historia, y de que sepa usted a qué extremo de desventura me han traído los errores de mi juventud...; ¡errores que no he conocido hasta que la fatalidad ha empezado a servirse de ellos para castigarme, y, sobre todo, hasta que sus palabras de usted han principiado a iluminar los abismos de mi alma!

¡Pueda usted asimismo indicarme una tabla de salvación en el tremendo conflicto que me rodea, y en que yo no veo otro refugio que el crimen para escapar de la deshonra! —¡Sí, padre! *A los ojos de mi razón*, no tengo hoy más remedio que matar a Diego o que causar la muerte de Gabriela; que ir a presidio como falsario, o que saltarme la tapa de los sesos... —¡Son las dos alternativas en que me ha colocado mi aciaga estrella!

*

—Todo eso es *a los ojos de su razón de usted...* (respondió tranquilamente el P. Manrique). Falta ahora averiguar si *a los ojos de la razón divina,* o sea de la verdadera moral humana, hay algún medio de conjurar esos horrores... —Cuénteme usted, pues, la última parte de su pobre historia.

—¡Es la única que puedo referir sin sonrojarme! —Óigala usted, padre mío.

LIBRO QUINTO

LA MUJER DE DIEGO

I

DESPEDIDA Y JURAMENTO

—Muchas y muy diversas causas (que no se ocultarán a la penetración de usted), por ejemplo: la honda impresión que produjeron en mi ánimo la desastrada muerte de mi padre y el suicidio de doña Beatriz; la grave enfermedad en que me había visto a las puertas del sepulcro; el repentino favor de mi siempre contraria suerte (que en una hora me devolvía nombre, honra, títulos de nobleza y un gran caudal); el eco de los discursos de Lázaro, que no cesaban de resonar en mis oídos, y que yo quería desmentir de alguna manera; la invencible melancolía con que, a mi pesar, recordaba nuestro rompimiento; la dulce satisfacción que no pude menos de experimentar ante el halago y el respeto con que la sociedad saludó en mí al heredero del *rehabilitado* Conde de la Umbría; aquella benevolencia y mansedumbre a que nos predisponen siempre las prosperidades inesperadas o largo tiempo combatidas, y, por último, el martirio, que acababa de conocer, de mi pobre madre, abandonada y ofen-

---

23 En la I.ª ed.: «Y, por último, el recuerdo de mi pobre madre.»

dida por mi padre (martirio que se confundía en mi imaginación con el de Gabriela, ofendida y abandonada por mí); todas estas causas, digo, dieron lugar a un profundo y verdadero cambio en mis sentimientos
5 y en mis ideas; miré con mayor disgusto que nunca mi vida pasada; tomé horror al libertinaje; propúseme ser hombre de bien, si no hasta el punto que Lázaro me había predicado tantas veces y que Gabriela me prevenía en su inolvidable carta, hasta
10 donde alcanzasen mis fuerzas y mi decidida voluntad; y, como consecuencia de todo, díjele a Diego, al tiempo de despedirme de él para marchar a mi Embajada:

—Ve pensando en casarte, amigo mío... Yo me
15 casaré a mi vuelta de Inglaterra, o si no, me marcharé a explorar el interior de África. —¡Basta ya de escándalos y abominaciones!

Diego se sorprendió mucho al pronto; pero luego reflexionó y dijo:
20 —¡Lo comprendo! Quieres pagarle a la suerte sus favores; deseas ser virtuoso, imponerte deberes, contribuir a la felicidad de alguien...

—¡Acabas de leer en mi alma, queridísimo Diego! —prorrumpí con una emoción inexplicable.
25 Él me estrechó en sus brazos, no menos conmovido que yo, y continuó de este modo:

—¡Pues se dijera que tú has leído también en mi corazón al aconsejarme que me case! —Desde que,

---

16 En la I.ª ed.: «O, si no, me marcharé a las misiones de Asia.» Como se ve, la corrección convirtió a Fabián de posible misionero —¡espectacular metamorfosis!— en simple aventurero o explorador. Alarcón se dio cuenta de la impropiedad psicológica y lo cambió todo, hasta el marco geográfico, que bien podría haber subsistido en la nueva redacción. Cfr. pág. 227, nota 18 y véase el capítulo XIII de nuestra *Introducción* sobre la posible influencia de la novela de Pastor Díaz, *De Villahermosa a la China,* en este episodio de un Fabián Conde misionero.

gracias a tus recomendaciones, mi parroquia de médico crece como la espuma; desde que, merced al dinero que me has prestado, me veo establecido en una preciosa casa..., demasiado grande y bella para mí solo; y muy particularmente, desde que te contemplo feliz y en vísperas de abandonarme para marchar a esa Embajada, me paso las noches pensando en escribirle a Gregoria, dándole la noticia que hace tantos años espera..., a saber: que Diego Diego no tendría inconveniente en llamarla su mujercita... 10

—¡Bien por Diego Diego! —exclamé yo, devolviéndole su abrazo.

Y ambos nos echamos a llorar como dos criaturas.

—Supongo... (prosiguió mi amigo) que lloras de alegría como yo, al considerar lo buenos y lo felices 15 que todavía podemos ser en otro estado; sin que estas lágrimas representen ni por asomos un homenaje fúnebre o regalo de *despedida* a nuestra amistad de solteros...

—¡Qué disparate!... (contesté yo calurosamente). 20 ¡Al contrario! Nuestra amistad se estrechará con dobles vínculos, o sea con el amor que se tendrán

---

2 Este texto supone, con referencia al de 1875, otra modificación bastante sustancial. En la 1.ª ed. se leía: «Desde que, hace tres meses obtuve la cátedra; desde que, gracias a tus recomendaciones, mi parroquia de médico», etc. Diego, reducido a simple médico, debió parecerle a Alarcón más verosímil —dentro del entramado novelesco— que, convertido, además, en flamante catedrático. Estas mutaciones —recuérdese la antes señalada: Fabián trocado de posible misionero en explorador— pueden parecernos hoy divertidas, pero no dejan de ser iluminadoras con referencia a la seriedad con que Alarcón analizó la «lógica interna» de su relato, el comportamiento de sus personajes y casi la doctrina clásica del «decorum». En el capítulo IV del Libro III el P. Manrique dice de Diego que llegó a ocupar «un mediano puesto en el concierto humano»; calificación socio-profesional que no hubiera parecido muy adecuada de haberse mantenido la redacción de 1875, en que se presentaba al personaje como «catedrático» y «médico».

nuestras mujeres... —¡Es menester que sean tan amigas como nosotros lo somos hoy!...

—¡Seremos cuatro hermanos! (replicó Diego). —Gregoria te quiere ya sin conocerte... —Mi deseo hubiera sido que la vieses y tratases antes de irte, a fin de que me dijeras tu opinión acerca de su persona, hoy que entre ella y yo no existe todavía compromiso alguno. Pero desde hace un mes se halla en Torrejón, de donde no vendrá ya hasta las ferias... En fin, ¿qué remedio? ¡Esperaré para declararme a que regreses..., pues ya te tengo dicho que *mi mayor desventura fuera casarme con una mujer que no te gustara!* —¿Cuánto tiempo estarás en Londres?

—Seis meses a lo más... —Es el plazo que me he dado a mí mismo para resolver definitivamente acerca de mi porvenir.

—¡Perfectísimamente! Aguardaré tu regreso.... —¿Qué haría yo sin ti en ésta ni en ninguna circunstancia grave de mi vida? —Querré, pues, cuando llegue el caso, que tú te encargues de pedir oficialmente a mi futura; que seas después el padrino de la boda; que luego lo seas de los bautizos, y que mis hijos tengan en ti un segundo padre, por si este hígado de mis pecados, que siento más ensoberbecido cada día, me mata, como temo, demasiado pronto...

—Pero hablemos algo de tu novia... —¡Excusado es decir que no la tienes, pues, de lo contrario, yo lo sabría antes que tú mismo!...

—La tengo... y no la tengo... (le contesté). Y me explico así, porque bien te consta que no hay más que una mujer en el mundo a la cual pueda yo entregar mi corazón y mi nombre...

—¡Cómo!... ¿Gabriela?... (exclamó Diego lleno de asombro). —¿Piensas todavía en la sobrina de Matilde?

—¡Nunca he dejado de pensar en el ángel de mi guarda! —contesté yo solemnemente.

Diego, que, como ya sabe usted, era bueno en algunas ocasiones, y que aquel día estaba entregado a sus mejores sentimientos, simpatizó con la piadosa adoración que revelaban mis palabras, y dijo inclinando la frente:

—¡Haces bien!—Gabriela, en medio de sus excentricidades, es la única mujer que puede darte la felicidad, y también la única digna de poseer tu corazón, cuando tu corazón se purifique... —¡Falta ahora saber si habrá manera humana de decidirla a casarse contigo!

—Eso es lo que a ti te toca averiguar durante mi ausencia... ¡Sólo tú me quieres lo bastante y tienes el talento, la energía y los medios de persuasión necesarios para convencerla!

—¿Sigue en el convento?

—No lo sé; pero es lo más probable. —Hace ya cerca de dos años que no me he acercado a aquella santa casa..., y, después de lo que en esos dos años he hecho de mi corazón, de mi fama y de mi conciencia, no me atrevo a pasar por allí ni a pronunciar el nombre de Gabriela delante de las personas a quienes solía pedir noticias suyas... Me parecería un sacrilegio, una profanación. Es menester, por consiguiente, que tú lo hagas todo, que la busques; que la halles, dondequiera que se esconda; que le digas que ya soy otro hombre, y que la convenzas de que para mí no habrá en adelante más mujer que ella, ni otro solaz ni esparcimiento que contemplar su dulce imagen en el fondo de mi alma. —Asegúrale todo esto, sin temor de inducirla a engaño... ¡Por la memoria de mi madre te juro que nunca te arrepentirás de haberle respondido de mí!... —¡Maldígame desde el sepulcro la noble mártir que me llevó en sus entrañas si falto algún día a este juramento!

—¡Basta! (contestó Diego con una fe que se transmitió a mi espíritu y lo inundó de gozo). ¡Gabriela

será tuya! ¡La amistad que te profeso y el crédito
que doy a lo que por tu madre me acabas de jurar
(¡a mí, ay triste, que no puedo jurar por la mía!), me
servirán de ariete y fuerza para derribar los muros
5 del convento y los no menos resistentes de la voluntad de tu adorada! —Márchate, pues, descuidado.
¡Aquí quedo yo!

—¡En ti confío! —le contesté, abrazándole de
nuevo.

10 Y partí.

II

DIEGO, FIADOR DE FABIÁN

Hasta cinco meses después, Diego no me habló
de Gabriela en ninguna de sus cartas, sino que se
15 limitó a responder a mis frecuentes interpelaciones
con esta sencilla fórmula: —«Tus asuntos corren de
»mi cuenta. Déjalo todo a mi cuidado.» —Pero al
cabo de aquel tiempo, y cuando ya principiaba yo a
desesperar del logro de mis esperanzas, me escribió
20 la carta que voy a leer...

Mucho ha de maravillar a usted su contenido,
como a mí me sorprendió y maravilló entonces; y eso
que yo conocía de antemano a Diego, y sabía hasta
dónde rayaban su decisión, su impavidez, su apasio-
25 nada elocuencia, su irresistible gracejo o imponente
seriedad, y todas sus demás aptitudes para dominar
y persuadir a los humanos... —Así es que yo no
vacilo en declarar que *sólo él* hubiera realizado los
verdaderos milagros de que me daba cuenta en estos
30 términos:

«Queridísimo Fabián Conde, conde Fabián y Fabián mío:

»Como médico que soy, hace tres meses, del convento de *** (plaza improductiva, que me he pro-

curado a trueque de la muy bien retribuida que desempeñaba en el hospicio —lo cual quiere decir que me debes para ante Dios no sé cuántos miles de reales); como grande amigo que ya soy además de aquella madre Abadesa que tan ásperamente te recibió cierto día, y poseedor de toda su confianza, de su más alta estima y de su más profundo miedo (pues la buena señora ha llegado a creer que no se morirá hasta que yo quiera, y que, si yo me empeño, no se morirá nunca); —y, en fin, como íntimo confidente y casi hermano que soy también de una encantadora aragonesa, llamada Gabriela de la Guardia, la cual hace tiempo que pide a Dios por ti... y por sí misma... en aquel santo retiro, —tengo el gusto de participarte que no cesan de llegar a dicho convento fidedignos informes (transmitidos por confesores, sacristanes y despenseros) acerca de la vida ejemplar que llevas en las orillas del Támesis, y por cuyos merecimientos yo mismo te felicito.

»Háblase, en efecto, de las cuantiosas limosnas que das a los católicos pobres del país y a los papistas emigrados de Italia y Portugal; de cómo has resistido las seductoras miradas y sonrisas de más de una lady *non sancta;* de tus concienzudos trabajos diplomáticos mientras has estado encargado de la Legación en ausencia de tu Ministro; del culto ferviente que rinde tu alma al recuerdo de Gabriela, *«a quien »no te atreves a escribir hasta que ella te autorice para »tan grande honor»*, y, en fin, de otras muchas cosas que *el médico de la casa* confirma, repite y glosa siempre que va por allí, sin contar las que el médico adivina, deduce o inventa, como, verbigracia, que el antiguo escéptico Fabián Conde va ya a misa; que se confiesa como Dios manda; que ha ayunado la última Cuaresma, y que poco ha faltado para que se vaya a Italia con Lamoricière a pelear bajo la bandera

del Padre Santo... —Y como los primeros hechos
citados son ciertos y notorios, según comunicaciones
de la policía clerical de Gabriela y de la Abadesa, y
como los que yo he inventado tienen por garantía mi
5 cara de juez infalible y la idea que hay en el convento de lo mucho que he contribuido a volverte a
la senda de la virtud, resulta que nuestra pertinaz,
denodada y hermosa aragonesa (muy más hermosa
ciertamente de cuanto me hicieron imaginar tus ce-
10 lebraciones, y muy más enamorada de ti que el primer
día) comienza a flaquear y a conmoverse (por más
que trate de ocultármelo), mientras que la madre
Abadesa no ha tenido inconveniente en decirle hoy
delante de mí «que si continúas hasta fin de año
15 »dando tan evidentes muestras de arrepentimiento
»será cosa de escribir a Aragón a cierto padre y a
»cierta madre, rogándoles aconsejen a su hija que
»trueque la blanca toca de su indefinido noviciado por
»la corona de Condesa de la Umbría».
20 »Oír yo esta luminosa idea; arrancarle a la Superio-
ra una carta para los padres de Gabriela, en que les
recomienda desde luego tan ventajoso proyecto de
enlace, y disponerme a salir esta noche para Aragón,
todo ha sido una cosa misma...
25 »Parto, pues, dentro de dos horas, con la carta de la
Abadesa en el bolsillo y sin que Gabriela conozca
nuestro complot. —¡Figúrate tú si me será o no fácil
convencer a los padres de tu adorada de lo muchísimo que conviene a ésta dar la mano de esposa a un

---

1 Cristóbal Lamoricière (1806-1865). General y político
francés, famoso por sus campañas en Argelia, por haber sido
ministro de la Guerra y diplomático en Rusia, y por haber pasado
en 1860 al servicio del papa Pío IX. A este suceso alude precisamente Alarcón. Las tropas de Lamoricière fueron derrotadas
el 18 de septiembre de 1860 en Castelfidardo por el general Cial-
dini. Este problema, el de la llamada «cuestión de Roma», está
presente en algunas significativas páginas de la obra alarconiana
De Madrid a Nápoles.

hombre joven, gallardo, de talento, título de Castilla, millonario, amigo de los Ministros y que la quiere con toda su alma... ¿Qué les importará a aquellos señores, ni qué puede importar a quien no lleve las cosas a tanta exageración como Gabriela, el que hayas hecho más o menos locuras amorosas durante tu vida de mozo? —«¡Mejor! (dirán ellos). »Así no las hará después de casado!»

»Conque hasta la vuelta de mi embajada, de cuyo éxito no te permito dudar... —Pero antes de cerrar esta carta, hablemos un poco de mí y de la pobre Gregoria; pues también nosotros somos gente, y también nos queremos ya demasiado para seguir solteros.

»Van a cumplirse los seis meses que creíamos iba a durar tu ausencia, y por muy pronto que yo consiga acabar de reducir a Gabriela, todavía pasará, cuando menos, otro tanto tiempo antes de que puedas venir del modo que me indicas, o sea con *autorización* expresa de la desconfiada joven y en la absoluta *seguridad* de que se casará contigo...

»Pues bien, mi querido Fabián, ni Gregoria ni yo podemos esperar tanto... —*Non possumus...* ¡Te lo juro por los ojos negros de mi futura costilla!

»En cuanto a la historia de esta repentina impaciencia, después de lo mucho que he hecho esperar y desesperar a Gregoria, es la siguiente:

»Desde que te fuiste, volví a empeorar de este endiablado hígado mío, capaz de producir bilis bastante para amargar todos los reinos del mundo; por cuyas resultas recorría yo otra vez las calles de Madrid como recorre el león su jaula del Retiro, mirando a la gente de reojo y murmurando entre dientes, entre colmillos y entre muelas: «*¡Voluntad y fuerza no me faltan!... ¡Si no os despedazo a todos, es porque no puede ser!»* Y conociendo que de seguir las cosas de aquella manera, iba a volverme loco o a morirme, y comprendiendo que la absoluta soledad

en que me habías dejado era la causa principal de la
exacerbación de mi perpetua ictericia, insté a Gregoria para que volviese inmediatamente a Madrid,
declaré a la madre mi atrevido pensamiento el día que
5 llegaron, y apeguéme a la complacidísima hija como
a mi única tabla de salvación...

»La veo, pues, todos los días y casi a todas horas.
Doña Rufa y ella me cuidan, miman y agasajan
como a un nietecillo mal criado. Almuerzo, como,
10 paseo y voy al café o al teatro en compañía de las
dos, y las noches inclementes juego al tute con la que
ha de ser mi suegra, mientras que devoro a miradas
a la que ha de ser mi esposa... Pero, con todo esto,
llegan las doce de la noche..., y tengo que irme a mi
15 solitaria vivienda, en lugar de quedarme allí..., como
me lo mandan imperiosamente todas las leyes divi-
nas y humanas, exceptuando de entre las primeras
aquella que ha establecido la aduana matrimonial a
las puertas del paraíso del amor... —Figúrate, por
20 tanto, la violencia que me costará cada noche inte-
rrumpir el tierno diálogo de mis ojos con los ojos de
Gregoria..., ¡precisamente en el momento en que los
ojos de Gregoria, haciendo traición a la reserva y
timidez de la soltera, principian a hablarme en el
25 dulce estilo que me hablarán los de la casada!...

»¡Conque... ya ves que no podemos aguardar tu
venida para recibir la indispensable bendición, como
tampoco pude aguantar tu *exequátur* para entablar la
demanda matrimonial! —En resumen: tú serás desde
30 ahí, por medio de poderes, padrino de nuestra boda,
la cual se verificará pocos días después de mi regreso
de Aragón.

---

5   En la 1.ª ed. falta la frase «declaré a la madre mi atrevido
pensamiento el día que llegaron».

8   En la 1.ª ed.: «su madre».

29   En la 1.ª ed.: «Conque... ya ves que no podemos esperarte.
Tú **serás** desde ahí.»

»Para ello tenemos ya tomada casa y comprado parte de los muebles. —La madre de Gregoria se irá a Torrejón a ponerse al frente de *nuestros estados*, que consisten en unas viñas, un molino y algunas casas, todo ello correspondiente a la legítima paterna de mi futura y tasado en más de doscientos mil reales... De modo que voy a ser todo un señor propietario, así como más adelante llegaré a ser verdaderamente rico; pues, según he llegado a entender, doña Rufa tiene mucho dinero ahorrado, y con el tiempo heredará de un tío suyo no sé cuántos cortijos y olivares...

»Por lo demás, no temas, mi querido Conde, que ni las riquezas ni el amor puedan alejarme de ti, ni aminorar el cariño del alma que te profeso... Al contrario: hoy más que nunca mi espíritu se halla como identificado con el tuyo, y no tendré por felicidad la que a ti no te lo parezca, la que tú no presencies y aplaudas, la que tú no consideres digna de ti, y, por consiguiente, de mí. —Así lo ha comprendido Gregoria, a quien he contado toda tu vida, aventuras, triunfos y grandezas: por lo que desea... y teme conocerte, como se desea y teme un examen. Su mayor gloria, pues, será que la juzgues digna de tu Diego, y de aquí su temor de no gustarte... —«*Entonces me aborrecerías y te arrepentirías de haberte casado conmigo*», —suele decirme... Y yo la tranquilizo, contestándole que tú y yo nos hemos acostumbrado de tal manera a sentir y pensar de un mismo modo, que más fácil me parece que te enamores de ella cuando la conozcas (como yo he estado expuesto a enamorarme de tu Gabriela), que el que le des calabazas en el mencionado examen. —¡Y la verdad es, amigo Fabián, que mi Gregoria, no obstante su prosaico nombre y su mediana alcurnia, nada tiene que envidiar a ninguna princesa conocida ni por conocer! Es hermosa, discreta, más perita que

yo en artes, literatura y otras cosas, elegante y distin-
guida como las que van en carretela propia a la
fuente Castellana, y, sobre todo, yo la amo...: ¡tu
Diego la ama! ¡tu pobre Diego, tan viejo y valetu-
5 dinario! —¡La amo, sí, yo que no había amado
nunca! ¡La amo, y ella me corresponde cual si mi
amor mereciera el suyo! ¡La amo, Fabián, y, por consecuencia, tú le tomarás también cariño, tú aproba-
rás mi elección, tú no nos harás desgraciados con
10 una censura cruel de nuestra dicha!

»¿Ves cómo soy para ti el amigo de siempre? ¡Ningún hombre le habrá dicho jamás a otro lo que yo
acabo de decirte! Bien es cierto que tampoco ningún
hombre habrá podido disponer nunca del alma y de
15 la vida de nadie, como tú puedes y podrás eterna-
mente disponer hasta de la última gota de sangre
de tu

»DIEGO.»

«Posdata:

20 »Calmada la emoción con que te he escrito las
últimas líneas, veo que se me ha olvidado lo principal que tenía que decirte.

»Necesito que, mientras yo voy a Aragón y vuelvo,
me envíes lo siguiente por la estafeta del Ministerio
25 de Estado:

»1.º Un poder a tu administrador para que te
represente como padrino en mi casamiento;

»2.º Un buen retrato tuyo para mi despacho, y
otro, todavía mejor, para la sala;

30 »Y 3.º Tu regalo de boda, que debe ser un corte
de vestido, con sus adornos correspondientes y acompañado del último figurín publicado en Londres...

»Dicho vestido se lo pondrá mi futura para ir al
altar. —¡Esmérate, por consiguiente!

35 »Epílogo. —No te remito hoy el retrato de Gregoria, porque, de dos que le han hecho con este fin,

no le ha gustado ninguno. A mi regreso se volverá a
retratar, y te enviaré su dulce imagen... —Adiós.»

Innecesario creo, padre mío, comentar la segunda
parte de la precedente carta, o sea la relativa al
casamiento de Diego... —Vuelvo, pues, por ahora, a   5
lo concerniente a Gabriela.

Era verdad casi todo lo que le habían contado a
ésta relativamente a mi arrepentimiento y a la buena
conducta que observaba yo en Inglaterra... Sin
haber llegado (pues yo no debo ocultarle a usted   10
cosa alguna) a las prácticas religiosas que me había
atribuido Diego, ni tan siquiera al conocimiento de la
Providencia de Dios... (suprema felicidad que hasta
ahora me ha negado mi mala estrella), profesaba ya
un profundo amor al bien, afanábame por adelantar   15
algo en el camino de la virtud, y hacía más esfuerzos
por *merecer* a Gabriela a los ojos de mi conciencia,
que por *obtenerla efectivamente.*

La carta de Diego me llenó por tanto, de regocijo
en este punto, pues vi que, sin yo procurarlo, Ga-   20
briela empezaba a conocer y premiar mis buenas
intenciones; y, si bien sentí mucho que mi amigo me
hubiese supuesto actos meritorios que yo no realiza-
ba, no por eso agradecí menos los grandes servicios
que me estaba prestando, y que ya no dudé fueran   25
coronados por el éxito más venturoso. —«¡Gabriela
será mi esposa!» (díjeme con inefable júbilo); y esta
esperanza prestóme nuevo aliento para seguir luchando contra las tentaciones del mundo y contra mi
perversidad.   30

En tal estado, recibí al cabo de algunos días esta
otra carta de Diego:

«Queridísimo Fabián:
»¡Victoria en toda la línea!
»Acabo de llegar de Aragón. Dejo convencidos a los   35
padres de Gabriela de que ésta debe darte la mano

de esposa, lo cual quiere decir que los dejo prendados de tu persona y también de la mía.

»¡La madre, particularmente, no hará en adelante más que lo que yo quiera! —Es una santa mujer, a quien he hecho llorar y reír a un mismo tiempo, contándole *a mi modo* tus pretendidas maldades, y que hoy te adora ya tanto como su propia hija, y tal vez más, si esto fuera posible.

»En cuanto al padre (que es un rudo caballero, medio aristócrata, medio campesino, como los que salen en algunas comedias de Calderón), sólo te diré que ha reconocido en ti *un hombre muy hombre*, lo cual constituye la primera recomendación para un aragonés, y que no ha llorado ni poco ni mucho, sino que se ha reído extraordinariamente, oyéndome referir tus aventuras amorosas. —¡Ya comprenderás, por supuesto, que ni él ni su mujer sabían (y que yo me he guardado muy bien de contarles) que una de estas aventuras fue a costa del difunto General, hermano de tu futuro suegro! Gabriela tuvo la misericordia de no revelar a su familia las verdaderas causas de su retirada al convento, sino que les dijo que procedía así por mera vocación religiosa; y como el General murió en la misma creencia, y Matilde no ha de venir a descubrir la verdad, queda orillado este grave inconveniente del asunto.»

—¡*Orillado!*... —¡Otra vez el pícaro verbo!... (murmuró el P. Manrique). —¡Siga usted!... ¡Siga usted..., y no me haga caso! —¡Qué aficionados eran ustedes a *orillar!*

Fabián continuó leyendo:

---

6 La expresión «*a mi modo*» falta en la 1.ª ed.

8 En la 1.ª ed. falta «si esto fuera posible».

31 En la 1.ª ed. falta todo el inciso a cargo del P. Manrique. El párrafo final del relato en boca de Fabián, «queda orillado este grave inconveniente del asunto», enlaza inmediatamente con «Por lo demás».

«Por lo demás, el padre de Gabriela se ha extasiado oyéndome contar la historia de tus innumerables desafíos, en que siempre resultabas triunfante; me ha admirado a mí, como a cazador denodado e infatigable en dos batidas que hemos dado a los lobos 5 y jabalíes de aquellos montes, y como a tirador de barra y jugador de pelota, ejercicios en que he tenido el honor de vencerlo; y, por resultas de todo, ha quedado en ir a Madrid dentro de cuatro meses a sacar del convento a Gabriela y ponerte por sí mismo en 10 posesión de su mano. —¡Creo que no tendrás queja de mí!

»Entretanto soy portador de una carta para Gabriela, firmada por D. Jaime y doña Dolores (así se llaman tus futuros padres políticos), en que com- 15 baten los escrúpulos de la muchacha, le piden que te perdone todas tus calaveradas y le aconsejan que se case contigo. —La Abadesa y yo haremos el resto, sin contar con la parte reservada al propio D. Jaime cuando venga a Madrid... 20

»Y basta por hoy. —Voy a ver a Gregoria, que ni siquiera sabe que he llegado. —Mañana visitaré a Gabriela y te escribiré nuevamente.

»Tuyo del alma,

»Diego.» 25

La carta del día siguiente fue aún más satisfactoria para mi corazón. —Óigala usted:

«Queridísimo Fabián:

»Gabriela ha llorado mucho leyendo la carta de sus padres; la ha besado luego, y cayendo, en fin, de 30 rodillas, ha dicho reverentemente: «¡Hágase la volun-»tad de Dios!»

»Después de rezar largo tiempo y de llorar otra vez, abrazada a la madre Abadesa, hase vuelto hacia mí y pronunciado estas palabras: 35

—«Sentiré que se engañe usted y que, por darle a
»su amigo una soñada felicidad temporal, cause la
»perdición de su alma. ¡Asómbrame que tan pronto
»haya podido arrepentirse eficazmente y afirmarse
5 »en el propósito de la enmienda!»

—«¡Yo lo fío!» —le he contestado resueltamente.

—«Y yo admito esa fianza... (ha exclamado Ga-
»briela tendiéndome la mano). —Usted debe de cono-
»cer a su amigo mejor que nadie... —¡Quiera Dios que
10 »no se arrepienta usted nunca de haberme respondido
»de él!»

»Estas frases me han inspirado profundo respeto;
y, no ya con los labios del amigo, sino con el alma del
hombre honrado; no ya pensando en tu felicidad,
15 sino en la de aquella angelical criatura, le he dicho,
colocando su mano sobre mi corazón y dejando hablar
a mi conciencia:

—«¡Si llego a arrepentirme algún día, yo se lo diré
a usted para que rechace a Fabián! ¡Y si ya fuese
20 tarde, porque estuviera usted unida a él con lazos
indisolubles, yo me encargaré de desagraviar a Dios
y a usted!»

—«Pues estamos casi conformes... Dentro de cua-
»tro meses, cuando venga mi padre, daré una contes-
25 »tación definitiva...» —me ha replicado Gabriela, re-
tirándose, no sin dirigirme antes una mirada en que
he leído todo el amor que te profesa y las inmensas
angustias de su alma.

»Ahora bien, amigo mío... Con la seriedad que
30 constituye la base de mi carácter y que se merece un
asunto tan delicado, yo te pregunto:

—»¿He hecho bien en fiarte? ¿No volverás nunca
a mal camino? ¿Serás siempre bueno y leal con el
ángel que voy a colocar a tu lado? —¡No me engañes,
35 por Cristo vivo, que yo no quiero engañar a Gabriela!

---

23   Falta en la 1.ª ed.: «Pues estamos casi conformes».

»Otro día te escribiré de mis asuntos personales.
»Tuyo,

»Diego.»

Mi contestación a esta carta fue brevísima.
Hela aquí:

«Diego mío:
»Renuevo el juramento que te hice espontáneamente la noche de nuestra despedida:
—«¡*Por la memoria de mi madre te juro que nunca te arrepentirás de haberle respondido de mí a Gabriela! ¡Maldígame desde el sepulcro la noble mártir que me llevó en sus entrañas si falto algún día a este juramento!*»
»Queda contestada tu solemne pregunta.
»Ahora tú me dirás cuándo puedo escribir a Gabriela y cuándo debo regresar a Madrid.
»Tuyo,

»Fabián.»

III

CASAMIENTO DE DIEGO

Según me había anunciado mi amigo, a los pocos días recibí esta otra carta suya:

«Conde de la Umbría:
»Hoy le toca hacer el gasto a mi Gregoria, de quien todavía no te he hablado desde que regresé de Aragón.
»Decididamente nos casamos a fines de esta semana, si para entonces está acabado el traje de boda, que es archiprecioso, como escogido por vuecencia.
»Gregoria te escribirá a continuación dándote las gracias e incluyéndote su retrato, que al fin consiguió

le hicieran a su gusto... —Dime francamente si mi mujercita te parece tan hermosa como a mí.

»Repararás que tiene puesto el aderezo que le has mandado. —Por cierto que hemos sentido mucho hayas hecho un gasto tan enorme... Con el vestido había bastante, y de intento te marqué el regalo que queríamos, para que no te metieras en más honduras. —¡Lo mismo que el reloj y la cadena que me envías a mí! ¡Tú te has propuesto anonadarme con tus millones!... Pero sabe que yo no consideraré nunca pagado mi cariño con perlas ni brillantes, sino con otro cariño igual, y trabajo te mando si intentas eclipsarme en este punto.

»Mucho nos ha complacido a Gregoria y a mí la carta que nos escribes haciendo votos por nuestra felicidad, que nunca será completa hasta que tú la presencies en compañía de la hermosa hija de D. Jaime.

»Volviendo al vestido, no te ocultaré que Gregoria (cuyo gusto es delicadísimo para estas cosas) lo halló al principio más rico que vistoso; pero hemos estado en la Castellana y en el teatro Real; le he hecho parar la atención en los trajes de nuestras más elegantes aristócratas, y se ha convencido de que el que tú le has regalado es *de última*, y ya está contentísima con él.

»Pasado mañana acabarán de amueblarnos la casa. Es algo pequeña, pero nueva y muy bonita, y desde el balcón del comedor se descubre el jardín de un palacio inmediato. —Nosotros hubiéramos preferido que tuviese jardín propio, como la tuya; pero no somos bastante ricos para tener flores al alcance de la mano, y habremos de contentarnos con verlas desde lejos o con ir a tu casa a merodear en tus lilas y rosales. —Por lo demás, es cuarto segundo sin entresuelo, lo cual equivale a un principal de los que lo tienen.

»Anteayer estuvimos en tu casa Gregoria, su madre
y yo, acompañados de un tapicero, a fin de que viese
el comedor y procurase en lo posible arreglar el nuestro en la misma forma, y que las cortinas y la sillería
sean de un color semejante al de las tuyas..., bien que 5
todo ello de maderas y telas más baratas; pues el
culto que rendimos a tu amistad y a tus gustos no
debe llegar hasta arruinarnos. —¡Por cierto que en
aquel comedor me acordé mucho de Lázaro y de
nuestra última escena con él!...   10

»Y, pues que he nombrado a Lázaro, te confesaré
que de buena gana lo buscaría para que fuese testigo
de mi boda, caso de hallarse en Madrid... Pero no me
atrevo. —Mi corazón lo compadece y lo perdona: mi
misma conciencia tal vez lo absuelve de algunas 15
cosas que antes me parecían malas en él, y que hoy
(a fuer de hombre formal próximo a casarme) no considero tan dignas de censura... ¡Mas, aun así, le temo,
y seguiré esquivándole, por la seguridad que tengo
de que es un hipócrita muy envidioso, que podría 20
sembrar la cizaña entre Gregoria y yo!... —¡Nada!
¡nada! ¡No lo busco!

»Conque, adiós... Ésta es mi última carta de sol-
tero. —Pasado el primer cuarto de la luna de miel te
escribiré acerca de Gabriela, a quien ya habré podido 25
enseñar tu contestación, que espero, a mi anterior.
Entretanto, nada nuevo tengo que decirte con respecto a la futura Condesa de la Umbría, sino que
sigue adorándote y rezando, y que, siempre que me
despido de ella, después de terminada mi visita de 30
médico a todas las madres monjas, me dirige una
mirada profunda como el cielo, que viene a significar
algo por este estilo: —«Dígale usted a Fabián que yo

11 En la 1.ª ed. falta: «Y, pues que he nombrado a Lázaro,
te confesaré.»
31 En la 1.ª ed. falta «de médico».

»lo amo tanto como Gregoria lo ama a usted, y que
»deseo que él me ame a mí tanto como usted ama a
»Gregoria.»

»Y, a propósito... ¡se me olvidaba!... Gabriela le
5 ha bordado a Gregoria un pañuelo preciosísimo, y le
ha regalado además un relicario, un acerico y un
rosario de semillas de Jerusalén. —Sin embargo, todavía no se han visto.

»Adiós, vuelvo a decir. Recibe mil afectos de la
10 *señora de Diego*, y un abrazo del alma de

»Diego Diego.»

Al pie de esta carta hay algunas líneas de letra de
Gregoria, que dicen así:

»Mil gracias, señor Conde (o *amigo Fabián*, que es
15 como dice Diego que debo llamar a usted), por sus
hermosos regalos, en que siento se haya excedido de
tal modo, pero que demuestran que no me guarda
usted rencor por haberme atrevido a disputarle un
poco de lugar en el corazón de su gran amigo y cama-
20 rada de malos pasos.

»Allá va mi fotografía, que no creo ha salido bien
del todo, y quedamos esperando como el santo adve-
nimiento los dos retratos de usted que le tenemos
pedidos para la sala y el despacho. No sea usted
25 desdeñoso con los pobres y dígnese sacarnos de
penas.

---

20 En la i.ª ed. falta: «y camarada de malos pasos».
26 En la i.ª ed. la redacción de este pasaje era más breve:
«Allá va mi retrato, que no creo ha salido del todo bien, y quedamos esperando que nos remita usted los dos suyos que le tenemos
pedidos.» En la redacción posterior se diría que Alarcón ha querido expresar ya, de algún modo, el tortuoso carácter de Gregoria
y su especial complejo frente a Fabián. Algo así parecen revelar
los enfáticos encarecimientos perceptibles en esa nueva redacción.

»Su carta, en que habla tan favorablemente de mi enlace con Diego, me ha gustado mucho, aunque haya en ella bastante lisonja, y excusado creo decirle a usted que también puede considerar como una hermana a su afectísima

»GREGORIA.»

El retrato de Gregoria, que recibí con esta agridulce carta, me produjo una impresión indefinible, muy parecida al miedo.

Indudablemente era una mujer hermosa, pues la fotografía no suele favorecer mucho al bello sexo, y Gregoria resultaba allí sumamente agradable... Conocíase que tenía grandes y expresivos ojos negros, muy sombreados de cejas y pestañas, enérgicas y regulares facciones, espléndidos hombros y arrogantísimo talle... Pero todo esto, que constituía lo que se suele llamar una *buena moza*, le daba cierto aire de altivez, desafío y presunción, muy peligroso, y cuando menos mortificante, para un hombre tan soberbio como yo. —Antojóseme que aquella figura me decía: «*No te temo. ¡Atrévete, si eres capaz, a disputarme el corazón de Diego o a disputarle el mío! ¡Todos tus decantados medios se estrellarán en mi talento y en mi virtud!*»

¡Tuve, pues, durante una hora por cosa averiguada (¡tan suspicaz fue siempre mi imaginación en casos de amor propio!) que Gregoria estaba ya en armas contra mí, considerándome su enemigo natural, o que, fatigada de oír a Diego referir mis triunfos amorosos, dábame a entender, con su provocativa actitud, que era gran suerte mía no haber tropezado nunca con una mujer como ella!

3 En la 1.ª ed. falta: «aunque haya en ella bastante lisonja».

8 En la 1.ª ed. falta «agridulce».

Yo no sé si la prometida de Diego pensaba algo semejante al tiempo de hacerse el retrato que me destinaba... Yo no sé si por eso leía yo en su rostro aquellas hostiles ideas... Yo no sé si fue de mi parte una intuición o un presentimiento... Yo no sé si usted lo calificará de tentación del demonio... —El caso es que pasé aquella hora contemplando fijamente, y no sin inquietud, la malhadada fotografía, hasta que, por último, parecióme más natural reírme de mis cavilaciones, y escribí a Diego una larga carta, en que, a vuelta de muchas cosas relativas a su casamiento, puse un párrafo que venía a decir de este modo:

«Dale mil gracias a Gregoria por su retrato, y recibe tú mi felicitación. La virtud y la hermosura resplandecen de igual modo en la noble faz de la que va a ser compañera de tu vida. —Me enorgullezco de tener tal hermana.»

Finalmente, dos semanas después, recibí esta carta de Diego:

«Queridísimo Fabián:

»Perdónale al hombre más venturoso que puede haber sobre la tierra el cruel egoísmo (compañero siempre de la dicha) de no haberte escrito en tantísimo tiempo.

»Hace ocho días que Gregoria es mi mujer y que yo no me conozco a mí mismo. Mi antigua misantropía se ha convertido en veneración y amor al género humano, de tal manera que me falta poco para ir de casa en casa pidiendo perdón a todos los vecinos de Madrid por mis pasadas ferocidades, y su venia y licencia para ser tan dichoso como lo soy por la misericordia de Dios. Paréceme que todo el mundo estaría en su derecho arrebatándome un bien que tanto he tardado en saber apreciar, y vivo asustado y vigilante, como el avaro en medio de sus tesoros, y temiendo a cada momento que vengan a robarme mi felicidad.

»Gregoria vale mil veces más de lo que yo me había imaginado. Prescindamos de su magnífica hermosura 5 y del amor con que me enloquece. Su talento y su juicio son verdaderamente asombrosos. Hasta aquí no había hecho más que dejármelos adivinar; pero, desde que nos hemos unido para siempre, ha desplegado ante mí todos los tesoros de su inteligencia. ¡Qué 10 seguridad de juicio! ¡Qué conocimiento tan profundo del corazón humano! ¡Qué rectitud y qué justicia en sus determinaciones! ¡Qué fortaleza de ánimo para no transigir en nada con el mal! —En fin, chico: de hoy en adelante me ahorrará el trabajo de pensar en 15 cosa alguna, pues sólo con seguir sus consejos procederé siempre como un sabio.

»Por lo demás, aquellos conocimientos artísticos y literarios que te dije poseía, son mucho más extensos de los que su modestia me ha dejado sospechar du- 20 rante nuestro largo noviazgo. Bástete saber que en su primera juventud (hoy tiene veintiocho años) ha hecho versos...; lo cual te digo muy en reserva, pues cuando noches pasadas me lo contó (y me los leyó), exigióme palabra de honor de no referírtelo, porque 25 dice que tú debes ser muy burlón. Pero la verdad es que los tales versos no se prestan a burla, a lo menos en mi humilde dictamen.

»Para que mi dicha sea completa, sólo me falta que vengas y ocupes en mi despacho la butaca *fumadora* 30 que lleva ya tu nombre, y en nuestra mesa el lugar que te hemos designado. —Después le haremos sitio

---

30 Por supuesto, el adjetivo está usado impropiamente, ya que la butaca no es la que fuma, sino su ocupante. ¿Podría interpretarse como un galicismo, no en su forma, sí en su sentido, allegable al tan difundido uso de *fumoir*, con su falso equivalente castellano, *fumador*, en vez de *fumadero?*

a Gabriela, y más adelante a todos los chicos que
Dios nos envíe...

»Llegaron tus retratos, que son notabilísimos. Te
encuentro grave y triste en los dos, particularmente
en el más grande. Ya están colocados en mi despacho
y en la sala. Los marcos han agradado de tal suerte
a Gregoria, que quiere que mi retrato tenga uno por
el estilo, si es que aquí saben tallar y dorar las maderas de ese modo.

»Pero dirás que tardo ya mucho en hablarte de
Gabriela... —Tienes razón. —Hoy la he visto, después de diez días en que (perdona) no había parecido
por el convento, y le he leído tu admirable carta, en
que me juras de nuevo ser hombre de bien el resto
de tu vida. La noble doncella me ha dicho que deseaba
conservar un papel tan interesante, y se lo he entregado. A tu pregunta sobre cuándo podrás escribirle,
me encarga que te responda que «lo que tengas que
»decirle *te lo digas a ti propio*, hasta lograr conven-
»certe de que *no te estás engañando* respecto de tus
»propósitos o de tus fuerzas». Y, en cuanto a tu regreso a Madrid, dice que «debe ser posterior a la
»venida de su padre y a la conferencia que celebrará
»con él acerca de tus pretensiones». —Resultado:
que no quiere que le escribas, y que yo te avisaré
cuándo puedes venir; lo cual creo será dentro de tres
o cuatro meses.

»Descuida en mí, entretanto, y quédate con Dios.
—¡Quédate con Dios, sí! No te lo digo como rutinaria
fórmula, sino porque deseo muy de veras que conti-
núes avanzando en la senda del bien. —¡Fabián!: te
lo dice el mismo hombre que ha aplaudido insensatamente todos tus excesos y locuras: *¡Fuera de la ley
no hay felicidad posible!*... ¡El amor legítimo de una
esposa, la paz doméstica, el respeto de nuestros semejantes, ofrecen tanta dulzura al alma, como acíbar
y veneno encuentra en sus más victoriosas luchas

contra la sociedad! —¡No te rías de mí al leer estas
máximas si no quieres que te aborrezca Gregoria, y no
te rías de Gregoria si no quieres que te aborrezca yo!

»Mil afectos de ella, que te escribirá otro día (pues
hoy está muy atareada con los sobres de las esquelas 5
en que damos parte de nuestro enlace a sus muchos
conocimientos), y recibe un abrazo muy apretado
de tu felicísimo, aunque no muy bueno de salud,

»DIEGO.»

IV   10

GREGORIA

Transcurrieron cuatro meses, que yo pasé en Londres, y que me parecieron cuatro siglos. La seguridad
de que Gabriela me amaba más que nunca; la dureza
con que me trataba al propio tiempo; la carencia de 15
una carta suya que me diese a probar la divina lisonja
de aquel cariño; la prohibición que me impedía desa-
hogar mi alma en su alma, expresándole mi agradecimiento, mi adoración y mis propósitos de consagrar
toda mi vida a su felicidad; tantas esperanzas en el 20
aire, sin el alimento de una palabra, de una mirada,
de un signo cualquiera que las renovase continuamente, y el temor, que por lo mismo asaltábame a
todas horas, de si Gabriela estaría perdiendo en aquel
momento su fe en mí; de si estarían deslizando en 25
sus oídos alguna calumnia a que diese crédito; de si,
juzgándose engañada otra vez, había resuelto profe-
sar o estaría profesando en aquel instante...; todo
esto, digo, convirtió mi pasión en angustia infinita
y mortal zozobra, que no me dejaba punto de reposo. 30
—¡Ningún hombre habrá padecido nunca los tormentos de amor que yo sufrí aquellos meses en mi
destierro! ¡Ninguna mujer habrá sido nunca querida,
venerada, idolatrada como Gabriela llegó a serlo

entonces por mí! Y, en consecuencia de todo (me
atrevo a decírselo a usted por vez primera), mi alma
llegó a purificarse de todas las ruindades pasadas;
comencé a ser bueno verdaderamente; conocí que
5 merecía misericordia y hasta premio; creíme, en fin,
digno de que Gabriela me diese la mano de esposa.

Tal era mi situación, cuando recibí un telegrama
de Diego, que decía de este modo:

«Don Jaime llegará a Madrid dentro de quince días.
10 »Ven inmediatamente. —Gabriela lo permite. Don
»Jaime lo desea. Yo lo mando.

                                        »DIEGO.»

Imagínese usted el inefable gozo de que este parte
llenaría mi alma, así como mi profundo agradeci-
15 miento a Diego.

—«¡A *él se lo debo todo!* (repetía yo a cada instante,
llorando de regocijo ante la idea de estrecharlo entre
mis brazos). —¡Gabriela y Diego serán siempre dueños
de mi corazón! Gabriela, porque en ella cifro la dicha,
20 y Diego, por ser él quien me la da. —Pero ¿qué no
había hecho ya Diego por mí en este mundo? ¡Cuando
yo estaba en lucha con la sociedad, púsose resueltamente a mi lado y derramó su sangre en mi defensa!...
¡Cuando una cruel enfermedad me llevó a las puertas
25 del sepulcro, él me cuidó y me salvó la vida!... ¡Y
hoy, en fin, que emprendo el camino del bien y que
no aspiro a más felicidad que Gabriela, él se constituye
en mi fiador, él hace que me perdone, él me une a ella
para siempre! —¡Oh, Diego! ¡Diego! ¡Cómo podré yo
30 demostrarte todo mi reconocimiento, todo mi cariño!»

---

6 En la i.ª ed.: «digno de que Gabriela fuese mía». La corrección supone otra cautela: ¡que nadie pudiera sospechar *liaison*
alguna entre Fabián y Gabriela fuera del matrimonio! El *hacer
suya* a una mujer, en boca, de un personaje donjuanesco como
Fabián, sonaba inevitablemente a posesión extramatrimonial. De
ahí la oportuna modificación.

Pensando de este modo (es decir, pensando más en Diego que en Gabriela, pues a Diego iba a verlo inmediatamente, y con Gabriela no esperaba avistarme hasta después que su padre llegara a Madrid), crucé como una exhalación la distancia que media entre las orillas del Támesis y las del Manzanares...

En la estación de Madrid me aguardaba Diego.

—¡Gabriela es tuya! —fue lo primero que me dijo al abrazarme.

—¿Cómo está Gregoria? —le pregunté yo galantemente, y como posponiendo mi dicha a su dicha.

—Esperándote en casa... —me respondió con agradecido rostro.

—¡Vamos allá! (repuse, abrazándolo repetidas veces). —¿Y tú? ¿cómo estás, Diego mío? (añadí después, reparando en que sus manos y su frente ardían). ¿Eres tan feliz como esperabas?

—Soy todo lo feliz que se puede ser... —me contestó tristemente.

—¿Qué te pasa? (repliqué lleno de espanto). ¿Qué te pasa, Diego de mi vida?

—Lo de siempre... —Mi salud, que no es buena... ¡El hígado me come!

En efecto: estaba verde, flaco y calenturiento como en los peores accesos de su ictericia.

—Pero, en fin, ¿Gregoria?... —murmuré.

—¡Es una santa..., es una mártir..., es una heroína, cuando me soporta!... Pero ¡ay! no sé por qué, estoy más triste y melancólico que nunca... Ella hace lo que no es decible a fin de distraerme: me obliga a salir y entrar; me lleva a visitas y a los teatros; me acaricia o me reprende como a un niño... ¡Todo inútil! ¡He vuelto a cobrar aversión al género humano, y a recelar y desconfiar de todo el mundo!...

—¡Tonterías! (exclamé). Ya te curaremos entre Gregoria y yo.

—¡Oh, sí! ¡Me haces mucha falta! Tú alegrarás
mi espíritu enfermo... Tú me curarás, a fin de que
no me muera ahora que puedo ser feliz. —¡Amo tanto a Gregoria, que me horroriza la idea de dejarla,
5 de irme al otro mundo sin ella!... Pero basta de mis
cuitas, y hablemos un poco de tu felicidad. —Ya te
he dicho que Gabriela es tuya...

—¡Diego de mi alma!

—¡Ni una palabra más! ¡No te lo digo para que
10 me lo agradezcas, sino para que te alegres y me
alegres a mí! —Tengo carta de D. Jaime, en que me
anuncia que dentro de diez días estará entre nosotros. Ahora bien: yo consideré desde luego que, en
lugar de esperarte él en Madrid, te tocaba a ti espe-
15 rarlo a él: se lo consulté a Gabriela, y convino conmigo en que debía llamarte inmediatamente. —«Que-
»da, pues, prejuzgado (le dije) que se casará usted con
»Fabián...» —Ella se puso colorada como una amapo-
la, y me respondió: —«Perdone usted que no conteste
20 »a esa pregunta hasta que me la haga mi propio padre.»
—Y, al hablar, así, me dirigió la primera sonrisa que
he visto dibujarse en su divina boca... —¡Yo te regalo
esa sonrisa como una joya de inapreciable valor!

Departiendo de esta manera llegamos a casa de
25 Diego, en tanto que mis criados transportaban el
equipaje a mi propia casa.

No sin inquietud subí las escaleras de la morada
de mi amigo, recordando la impresión hostil y como
de susto que me causó el retrato de su hermosa
30 mujer... —«¡Dios mío! (iba yo diciéndome). ¡Que con-
»geniemos Gregoria y yo! ¡Que nos seamos mutua-
»mente agradables! ¡Que pueda yo vivir como entre
»hermanos con ella y su marido! —¡Estoy fatigado
»de luchas!... ¡Estoy necesitado de paz!...»

35 Diego, entretanto, cual si adivinara mis pensamientos, me decía por su parte, subiendo delante de mí
con impaciencia vertiginosa:

—¡Vamos a ver qué tal te parece mi media naranja! ¡Vamos a ver si apruebas mi elección! —¡Espero que no quedarás disgustado!

¡Fatal estrella mía! ¡La mujer de Diego me desagradó profundamente! —No bien la vi, experimenté la misma aversión y miedo que me produjo su retrato. No bien la oí hablar, conocí que la Naturaleza y nuestra respectiva educación habían puesto mil abismos entre nosotros, y que, por consecuencia, jamás lograríamos entendernos.

Gregoria era, en efecto, como me lo dejó presentir su fotografía, el tipo de la mujer presuntuosa, afectada, dominante; una buena moza muy vulgar, infatuada con una virtud más vulgar todavía: una marisabidilla de pueblo, echándola de madrileña culta y elegante; una necia, propensa al drama, rebosando suficiencia a cada paso, y que parecía provocar a todo el mundo a competir con su honradez, con su hermosura y con su ingenio; —era, en fin, el tipo de la *mujer fuerte*, no de índole, sino de profesión y mala fe, y además otra cosa que sólo puede definirse en un vocablo provincial, cuyo significado no sé si usted conoce...

—Estoy al cabo de todo... (pronunció el jesuita, sonriéndose). —Quiere usted decirme que era *cursi*.

—¡Justamente!

—La Academia Española ha prohijado ya la palabrilla... (continuó el P. Manrique), y la incluirá en su próximo Diccionario, como muy expresiva y ge-

---

20 La expresión *mujer fuerte* tiene una clara resonancia bíblica y procede del elogio que de la misma se hace en el *Libro de los Proverbios* (Cfr. versión Bover-Cantera, en la B. A. C., Madrid, 1953, pág. 955); pero aquí, como el propio Alarcón explica por boca de Fabián, hay que interpretar *fuerte* en uno de los sentidos que el Diccionario de la Real Academia señala como «figurado»: «de mala condición y de genio duro».

neralizada[1]. —Por lo demás, desde que me leyó usted las cartas de Diego relativas a Gregoria, había yo adivinado (perdónemelo Dios) que lo de *cursi* le venía como de molde.

5 —¡Oh! ¡sí! (replicó Fabián). ¡Era *cursi* en todos conceptos: *cursi* su virtud, *cursi* su hermosura, *cursi* su pretendida elegancia, *cursi* su lenguaje, *cursi* cuanto hallé en su vivienda! ¡Era la más ridícula falsificación que pueda imaginarse de todo lo culto, elevado y noble, y mi pobre Diego, que no conocía sino de oídas las verdaderas grandezas sociales, había tomado por de buena ley aquella moneda falsa, y estaba orgullosísimo de su adquisición!

—¡Aquí tienes a Fabián! (exclamó el desgraciado).
15 —¡Ahí tienes a Gregoria!

---

[1] En efecto, el Diccionario de 1869 le dió carta de naturaleza.

---

16 Esta nota figuraba ya en la 1.ª ed. y resulta muy significativa con referencia al uso de una palabra que, aunque se presenta como «provincial» (es decir, provinciana) y como «muy expresiva y generalizada», aún parecía necesitar de tales comentarios. No procede aquí apurar el sentido que Alarcón da al adjetivo «provincial»; pero cabe preguntarse si el autor lo utilizó para darnos a entender que la palabra «cursi» era usada frecuentemente en las provincias españolas y no tanto en la capital; o si, por el contrario, es el resultado de enjuiciar ciertas pretensiones provincianas desde la perspectiva propia de la Corte. Obsérvese que, para Fabián, la cursilería de Gregoria viene a ser, como dice más adelante, «la más ridícula falsificación que pueda imaginarse de todo lo culto, elevado y noble». Por su boca habla el refinado hombre de la Corte enfrentado a la lugareña presumida, a la «paleta» pretenciosa. Este tipo femenino, en versión caricaturesca y desde luego muy distinta de la Gregoria alarconiana, aparece en algún sainete dieciochesco de don Ramón de la Cruz, v. gr., *La presumida burlada*. También la literatura costumbrista del XIX reflejó alguna vez tal tipo. Por cierto que toda esta escena y la que luego sigue —la petición del vaso de agua, el temor de Gregoria ante la posibilidad de que Fabián pudiera quedarse a comer con ella, su indignación ante la criada cuando sirve el vaso en un plato y no en una bandeja—, todo esto encajaría bien (si el tono empleado hubiera sido más festivo o sarcástico) en un artículo a la manera de Larra y, sobre todo, de Mesonero Romanos.

Y, hablando así, me impelió hacia ella como si desease que la abrazara.

Gregoria retrocedió un paso en actitud de defensa, aunque tendiéndome al mismo tiempo la mano.

—Celebro el honor, señor Conde... —dijo teatralmente, cual si lo más importante en aquel momento fuese mi título de nobleza.

—¡Qué *Conde*, ni qué diablo! (prorrumpió Diego). Llámale *Fabián*...

—Señora... —había yo contestado maquinalmente.

—¡Vaya! ¡vaya! (continuó Diego). ¡Esto no es lo convenido! ¡Fuera cumplimientos! ¡Aquí no hay condes ni señoras, sino hermanos para el resto de la vida! —¡Debéis tutearos!...

Yo me sonreí galantemente, estrechando la mano de Gregoria.

—¡Qué cosas tienes, hombre! (le dijo ésta a Diego con cierto desdén). Es demasiado pronto... —¿Verdad usted, amigo mío?

Yo me incliné afectuosísimamente, sin saber qué contestar... y por sustraer un instante mi rostro a la inquisidora mirada de Diego.

—Conque ¡vamos a ver!... (me preguntó entonces el cuitado). ¿Qué te parece mi costilla? —¡Con franqueza!...

—Es muy hermosa... —respondí aceleradamente, de miedo a no responder nada.

—¿Qué ha de decir el señor? (adujo Gregoria con engreimiento). ¡Te has propuesto sin duda sofocarme delante de él ofreciéndome a sus ojos como una de esas mujeres que gustan de galanterías! —Yo, señor Conde, no soy hermosa; pero me alegraría de parecérselo a mi marido.

—¿Eh? ¿qué tal? —exclamó Diego, entusiasmado, aunque mostrando todavía inquietud acerca del efecto que me estaría causando su esposa.

—Tiene mucho talento... —contesté.

Gregoria resplandeció de orgullo. —Diego me abrazó.

La escena era en la sala principal, iluminada *a giorno* como toda la casa.

5 Una criada, fea y de alguna edad, con traje lugareño, estaba asomada a la puerta, oyendo la conversación.

Serían las ocho de la noche.

—¡Tomará usted algo!... (dijo Gregoria, sentándose en el sofá). ¿Quiere usted un refresco? ¡Con toda con- 10 fianza!... —¡Instale tú, hombre! —¡Jesús, qué pavo eres!

—Desearía un vaso de agua... —respondí yo.

—Pero ¿qué? (observó Diego). ¿No vas a comer con nosotros?

—¿Qué dices? ¿El señor no ha comido? —exclamó 15 Gregoria con un terror indescriptible.

—Comí hace dos horas en El Escorial... —me apresuré a decir, mintiendo piadosamente.

—Pues lo que es mañana... (¿No es verdad, Diego?...), come usted con nosotros.

20 —No faltaré de manera alguna.

—A las seis —tartamudeó Diego con voz sorda.

El pobre estaba humillado por la imprevisión de su mujer, comprendiendo, como yo, que no había dispuesto para aquella noche una comida *presenta-* 25 *ble*, y que por eso no me *instaba*, como le hubiera convenido a mi pobre estómago, ya que no a mis crispados nervios...

La criada me alargaba entretanto un vaso de agua en un plato como cualquiera otro.

---

4 Se diría casi una acotación teatral, no exenta de ironía y muy en consonancia con el gusto alarconiano por organizar dramáticamente no pocas escenas de sus obras narrativas. Sobre esto, véase nuestra *Introducción*.

10 En la 1.ª ed. falta «¡Jesús, qué pavo eres!».

29 En la 1.ª ed.: «en un plato bastante bueno». Con la corrección introducida es obvio que Alarcón quiso intensificar el efecto de aplastante vulgaridad que a Fabián le producen Gregoria y su ambiente.

—Francisca, te dije esta tarde... (murmuró Gregoria hecha un basilisco) que al señor se le traería el agua
en la bandeja de plata... —Perdone usted, Fabián...
—Señorita... (respondió la criada); no estaba puesta la llave del armario de las cosas finas... —¡Conque 5
éste es el señorito Fabián! (añadió luego). —¡Bien se
le conoce en la cara lo muy travieso que, según dicen ustedes, ha sido! ¡Tiene unos ojos... que ya!...
—¿Cómo está la señorita Gabriela?
—¡Ya ves que aquí te quieren hasta los gatos de la 10
casa! (profirió Diego). —¡Charlamos tanto de ti!...

Yo me ahogaba.

—¡Pues es verdad! (dijo Gregoria, hablando a voces y con destemplado acento, que era otra de sus
habilidades). ¡Todavía no le he preguntado a usted 15
por Gabriela! —¡Bien que usted no tendrá más noticias que las que le haya dado éste!... —¡Quiera Dios
que no sea usted también *travieso* con esa pobre
chica!

—¡No lo será! (exclamó Diego). —Fabián es ya 20
otro hombre, y, además, me ha jurado portarse bien...

—¡Hum! —gruñó la criada.

No pude más, y me levanté para irme, bien que
disimulando mi disgusto bajo una ruidosa carcajada,
seguida de estas mentirosas declaraciones: 25

—Aunque yo fuera todavía malo, el cuadro de felicidad doméstica que tengo ante la vista; la dulce
confianza que aquí reina; la honradez que respiran
hasta las frases de esta afectuosa criada; las nunca
por mí probadas delicias que acabo de adivinar en- 30
tre ustedes, y, sobre todo, Diego, la severa virtud y
elevado carácter de tu noble mujer, me servirán de
edificación, ejemplo y estímulo para ser un modelo
de esposos y darle tanta dicha a Gabriela como a ti
te da mi nueva hermana Gregoria. 35

---

5 En la 1.ª ed. falta «de las cosas finas».

Diego lloró de júbilo al oírme hablar así, y me abrazó ternísimamente... Lloró también la criada, y hasta mostró intenciones de recompensarme con otro abrazo. Sólo Gregoria se quedó estupefacta, como si 5 acabara de perder una apuesta o de ser cogida en sus propias redes.

—¡Veremos! (dijo por último con aire de incredulidad). ¡Condición y figura!...

—Adiós..., adiós... (exclamé interrumpiéndola y 10 fingiendo nuevas sonrisas). —¡Hasta mañana! —¡Mil enhorabuenas, Diego! ¡Mil enhorabuenas! —¡Tienes una mujer admirable!

Y, sin dejar espacio a ninguna otra réplica, salí de aquella casa, murmurando en lo profundo de mi 15 corazón:

—¡Pobre Diego! —¡Y pobre de mí, que tendré que volver a hablar muchas veces con su virtuosísima y abominable esposa!

*

¡Padre! Perdóneme usted este desahogo... ¡Si la 20 virtud no pudiese mostrarse bajo otro aspecto que el que me ofreció en Gregoria, yo proclamaría a la faz del cielo y de la tierra que el vicio es mucho más afable, digno y generoso. —Afortunadamente, la virtud se personifica también en seres tan dulces, tan 25 atractivos, tan adorables como usted y como Gabriela, a cuyo lado no concibe uno otra felicidad que

---

4 Las intervenciones de la criada, la ironía de las frases de Fabián —no percibida, sin embargo, por los otros personajes, pero sí, desde luego, por el lector— y este llanto último con casi abrazo cargan de burlesca entonación todo el pasaje y parecen justificar el antes insinuado allegamiento del mismo a ciertas páginas de Larra o Mesonero.

26 Recuérdese lo antes dicho, en la pág. 51, nota 29, sobre el paralelismo Gabriela-P. Manrique. En el capítulo siguiente la prédica que, a través de Diego, dirige Gabriela a Fabián refuerza tal aproximación.

la de llegar a ser bueno y la de merecer entretanto
sus indulgentes simpatías.

—¡Siempre seductor! (respondió el P. Manrique).
¡Indudablemente es usted un hombre muy peligroso!... Pero yo procuraré no dejarme inducir a engaño
por esos *distingos* acerca de la virtud, y seré inflexible cuando llegue el momento de fallar este largo y
complicado proceso de su vida de usted.

—Ya está terminando... (respondió Fabián), ¡y justicia pido de aquí en adelante, que no misericordia!

V

EL PADRE DE GABRIELA

Al día siguiente fue Diego a almorzar conmigo después de haber estado en el convento y conferenciado
largamente con Gabriela acerca de mi llegada a Madrid, y del saludable cambio que se advertía en mis
ideas y sentimientos.

La noble joven lo había oído con inmenso júbilo
y sin esforzarse ya por disimular el amor que me
profesaba; pero había insistido en que era necesario
que me abstuviese de intentar verla y de acercarme
al convento hasta que su padre llegase de Aragón.

—«Dígale usted (había manifestado por último) que
»quedo dando gracias a Dios por haber escuchado
»mis oraciones y tenido piedad de un alma que siem-
»pre me fue tan querida. Dígale usted que no me
»considere como el *término* de sus esperanzas y an-
»helos de ventura, sino como una *compañera de des-
»tierro* que se complacerá en llevarlo de la mano, al
»través de este valle de lágrimas, a la verdadera feli-
»cidad, que es Dios. Dígale usted, en fin, que a pesar
»de todo el amor que le tengo, y aun después de
»casarme con él (suponiendo que el cielo así lo dis-

»ponga), siempre me conceptuaré sierva de Dios an-
»tes que esposa suya, y que, si se me pusiese a optar
»entre uno y otro deber, preferiré servir a mi Eterno
»Padre.»

5 —Dile cuando la veas... (respondí con tanto fer-
vor como mansedumbre), que acepto sus condiciones; que, ayudado de ella, me atrevo a responder de
mí, y que dejo a su misericordia el no privarme ya
mucho tiempo de su dulce compañía. —¡Dile que es-
10 toy muy solo en esta triste vida!

Diego me miró profundamente, y exclamó:

—¡Yo mismo te desconozco y te creo! ¡Diga lo que
quiera Gregoria, tu curación ha sido radical!

Traída a colación Gregoria tan fuera de tiempo,
15 ya no se volvió a hablar de Gabriela. —Eran dos
conversaciones incompatibles. Eran dos figuras que
se proscribían mutuamente.

Habló, pues, Diego de su mujer con aquel febril
entusiasmo que acostumbraba, y que parecía hijo de
20 una duda propia o refutación anticipada de temidas
objeciones ajenas...

—¡Qué feliz me has hecho anoche! (díjome, resumiendo). El agrado y la admiración que te produjo
Gregoria, y de que diste tan claras muestras, dupli-
25 có a mis ojos su mérito y aumentó en la misma pro-
porción mi felicidad... —¡Parecíame que anoche era
cuando verdaderamente me casaba!

—¿Y ella? ¿qué dice? —le pregunté con afectada
cordialidad.

30 —Ella cavila todavía... —¡Ya se ve! ¡No te conoce tanto como yo; y, por otra parte, recuerda con
inquietud todo lo que le tengo contado de tu descon-
tentadizo gusto en punto a belleza física y de tus
antiguas herejías respecto de la perfección moral!

35 —Así es que esta mañana me decía con una franqueza de un ángel: —«¡Es muy difícil que Fabián no
»desprecie a una pobre mujer de bien como yo!...

»Además, tu amigo no podrá perdonarme nunca el
»que le haya robado parte de tu alma. De todo lo
»cual... deduzco que tardará mucho tiempo en lle-
»gar a transigir conmigo, si ya no es que se dedica
»o contribuye indeliberadamente, a hacerme desme- 5
»recer en tu concepto.» —¡Figúrate lo que le habré
respondido!... —En resumen: la he dejado mucho
más tranquila, y esta tarde quedarán ratificadas vues-
tras amistades. —¡Es tan buena!... Desde anoche no
piensa más que en la comida de hoy, a fin de que 10
todo esté en regla y no eches de menos la mesa de
los Grandes de España ni los *restaurants* de París y
Londres... ¡Va a tirar la casa por la ventana!

Paso por alto la descripción de esta malhadada
comida, ridículamente aparatosa, en que hubo de 15
todo menos cordialidad y regocijo, por más que los
tres aparentásemos estar muy contentos... Omito las
duras reprimendas de Gregoria a la criada, cada vez
que ésta delinquía, a juicio de aquélla, contra las
reglas de la buena sociedad en el modo de servir la 20
mesa, de presentar los platos o de nombrar las cosas
que habían llevado de la fonda y que la pobre Francisca nunca había visto... Tampoco haré mención de
las mil impertinentes interpelaciones y excusas que
me dirigió la mujer de mi amigo para demostrarme 25
que sabía anticiparse a críticas y censuras que mal-
dito si a mí se me estaban ocurriendo, o para hacerme creer que ella no envidiaba nada de lo que no
había en su casa, ni tenía que aprender cosa alguna
de los aristócratas más elegantes, ni se creía inferior 30
a mí en buen gusto, ni a Gabriela en virtud, ni a
Carlo Magno en majestad, ni a Sócrates en sabiduría.

---

32 Creo que, de nuevo, sería legítimo hablar del tono costumbrista de este pasaje (cfr. pág. 92, nota 1), que trae al recuerdo el
tan conocido de *El castellano viejo* de Larra, en que éste describe
las circunstancias de la grotesca y penosa comida a la que asiste
en casa de Braulio. Incluso las fórmulas expresivas de que Fabián

—¡Sólo a fuerza de fingida humildad, de cortés indulgencia, de estrepitosos aplausos y de risas de apro-
bación conseguí evitar más de una peligrosísima polé-
mica, impidiendo al propio tiempo que Diego notase
5 lo muy mortificado que yo me hallaba y lo desagra-
dabilísima que me iba siendo su esposa!

Así y todo, mi amigo, aunque sin darse cuenta de
la causa, sentíase mal, en medio de la satisfacción
que le proporcionaban mis constantes elogios a su
10 mujer, y no bien terminó la comida, me propuso que
saliésemos un rato a vagar por las calles, según nuestra antigua costumbre, y a respirar el aire de la
noche. —Vine yo en ello sin resistencia alguna, lo cual
no le supo muy bien a Gregoria, por más que intentase
15 disimular su despecho, y un momento después la de-
jamos sola y defraudada en aquel teatro de sus re-
cientes triunfos..., ¡demasiado fáciles y breves para
que pudieran lisonjear su desmentido amor propio!

Dicho se está que, tan luego como nos vimos solos,
20 se restableció la confianza, o sea la comunicación,
entre Diego y yo, y tornamos a probar la alegría y la
dulzura de nuestras antiguas pláticas; y tanto fue
así, que no nos separamos hasta la una de la noche,
hora en que mi amigo tomó la vuelta de su casa, más
25 prendado de mí que nunca, y no sin decirme reitera-
damente al tiempo de despedirse:

se vale para resumir sarcásticamente los tremendos momentos
del convite —«Paso por alto la descripción de esta malhadada
comida...»; «Omito las duras reprimendas de Gregoria a la criada...»; «Tampoco haré mención...» parecen relacionarse claramente con las utilizadas por Larra en el mismo famoso artículo,
cuando dice: «No quiero hablar de las infinitas visitas ceremoniosas
que antes de la hora de comer entraron y salieron en aquella casa,
entre las cuales no eran de despreciar todos los empleados de su
oficina, con sus señoras y sus niños, y sus capas, y sus paraguas,
y sus chanclos, y sus perritos; déjome en blanco los necios cumplimientos que se dijeron al señor de los días; no hablo del inmenso
círculo», etc.

—¡Que nos veamos mucho, Fabián! Estoy enfermo
del cuerpo y del alma, y te necesito. —¡No me aban-
dones, no!... Me he acostumbrado a creer que me
perteneces como el hijo a su padre, como el esclavo
a su señor; y prefiero morir, o matarte, a consentir 5
que te emancipes y me dejes solo...

¡Y mientras pronunciaba estas atroces palabras,
el cuitado se sonreía, como para atenuar su gravedad
e inducirme a reconocer tan pavorosa deuda!

. . . .

Pasó una semana, durante la cual no volví a casa 10
de Diego, bien que Diego fuese diariamente a la mía.
—La necesidad de hacer algunas visitas oficiales en
mi calidad de Secretario de Legación, y el arreglo de
mi casa y de mis negocios, abandonados durante tan
larga ausencia, explicaban y disculpaban suficiente- 15
mente mi conducta a los ojos de Diego; pero la verdadera razón de mi retraimiento era la profunda
antipatía que me causaba su mujer —antipatía que
iba ya rayando en odio.

Así las cosas, llegó a Madrid D. Jaime de la 20
Guardia.

Diego y yo salimos a esperarlo. —El noble viajero
nos abrazó a los dos cordialísimamente, y, tanto
aquel generoso arranque de benévola confianza, como
su hidalga, hermosa y respetable figura, me cautiva- 25
ron y subyugaron desde luego.

Personifique usted en un hombre como de cincuenta y cinco años, muy arrogante y fuerte todavía, la
gentileza y sencilla majestad de Gabriela, y formará
juicio del caballero aragonés. Sus ingenuos ojos y 30
puras facciones recordáronme mucho la belleza de
mi adorada, cuyo clásico rostro me parecía contemplar, no ya modelado en suave cera, sino esculpido
en bronce y algo agigantado...

¡Por lo demás, no pude menos de sentir amarguísi- 35
mos remordimientos al verme abrazado con tan con-

fiada efusión por un hermano del digno General
cuyas canas había yo mancillado inicuamente!

—Gabriela me ha prohibido (díjome D. Jaime del
modo más afectuoso) tratarle a usted *como a yerno*,
5 o sea como a hijo de mi alma, hasta que ella me
consulte no sé qué cavilosidad o escrúpulo de monja...,
¡que luego resultará la nada entre dos platos! Y como
Gabriela es la dulce tirana que nos gobierna a todos,
no tengo más remedio que obedecer sumisamente...
10 —Hasta la noche, pues, *amigo mío...* —Hágase usted
cuenta de que no nos hemos abrazado todavía.

Y, así hablando y abrazándome nuevamente, se
marchó con dirección al convento.

Yo le dije entonces a Diego, lleno de angustia:
15 —¿Irá a referirle Gabriela a su padre mis amores
con la Generala?

—¡De manera alguna! (me respondió mi confidente). Ya te he dicho que entre la Abadesa y el confesor
de la joven y yo hemos convenido en la fórmula con
20 que se ha de resolver tan espinoso caso de conciencia.

—Gabriela le preguntará hoy a su padre: —«¿Per-
»dona usted a Fabián incondicionalmente todas sus
»pasadas culpas? Por enormes que éstas sean, y por
»mucho dolor y repugnancia que a usted le causen las
25 »que con el tiempo puedan llegar a su noticia, ¿no se
»arrepentirá usted nunca de haberlo perdonado, como
»yo lo perdono?» —Hablando así, Gabriela no escan-
dalizará ni afligirá el ánimo de su padre; no fomentará
tampoco tu difamación y la de Matilde (lo cual sería
30 un pecado mortal), ni menos podrá ser acusada en
tiempo alguno de haber desconocido que D. Jaime
de la Guardia tenía algo que perdonar a Fabián
Conde antes de llamarlo su hijo...

*

11   En la 1.ª ed. falta esta última frase.
12   En la 1.ª ed. falta «y abrazándome nuevamente».

—¡Y Gabriela aceptó semejante *expediente?* —prorrumpió el jesuita con inusitada violencia.

—Sí, señor.

—¡La desconozco!... —¡Perdóneme Dios si no estoy en lo justo; pero estimo que Diego, la madre Abadesa y el mismo confesor aconsejaron a la joven una mala cosa! —Si no hubiese Gabriela de aprovechar en beneficio de su amor el perdón que, por medio de reticencias, le pedía a su digno padre, en buen hora le ocultara que usted había contribuido al deshonor de un individuo de su familia... Mas aquella liga de egoísmo y de caridad, de interés y de abnegación, constituye un verdadero fraude a los ojos de la conciencia, y, por consiguiente, a los del Supremo Juez que está en los cielos... ¡Mucho ama Gabriela a usted cuando su luminoso espíritu de santa no reparó en esta sombra de pecado!

—¡Pobre Gabriela! —gimió Fabián.

Y, viendo que el P. Manrique no añadía cosa alguna, sino que meneaba la cabeza de arriba abajo y apretaba la boca, como quien, lleno de dolor y asombro, toma la resolución de no hablar, continuó diciendo por su parte:

*

—Aquella noche fui a ver a D. Jaime en compañía de Diego.

El noble aragonés me recibió en sus brazos, exclamando con aquella sana alegría que me recordaba la niñez de Gabriela:

—¡Vamos..., hombre! ¡Pídame usted la mano de la muchacha!

—¡Padre de mi vida! —le contesté.

Y rompí a llorar como lloro ahora... —¡Huérfano

---

32 El llanto en los personajes alarconianos es una natural efusión romántica. Resultaría prolijo transcribir ejemplos de

y solo durante tantos años, era aquélla la primera vez, desde que murió mi madre, que encontraba el dulce amparo de la familia y la augusta sombra de la autoridad paternal!

5   —Desde mañana... (continuó D. Jaime, cuando hubo dominado la muda emoción que le produjo mi llanto): desde mañana empezaremos a arreglar los papeles, y dentro de un mes se verificará el casamiento. —No puedo dedicar a ustedes ni un día más.

10   Hago mucha falta en mi casa; sin contar con que este pícaro Madrid no me ha gustado nunca.

Poco más referiré a usted de lo mucho que hablamos aquella inolvidable noche, la única de mi vida que me he considerado verdaderamente feliz... —¡Ardo

15   ya en deseos de terminar, y marcho derecho al desenlace de todas las historias referidas!

Diego y yo comimos con D. Jaime en su fonda,

---

ello. Únicamente, por su especial connotación humorística, reveladora de que Alarcón tenía conciencia del derroche de lágrimas a que en ocasiones se entregaba, quiero recordar aquí el siguiente significativo pasaje de *El Capitán Veneno* (1881), cuando doña Teresa, la señora que ha recogido en su casa al militar herido, rechaza dignamente el auxilio económico que el marqués de Tomillares quiere ofrecerle mientras cuide a su maltrecho amigo:

»—¡Generala! (exclamó el Marqués, llorando a lágrima viva). ¡Permítame besarle la mano!

»—¡Y permite, querida mamá, que yo te abrace llena de orgullo! —añadió Angustias, que había oído toda la conversación desde la puerta de la sala.

»Doña Teresa se echó también a llorar, al verse tan aplaudida y celebrada. Y como la [criada] gallega, reparando en que otros gemían, no desperdiciase tampoco la ocasión de sollozar (sin saber por qué), armóse allí tal confusión de pucheros, suspiros y bendiciones, que más vale volver la hoja, no sea que los lectores salgan también llorando a moco tendido, y yo me quede sin público a quien seguir contando mi pobre historia.» (*O. C.*, pág. 727, a.)

11   En la 1.ª ed.: «con que Madrid».

16   De forma bien explícita, y por boca de Fabián, alude Alarcón a la estructura de su novela, organizada en forma de varias historias que convergerán en el desenlace aquí anunciado. Sobre este aspecto estructural, véase nuestra *Introducción*.

pues fueron inútiles todas mis súplicas de que se hospedase en mi casa...

—Te hablaré *de tú*, si quieres, desde ahora mismo... (me respondió con singular donaire); pero déjame aquí a mis anchas...

Y, como yo insistiese en mi ruego, puso fin al asunto con estas inapelables palabras:

—¡No te canses! ¡He dicho *que no*, y soy aragonés! —Lo que sí te pido es que vengas a verme todos los días y a todas horas..., para luego hablarle mucho de ti a mi mujer, que me abrumará a preguntas...

—Pues en ese caso... (exclamó Diego, cuyo semblante y tono de voz expresaban hacía ya rato algo muy parecido a celos, o a la envidia que siente un niño hacia el nuevo hermano que viene a robarle caricias paternas); en ese caso, yo, que ahora no les hago a ustedes falta alguna en Madrid, me marcharé mañana a Torrejón, donde tengo que arreglar algunos negocios. —*Dentro de dos domingos estaré de vuelta.*

«*El domingo que viene estaré de vuelta*», entendí yo... Pero, según me han explicado después, su frase fue la que he dicho anteriormente.

El día en que ocurría aquella conversación era también domingo... —Y especifico estas cosas por la funestísima importancia que les ha dado luego la fatalidad...

—Va usted a saber (dije a D. Jaime, en lugar de responderle a Diego) la causa del viaje de nuestro amigo...

8 Otra vez el tópico de la obstinación aragonesa, antes aplicado a Gabriela. Con tales recursos —y, sobre todo, con su reiterada y explícita formulación— el efecto conseguido, al menos para el lector actual, es el de una ingenua, elemental y topiquera caracterización de determinados personajes.

25 En la 1.ª ed. se lee: «El día en que ocurría aquella conversación era también domingo.» Falta el otro párrafo, con cuya inclusión el autor debió creer mejor explicado y situado todo lo que luego va a narrarse, obteniendo así una mejor trabazón entre los diversos puntos del relato.

—¡Cuidado con lo que hablas! —prorrumpió el hipocondriaco, temiendo que hubiese yo traslucido y fuera a revelar lo que su pobre corazón sentía.

—Este modelo de amigos generosos... (proseguí, sin hacerle caso) va a Torrejón de Ardoz a vender ganado y trigo, a fin de reunir dinero y desempeñar espléndidamente su papel de padrino de mi boda.

—Porque... ¡ya se ve!..., como es un señor casado, no puede meter la mano en mi caja... ni dejar de hacerme ciertos regalos... —¿No es así, mi buen Diego? ¡Con franqueza!

Diego se echó a reír cariñosamente, y me estrechó la mano como pidiéndome perdón.

—No digo mi hacienda... (exclamó al mismo tiempo): ¡toda mi sangre daría por tu felicidad!

—¿Lo está usted viendo? (repuse yo). ¡Siempre ha sido así!...

—¡Qué! ¿Te parezco mal? —replicó, volviendo a nublarse.

—¡No, hombre, no!... ¡Al contrario! Te permito que te arruines... ¡Haz cuanto quieras por mí!... Todo le parecerá poco a mi cariño... —le contesté acariciándolo.

Don Jaime tendió también la mano a Diego en muestra de gratitud, y le dijo:

—Espero que a su regreso de Torrejón tendrá usted la bondad de llevarme a su casa y presentarme a su señora. —Deseo mucho conocerla y tratarla.

—Será un honor muy grande para ella —contestó Diego, recobrando por completo la alegría.

Y se puso a tararear y a dar vueltas por el cuarto como un chico que se desenoja de repente.

—Ya había yo conocido cuando estuvo en Aragón (díjome entonces al oído el buen D. Jaime), que este

---

19 En la 1.ª ed. falta «replicó, volviendo a nublarse».
23 En la 1.ª ed. falta «le contesté acariciándolo».

hombre era muy hipocondriaco. —¡Todo cuidado es poco para tratar con él!... De la hipocondria a la locura no hay más que un paso.

Tales fueron, en resumen, los incidentes más notables de aquella conversación.

Por lo demás, y para colmo de ventura, al llegar a mi casa me encontré con esta carta de Gabriela:

«Fabián:

»Mi padre te ha perdonado todo el mal que *puedas haber hecho en el mundo hasta contra su propia persona.*

»Yo... ¡no tengo que decirte cuánto te amo!

»Sin embargo, no vengas a verme hasta el día de »nuestro casamiento... No me escribas tampoco... »Déjame a solas con Dios todo el tiempo que aún he »de permanecer en esta santa casa. —Yo no debo »entenderme contigo hasta el instante en que, a la »vista de esta comunidad de hermanas mías, en la »propia iglesia de este convento, al pie del altar, mi »padre y Diego te presenten a mí, para que mi con- »fesor bendiga nuestro enlace, declarando en nombre »de Dios que es tu esposa.

»GABRIELA.»

¿A qué misterioso presentimiento, a qué seráfica intuición obedecía este singular empeño de mi adorada de no verme ni oírme hasta el instante mismo de la celebración de nuestro matrimonio? ¿Adivinaba que éste no se celebraría nunca? ¿Sospechaba todo lo que ha llegado a suceder? ¿O procedía tan sólo por un resto de terquedad y rencor, acordándose todavía del cruel desengaño que recibió aquella tarde infausta en que me llamó *suyo* junto a las rejas de los jazmines?

---

31 En la 1.ª ed.: «en que por primera vez me dijo: *¡Fabián mío!*»

¡No sé!... —Lo único que veo claro ahora es que en aquello, como en todo, Gabriela procedía con maravilloso instinto... ¡Dijérase que olfateaba la tempestad que no tardó en rugir sobre nosotros, y que ya
5 ha tronchado todas las flores de mis esperanzas!

A la mañana siguiente se marchó Diego, según que nos había anunciado. ¡Marchóse, sí, tan cariñoso conmigo como siempre, y completamente seguro, a mi juicio, del amor fraternal y de la inextinguible
10 gratitud que le profesaba mi alma... —¡Sin embargo... (¡ah! ¡esto es espantoso!), aquí da fin la historia de nuestra amistad; y cuando, dentro de poco, vuelva a aparecer en escena aquel desgraciado, ya no verá usted en él al tierno y solícito camarada de
15 mi vida, sino al Arcángel exterminador encargado de darme la muerte!

VI

EVA

La catástrofe que me abruma se originó de una
20 manera muy casual y prosaica, o sea por resultas de vulgarísimos accidentes. —Verdad es que la pólvora estaba ya enterrada, a lo que vi luego, y que sólo faltaba leve chispa de lumbre para que sobreviniera el terremoto.

25 Sabe usted que desde la tarde de la célebre comida de casa de Diego, en que tan mal lo pasamos todos, no había yo vuelto a ver a Gregoria. Podrá decirse que la amistad y la cortesía me aconsejaban más que nunca no dejar de visitarla durante la ausencia de

16 Se alude, naturalmente, a aquel pasaje de la *Biblia* (*Éxodo*, 12) en que se describe la décima plaga que, con ocasión del cautiverio de los israelitas, padece Egipto, cuando el Ángel exterminador mata a todos los primogénitos, incluido el del Faraón.

su marido; pero otras atenciones, menos desagradables para mí que el trato de aquella mujer, me hicieron diferir la visita hasta que, suponiendo ya de regreso a mi amigo, extrañé que éste no hubiera ido a verme, según su costumbre.

Partiendo, pues, del error de que al irse nos había dicho «*el domingo que viene estaré de vuelta*», me encaminé a su casa el *primer domingo* siguiente al día de su marcha, no dudando de que ya estaría en Madrid, y temeroso de que hubiese llegado enfermo o de que se hallase enojado conmigo a causa de mi descortesía para con su esposa.

Serían las cuatro de la tarde cuando llamé, no sin hacerme antes gran acopio de alegría y paciencia, a fin de que mi tercera entrevista con Gregoria diese mejor resultado que las dos anteriores...

—¿Qué pasa por aquí? (principié a gritar con *deliberado* júbilo, no bien me abrió la puerta la criada). —¡Hola, familia! ¡Muy buenas tardes! ¡Aquí hay un peregrino que pide hospitalidad por ocho horas! ¡Aquí hay un desertor que viene a quedarse a comer, a hablar hasta por los codos y a echar un sueño en una butaca; a descansar, en fin, después de seis días de ímprobos trabajos!

A estas voces acudió Gregoria, muy grave y circunspecta, y me dijo:

—¡Ah! ¿Es usted, señor Conde? ¡Dichosos los ojos que lo ven a usted!

—Perdóneme usted, mi querida Gregoria... (le respondí, sin dejar el tono de chanza). Confieso que me he portado infamemente con usted; pero, en cambio, hoy vengo decidido a estarme aquí hasta las doce de la noche. —¡Digo..., porque supongo que me darán ustedes bien de comer!...

—No tengo inconveniente. —Usted viene a su casa.

---

18 En la 1.ª ed.: «comencé a gritar jubilosamente».

—Es usted muy fina..., ¡demasiado fina! —Pero...
¡vamos a ver! ¿Dónde está nuestro viajero, que no
sale a recibirme?

—¿Pregunta usted por Diego? —¿Pues no sabe
5 usted que se marchó a Torrejón?

—¡Cómo!... ¿No ha regresado todavía? —pregunté
estupefacto.

—¡Hágase usted de nuevas! (replicó Gregoria).
—¡Demasiado sabe usted que se despidió por quince
10 días!

—Juro a usted que ignoraba... —murmuré, retrocediendo maquinalmente hacia la puerta.

—¡Oh! ¡No se vaya usted por eso! (añadió enfáti-
camente). Diego me conoce..., y no llevará a mal el
15 que su esposa reciba y atienda a usted como si él
estuviera en Madrid. —Ahora, si usted ve que ha
de aburrirse demasiado no estando aquí su amigo...

—¡Gregoria! (respondí con ingenua efusión). Mi
mayor deseo es serle a usted agradable... —¡Oh. sí!
20 ¡Bien sabe Dios cuánto me alegraría de que usted me
quisiese tanto como Diego!

Mi enemiga palideció ligeramente al oír estas palabras, cual si hubiesen llegado a su conciencia.

Pero reparando, sin duda, en que la criada estaba
25 delante, se limitó a decir:

—Luego hablaremos. —Pase usted... (Y me seña-
laba la puerta del despacho de Diego). Yo voy a dar
algunas órdenes. —Sígueme, Francisca.

—¡Conque se queda usted a comer! (exclamó la
30 sirvienta con estúpido regocijo). —¡Me alegro! ¡Verá
usted cómo hoy no me equivoco al servir las salsas!

Profundamente disgustado entré en el despacho
de mi amigo, y púseme a discurrir qué me convendría
más: si inventar un pretexto para ir en seguida a la

---

23   En la 1.ª ed.: «cual si hubiesen llegado a su corazón o a su
conciencia».

calle, o si aprovechar aquella ocasión para captarme
el afecto y la confianza de la que ya he calificado de
enemiga mía. —Haciendo lo primero, me exponía a
irritarla más y más, confirmándola en su idea de que
yo la despreciaba o la aborrecía. —Haciendo lo 5
segundo, corría el riesgo de pasar unas horas de
aburrimiento y humillación, dado que no consiguiese
desvanecer las prevenciones (sobrado justas) de Gregoria, pero en cambio, si lograba engañarla respecto
de mis sentimientos, o éstos mejoraban después de 10
una explicación mutua, desaparecería la barrera que
principiaba a alzarse entre Diego y yo. —Opté, pues,
por quedarme.

—Diego se alegrará mucho (dije entre mí) cuando
venga, y vea que su mujer y yo somos ya verdade- 15
ros amigos...

Oí en esto que abrían y cerraban la puerta de la
calle, y adiviné que era la criada que iba al mercado
o a la fonda. Dolióme ser tratado con tanto cumplido
y dar ocasión a semejantes trastornos; por lo que, 20
dejándome llevar de mi natural vehemencia, y creyendo inmejorable aquella coyuntura para entrar
con Gregoria en un terreno de fraternal confianza,
salí del despacho gritando:

—¡Gregoria! ¡Gregoria! ¿Dónde está usted? 25

Y, divisándola en un cuarto de tocador que había
frente al despacho (cuando yo la creía guisando en
la cocina), me acerqué allí atolondradamente, y la
dije desde la puerta:

—¡Por lo visto usted no quiere que seamos amigos! 30

Gregoria, que estaba polvoreándose de blanco el
rostro, asaz moreno de suyo, y que se vio cogida
in fraganti en aquella operación, se puso verde de
ira, y exclamó escondiendo la acusadora borla:

—Señor Conde, ¿qué significa esto? ¿Cómo entra 35
usted aquí sin avisar? ¿Cree usted que está en casa
de la Generala?

Yo me eché a reír por amor a la paz más que por
otra cosa, y repliqué humildísimamente:

—Perdóneme usted la llaneza... Confieso que me
he excedido... Pero creyendo observar que la criada
5 salía a la calle, venía a decirle a usted...

—La criada ha salido efectivamente... (interrumpió Gregoria con mayor enojo). Mas no justifico que
por eso al ver que *estamos solos*, se crea usted autorizado...

10 ¡Diome frío al oír esta repugnante advertencia! Me
dominé empero, y respondí naturalísimamente:

—Vuelvo a decir que reconozco haber hecho mal...,
muy mal..., en tomarme la confianza de salir del
despacho en busca de usted. —Pero urgíame rogarle,
15 como le ruego, que llame a la criada... ¡Para banquetes, basta con el del otro día, que por cierto fue
magnífico!... Hoy quiero que me trate usted como
de la familia, con entera franqueza, como a un hermano de Diego... —Llame usted, pues, a Francisca,
20 y que no traiga nada de la calle...

Gregoria se quedó muy cortada al oírme hablar
así. Un destello, que me pareció de bondad, relució
en sus ojos, y dijo soltando la borla:

—Dispénseme usted también el que me haya de-
25 jado llevar de mi genio... —Amigo mío, los pobres no
tenemos más capital que nuestro orgullo..., cuando
tratamos con magnates como usted. —Pasemos, pues,
al despacho, ¡y pelillos a la mar! —Usted comerá lo
que le demos, y tendrá paciencia si nos arruina.

30 —¡Muy bien dicho! ¡Eso es hablar! ¡Así quiero que
me trate usted! —exclamé realmente satisfecho al
verme otra vez en terreno llano.

Y volví a abrigar la esperanza de que aquella tarde

---

9 En la 1.ª ed.: «Mas no creo que por eso estuviese usted
autorizado...»

11 Todo este breve párrafo falta en la 1.ª ed.

llegásemos Gregoria y yo a ser amigos, o algo menos que enemigos mortales.

De vuelta en el despacho, ocupé yo el sillón de Diego, y permanecí silencioso algunos minutos, comprendiendo que era muy arriesgado iniciar conversaciones con una mujer tan propensa al drama.

Ella se quedó de pie, dándome la espalda y haciendo como que repasaba los libros del estante.

—¡Cuántos volúmenes (exclamó de pronto, sin volver hacia mí) podrían escribirse con las barrabasadas que ha hecho usted en este mundo!

—¡Desgraciadamente es verdad! —respondí de muy mal humor, no sólo a causa de mi sincero arrepentimiento, sino porque me disgustaba aquel empeño de Gregoria de ver siempre en mí el antiguo libertino y no al leal amigo de su esposo, al fiel amante de Gabriela, al hombre recobrado de sus pasadas locuras.

—¡Qué tontas son las mujeres! (continuó). ¡Y qué afortunado ha sido usted en no dar con ninguna que le siente la mano y que le haga ver que no todo el campo es orégano!

—¡Olvida usted que he encontrado a Gabriela! —interrumpí ceremoniosamente.

—¡Pobre Gabriela! ¡Enamorada de usted como las demás! —Yo hablo de una mujer que hubiese sabido resistir a esa magia que, según cuenta el bobalicón de Diego, tiene usted para engañarnos... —¡Lo que es conmigo, hubiera usted perdido el pleito! ¡A mí no me gustan los conquistadores!

Yo me callé. —¿Qué había de contestar a aquellas simplezas?

—¡Si por algo me he casado con Diego... (prosiguió diciendo la provinciana, sin cambiar de actitud y como si hablara con el estante), ha sido por la modestia sublime con que el pobre se creía incapaz de atraer

2 En la 1.ª ed. falta «o algo menos que enemigos mortales».

las miradas de ninguna mujer en que usted hubiese
fijado las suyas! —¡Ah, cuánto mejor es Diego que
usted! ¡Cuánto más digno de ser amado! —Los hombres como usted no agradecen nada... ¡Creen mere-
5 cérselo todo! —Pero ¿qué es eso? ¿se duerme usted?
¿O se figura que estoy diciendo disparates?...

Yo procuraba sonreírme, en tanto que hacía voto
de no ir más a aquella casa sino en compañía de
Diego, ¡y esto las menos veces posible!...

10 Volvióse Gregoria hacia mí, y al verme tan afable
y tranquilo (en apariencia), soltó una carcajada ner-
viosa, y dijo dulcificando su voz:

—Hace usted bien en no incomodarse... ¡Todo ha
sido broma! —Me perdona usted otra vez, ¿no es
15 verdad? —¡Oh!... ¡Yo necesitaba desahogarme de alguna manera! ¡Me ha tenido usted privada tanto
tiempo de la dicha de ser esposa de Diego!... ¡Porque
ello es que, hasta que usted le dio su venia, el pobre
se guardó muy bien de pedir mi mano! —No me lo
20 niegue usted... ¡Lo sé todo... Diego no me calla nada!
—Conque, vamos... (añadió en seguida con mayor
dulzura, echándose de codos sobre el bufete, a cuyo
otro lado estaba sentado yo). Dígame usted la verdad:
al venir hoy acá, dispuesto a pasar la tarde y la noche
25 bajo este humilde techo, ¿ignoraba usted que Diego
seguía ausente?

Disgustáronme sobremanera su actitud y su pregunta. En sus ojos brillaba no sé qué ironía diabólica,
que me recordó al Yago de Shakespeare... ¡Hoy
30 mismo no puedo discernir todavía qué maraña de
víboras, no de ideas, bullía aquella tarde en la cabeza
de Gregoria! Ello fue que consideré urgentísimo acla-
rar en el acto nuestra situación respectiva, y que
empecé a decir con solemnidad:

---

29 Famoso personaje de *Otelo,* considerado siempre como una
de las más poderosas personificaciones de la astucia y de la maldad.

—Cuando Diego se despidió de mí, pronunció estas palabras: «*Hasta el domingo que viene...*»

—«*Hasta dentro de dos domingos*», fue lo que dijo a usted y a D. Jaime. ¡Repito a usted que Diego me lo cuenta todo!... —¡Por cierto que ésta es la hora en que aún no tengo el gusto de conocer al tal D. Jaime!...

—Pues, señor, entendería yo mal aquella frase de Diego... (repliqué fríamente). —No hay nada perdido...

—¡Absolutamente nada! —repuso ella, irguiéndose como la culebra cuando la pisan.

Y se puso de nuevo a mirar al armario.

—Digo que no hay nada perdido... (me apresuré a añadir en tono más afable), porque el haber encontrado a usted sola me proporciona la ocasión de darle algunas quejas amistosas y ver si es posible que nos entendamos.

—¡Hola! (exclamó con blandura la hija de Eva, pero sin volverse hacia mí). ¡Ésas son palabras mayores!... —Explíquese usted francamente.

—No deseo otra cosa hace muchos días. —¡Gregoria! (proseguí, dejándome llevar de la más noble emoción). ¡Es usted muy injusta conmigo!... Usted no puede imaginarse lo que yo quiero a Diego, ni lo que me intereso por usted y por su felicidad, a causa de ser la esposa del que considero como un hermano... ¡Yo quisiera hallar también en usted una dulce hermana, una confiada amiga..., y, mal que me pese, veo que me odia usted cada día más!...

Gregoria soltó la carcajada sin dejar de mirar al estante, acaso por no mirarme a mí.

—Yo no aborrezco a usted (respondió en seguida). —Lo que me pasa es que no me fío de su decantado arrepentimiento tanto como Diego y como Gabriela. —*El que malas mañas ha, tarde o nunca las perderá* —dice el adagio... ¡Por eso creo que Diego debió pensarlo mejor antes de responderle a la pobre niña

de que no le dará usted otro chasco como el pasado!...
Pero, en fin, yo no pienso mezclarme en estas cosas,
aunque sí le ruego a usted que, cuando vuelva a las
andadas... (como volverá usted sin duda alguna), no
arrastre en pos de sí a mi marido, no lo aparte de sus
deberes, no le inspire odio hacia esta pobre mujer, a
quien usted, acostumbrado a tratar marquesas, hallará no sé cuantos defectos, y a quien, por lo mismo,
no profesa usted muy buena voluntad... —¿Cree
usted que soy tonta y que no veo que Fabián Conde
me tiene declarada guerra a muerte?

—¡Al contrario, Gregoria! ¡Muy al contrario! (respondí con dolor). Usted es quien abomina de mí desde
que por primera vez oyó a Diego pronunciar mi
nombre... Usted me ha mirado siempre como a un
rival, como a un enemigo de su ventura, cuando precisamente es usted quien amarga y compromete la
mía. —Porque usted lo sabe: yo no puedo vivir sin
Diego, y Diego es además mi fiador para con Gabriela... ¡Tiemblo al pensar en lo que sucedería si
Diego, dando oídos a los consejos de usted, llegase a
creer que, en efecto, hace mal en responderle de mí
a mi prometida! ¡Gabriela me rechazaría tan luego
como él retirase su fianza, y entonces... yo no sé lo
que sería de mí! —¡Ah, Gregoria! ¿Cuánto mejor es
que los cuatro vivamos estrechamente unidos; que
usted se acostumbre a mirarme sin temor ni recelo,
y que procuremos entre todos devolver la salud y la
alegría al pobre enfermo que nos ama tanto? —¡Gregoria!: se lo suplico a usted en nombre de Gabriela:
¡Crea usted que yo soy bueno! ¡crea usted en mis
leales intenciones! ¡crea en mi amistad! ¡Sea usted,

---

11 La 1.ª ed. difiere en la parte final de estas palabras de
Gregoria. En ella se lee: «no le inspire odio hacia esta pobre mujer,
a quien usted encontrará no sé cuántos defectos, y a quien por lo
mismo no profesa usted muy buena voluntad...».

en fin, generosa conmigo, y no me perjudique, por Dios, en el corazón de mi amigo Diego!

¡En mal hora pronuncié esta última frase! Gregoria se volvió hacia mí como una pantera herida, y principió a gritar desaforadamente:

—¡Caballero! ¡Usted me insulta! ¡Usted me maltrata! ¿Eso es decir que soy un estorbo entre usted y su antiguo camarada de libertinaje?...

—¡No he dicho tal cosa!... —Repórtese usted...

—¡Ha dicho usted mucho más! ¡Ha dicho que yo le abomino..., que yo le detesto!... —¿Por qué, ni para qué? —¡Yo soy una mujer de mi casa y de mi marido, que no tiene que meterse en querer ni aborrecer a los demás hombres! ¡Yo no soy una mujer de esas que usted está acostumbrado a tratar! —¡Ah! ¡yo le preguntaré a Diego si él cree también que soy incompatible con una amistad que, por lo visto, vale más que yo, y tomaré las determinaciones que hagan al caso! —¡Bien me lo decía mi madre! ¡Muchas, muchísimas veces me anunció que usted, cuando regresara de Londres, me disputaría el corazón de Diego! —¡Esto es una infamia! ¡Venir a insultarme aprovechándose de que estoy sola!

Así dijo aquella furia del Averno, y, por remate de su discurso, echóse a llorar amargamente.

Era para volverse loco.

Atropellé, pues, por todo género de temores, y cogiendo el sombrero, le dije con frialdad:

—También me explicaré yo con Diego cuando venga, y espero que sabrá hacerme cumplida justicia. —Entretanto, señora, siento mucho haberla incomodado, y beso a usted los pies.

---

2 En la 1.ª ed.: «y no me expulse usted, por Dios, del corazón de Diego».

18 En la 1.ª ed. falta «y tomaré las determinaciones que hagan al caso».

—¡Oh! ¡No lo digo por tanto!... Quédese usted...
(replicó serenándose de pronto, y queriendo apode-
rarse de mi sombrero). —Mi intención no ha sido
plantarlo en la calle...

5   —Sin embargo, con el permiso de usted me marcho
ahora mismo.

—¡No sé por qué!... —Aquí no ha pasado nada...
—Digo más, creo que ni usted ni yo estamos en el
caso de afligir a Diego contándole estas tonterías que
10 nos hemos echado en cara a fin de desahogarnos y
poder llegar a entendernos... —Dice el refrán que los
buenos amigos han de ser reñidos... —Aquí está mi
mano... ¿Quiere usted más?

—Gregoria, le agradezco a usted mucho esas pala-
15 bras... (respondí, alargándole también la mano); pero
déjeme usted ir.

—¡Hombre! ¡Coma usted aquí siquiera, ya que vino
a eso! —¿Qué dirá, si no, Francisca cuando vuelva?
En esto sonó la campanilla.

20 Gregoria salió a abrir, y yo detrás de ella sin soltar
el sombrero.

Era la criada, seguida de un mozo de fonda.

—Conque, señora, adiós... —Dije avanzando hacia
la puerta.

25 —¿Cómo? ¿Se marcha usted? —gritó Francisca.

—Sí...; estoy malo...

—¡Calla!; y mi señorita tiene los ojos encendidos
de llorar... —¡Válgame María Santísima! ¿Qué ha
pasado aquí?...

30 Gregoria contestó inmediatamente:

—¡Nada! Que al señor Conde le ha dado un va-
hído..., y yo me he asustado mucho. —Adiós, Fabián;
que se mejore usted.

—Adiós, Gregoria... (respondí). —¡Que me avisen
35 ustedes cuando venga Diego!

Y tomé por la escalera abajo, con la celeridad y la
agitación del que escapa vivo de una emboscada.

LIBRO SEXTO

LA VERDAD SOSPECHOSA

I

LA PUERTA DEL PURGATORIO

No tengo para qué analizar la anterior escena. 5
¡Tristísimos sucesos van a servirle ahora mismo de
comentario!

Pasó aquella semana sin ningún accidente digno de
mención. —Los primeros días me preocupó algo el
recuerdo de mi altercado con Gregoria; pero después, 10
descansando en mis benévolas intenciones y en la
seguridad del cariño de Diego; lisonjeadas mis esperanzas por la ternura paternal que seguía mos-
trándome D. Jaime, y embelesados mi corazón y mi
espíritu con la dulce idea de Gabriela y con la 15
expectativa de nuestro próximo casamiento, me
desimpresioné de aquella pueril complicación, muy
confiado en que no tendría ulteriores consecuencias.

Con esto, y con los muchos y muy agradables que-
haceres a que estaba entregado a todas horas, des- 20
cuidé excesivamente al amargo matrimonio que
tantos disgustos iba causándome, y llegó y pasó el

---

22   En la 1.ª ed. la redacción era más breve: «me descuidé
completamente, y llegó y pasó».

otro domingo sin que se me ocurriese enviar a preguntar si había regresado Diego, o más bien dando por supuesto que no había regresado todavía cuando ni me avisaba ni iba a verme.

5 Las agradables ocupaciones de que he hecho mérito eran todas muy del gusto de D. Jaime, pues que le demostraban el rumbo grave y formal que había yo dado a mi antes borrascosa vida. —Acababa de vacar el distrito (muy próximo a Madrid) en que radicaban
10 mis mejores bienes, y, con tal motivo, mi Administrador y el padre de Gabriela me decidieron a presentarme candidato a la diputación a Cortes. Apoyábame el Gobierno, tan pagado de los servicios diplomáticos que acababa de prestarle en Inglaterra, como deseoso
15 de honrar más y más en mi persona la rehabilitada memoria de mi padre, cuya heroica muerte (según que Gutiérrez y yo la habíamos descrito) seguía siendo muy celebrada en la prensa y en la tribuna; y, por resultas de todo esto, mi casa estaba llena a todas
20 horas de electores influyentes, de personajes políticos que deseaban afiliarme en su bando, de periodistas que ansiaban escribir mi biografía, de poetas que me dedicaban odas, de pretendientes que me pedían destinos y de antiguos camaradas que me pedían
25 dinero.

Veíame, además, invitado a banquetes y saraos por personas de verdadera importancia, que en otro tiempo habían rehuido mi sociedad (damas virtuosas de la nobleza, Generales que habían conocido a mi
30 padre, Ministros, Embajadores, etc.); invitaciones a que yo no dejaba de acudir, para que cada vez fueran más notorias mi reconciliación con la sociedad y mi buena conducta. Agregue usted, por último, los preparativos que hacía yo en mi casa a fin de recibir
35 dignamente a Gabriela (pues ya sólo faltaban dos semanas para nuestro casamiento), y comprenderá que aún dejase pasar días y días, diciéndome a cada

instante: «*¿Qué será de Diego?*»; preguntando a mis
criados, siempre que volvía a casa, si mi amigo había
estado allí; extrañando que no hubiera parecido ni
mandádome recado; no allanándome de modo alguno
a creer que estaba en Madrid y que no iba a verme 5
porque Gregoria hubiese logrado indisponerlo conmigo; queriendo persuadirme de que seguía ausente;
formando continuos propósitos de mandar a averiguar lo cierto, de escribirle, de llamarlo, de acecharlo
en la calle..., y no haciendo, sin embargo, ninguna 10
de estas cosas. —¡Dijérase que una pereza, hija tal
vez de la perplejidad, o una perplejidad que tenía
mucho de presentimiento, me hacía diferir la explicación de aquel enigma!

Ahora, lo que en modo alguno se me ocurría, ni 15
podía ocurrírseme, era ir a llamar yo mismo a casa
de Diego sin antes saber que había regresado y estaba
dentro de ella. —¡Me espantaba la idea de volver a
encontrarme a solas con Gregoria!

Vime en esto obligado a ir por tres días al que ya 20
denominaba *mi distrito,* y dos horas antes de la
marcha, esto es, a las siete de la noche, me resolví al
fin a mandar a mi Administrador a casa de Diego
con una carta, que decía de esta manera:

«A Diego, o a Gregoria. 25

»Diego: si estás en Madrid, ven inmediatamente.

»Si no puedes por estar malo, dímelo, y, aunque sin
tiempo para nada, iré yo a verte un momento, pues
me marcho ahora mismo a *mi distrito* (!!!), donde
permaneceré dos o tres días. 30

»Gregoria: si no está Diego en Madrid, dígame
usted por qué no ha vuelto, qué le pasa, cuándo
viene...; ¡en fin, algo que calme mi inquietud!

»Muy ocupado, pero siempre vuestro,

»FABIÁN.» 35

De vuelta el Administrador, me dijo:

—Después de llamar muchas veces en casa de su amigo de usted, sin que me respondiesen, abrió al fin la criada el ventanillo y me preguntó: «¿Quién es usted?» —«Vengo (le respondí) de parte del señor Conde de la Umbría con una carta para D. Diego Diego o para su señora, caso de que D. Diego no esté en Madrid.» —Retiróse la criada sin contestar, y volvió al cabo de un largo rato. —«Los señores (me dijo) están durmiendo, y no puedo pasarles carta ni recado alguno.» —«Pero ¿están buenos?» (interrogué). —«¡No sé!» (contestó la fámula desabridamente cerrando el ventanillo). —Y aquí me tiene usted con la carta..., que no me he atrevido a echar por debajo de la puerta.

Esta relación me llenó al pronto de dolor y espanto, como si mi leal corazón presintiera de un modo informe todo lo que hoy me pasa... —«¡*Perdí a Diego para siempre!* (me dije): *Gregoria ha triunfado.*» —Pero mi espíritu se sublevó todavía contra la idea de que Diego pudiese dejar de quererme de la noche a la mañana, por mucho que la pérfida Gregoria le predicase en mi daño, y considerando gratuito aquel mi primer recelo, me fijé en este otro, relativamente consolador:

—«Diego está ofendido de que yo no haya ido a verle o a preguntar por él desde que se cumplió el famoso plazo de *los dos domingos*... Gregoria, por su parte, se habrá complacido en agravar mi conducta, diciéndole que soy un ingrato; que los desprecio a él y a ella desde que me veo feliz y agasajado por el mundo, y que ellos deben pagarme el desdén con el desdén. —¡Quién sabe si hasta le habrá dicho todo lo que ocurrió la otra tarde!... —Pero no... De esto no le conviene hablar... —¡Ah! ¡Pobre Diego! ¡Yo lo desenojaré a mi vuelta! ¡Todos sus enfados provienen de hipocondria y de exceso de cariño!... Su mismo proceder de esta noche se explica por la rudeza de su carácter y de su educación, y sobre todo por la costumbre que tiene de tratarme como a un niño de ocho años.»

Pensé entonces dejarle escrita una carta de broma, 5 aunque llena de ternura, que lo amansase hasta mi vuelta; pero me hallaba rodeado de electores; faltaban pocos instantes para la salida del tren, y, mal de mi grado, tuve que partir sin escribirle...

—¡Yo regresaré, mi señora Doña Gregoria! (excla- 10 mé, al encaminarme a la estación). ¡Yo regresaré, y mediremos nuestras fuerzas!... —¡Veremos si es tan fácil como usted se imagina privarme del afecto y la confianza de mi único amigo, de mi defensor de siempre, de mi fiador para con Gabriela, y precisa- 15 mente en las vísperas de mis bodas!

A pesar de tales reflexiones y propósitos, y de lo muy abrumado que, durante los tres días que duró mi ausencia, me vi de recepciones en triunfo, visitas, memoriales, comilonas, serenatas, juntas, exámenes, 20 *Te Deum*, inauguraciones y demás incumbencias propias de un candidato *ministerial* que recorre *por primera vez* los pueblos de su distrito, no logré desechar la inquietud secreta con que emprendí aquel viaje: antes bien fue creciendo hasta ser mi única preocu- 25 pación e inspirarme al cabo la más viva impaciencia por regresar a Madrid, por hablar con Diego, por atajar los estragos que Gregoria estaría haciendo en nuestra amistad...

Tan luego, pues, como regresé a la corte (o sea en 30 la noche de ayer), sin darme un momento de reposo después de dos días de no dormir ni descansar, y sin

---

23   También en *La pródiga* (1882) su protagonista, Guillermo de Loja, participa como candidato en unas elecciones y recorre, como Fabián, «los pueblos de su distrito». En uno y otro caso cabe percibir ecos de las personales campañas políticas de Alarcón como candidato por Guadix en 1863 y 1866.

detenerme siquiera en mi casa a cambiar de traje,
me encaminé a la de mi amigo, con el alma llena de
lealtad y de ternura, y decidido a jugar el todo por
el todo.

5   —¿Está D. Diego Diego? —pregunté abajo, en la
portería.

—Sí, señor (me dijeron). Acaba de entrar.

Serían las ocho de la noche.

Subí la escalera aceleradamente, y pronto me vi
10 delante de aquella fatídica puerta por donde había
entrado ya tres veces rebosando cariño y confianza,
y por la cual había salido las tres con el espíritu
angustiado. —¡Y, sin embargo, aquélla era la única
puerta a que había llamado yo en Madrid con nobles
15 y honestas intenciones! ¡Allí vivía el único matrimonio que para mí había sido inviolable y sagrado; el
único hombre a quien por nada del mundo hubiera
yo engañado ni ofendido; la única mujer que no lo
era para mis ojos, y a la cual habría respetado como
20 a mi propia madre, aunque la Naturaleza le otor-
gase la hermosura de Venus y todos los encantos
de Armida!

Afligíme al pensar en aquella injusticia de mi suerte, y, refrenando a duras penas las lágrimas, procuré
25 sosegarme y llamé.

De igual manera que cuando mi Administrador
fue con la carta, tardaron mucho en acudir a ver
quién había llamado; pero, entretanto, oí pasos que
iban y venían, algún cuchicheo, ruido de puertas que
30 se abrían o se cerraban, y la voz de Diego, que de vez
en cuando lanzaba una especie de sofocado rugido.

—«¡Déjame!» —«¡Basta!» —«¡Que me dejes!» —fueron las palabras suyas que logré percibir.

_____

22 _Armida:_ Bellísima maga que hace objeto de sus encanta-
mientos a Rinaldo y a otros caballeros del ejército cristiano
en el poema _Gerusalemne liberata_ del poeta italiano Torcuato
Tasso (1544-1595).

—El león tiene la cuartana... (pensé yo, con más lástima que susto). ¡Pobre Diego! Esa mujer le va a abreviar la vida...

Abrieron en esto el ventanillo, y, al través de su celada de metal, vi relucir como dos ascuas... *5

—¡Soy yo!... —pronuncié, creyendo reconocer los ojos de Diego.

El ventanillo se volvió a cerrar.

Sonaron nuevos pasos, puertas y cuchicheos, y al cabo distinguí la voz de Gregoria que murmuraba 10 sordamente:

—¡Francisca..., no abras! —Di que nos hemos acostado...

—¡Ah, pérfida! —murmuré para mí.

Y, tirando otra vez de la campanilla, exclamé a 15 todo trance y en voz muy alta:

—¡Diego! ¡abre! —Ya sé que estáis levantados... Os estoy oyendo... —Soy yo... ¡Fabián Conde!

No había acabado de pronunciar estas palabras cuando la puerta se abrió de pronto, y Diego apare- 20 ció delante de mí con el sombrero puesto y emboza- do en la capa.

A nadie más se veía en el recibimiento.

—No escandalices la vecindad... (dijo severamente y sin mirarme). —¿A qué vienen esos gritos? —¡Ya 25 sabemos que eres Fabián Conde!... —¿Quién sino él se atrevería a llamar así a la puerta de mi casa? —Vamos, vamos a la calle...

Y, hablando de este modo, cerró tras sí la puerta y echó a andar por la escalera abajo. 30

Sufrí con paciencia aquellos insultos, y hasta me

---

1 El tema del león enfermo aparece con frecuencia en la fabulística clásica. Cervantes, en la *Canción segunda de la pérdida de la Armada que fue a Inglaterra*, escribió:

«... y donde pone este león la mira,
porque entonces su suerte está loçana,
en quanto tiene este león quartana.»

alegré del giro que tomaba el negocio. Diego y yo
podíamos entendernos mejor en la calle, a solas, que
en su casa, delante de su mujer. —Y, por lo demás,
¡estaba yo tan seguro de desenojarlo! ¡Lo había visto
5* tantas veces pedirme perdón y abrazarme llorando
después de furores y de injusticias por aquel estilo!
¡Tenía tal fe mi cariño en el suyo!

Lo seguí, pues, sin hablar palabra, hasta que, llegados a la calle, le dije:

10   —Si te parece, iremos a mi casa. —Está llo-
viendo...

—¡Tú no tienes casa, ni la tendrás nunca! (me
respondió atrozmente). —Iremos a aquel café, con
honores de taberna, donde solíamos codearnos en
15 otro tiempo con los ladrones y los asesinos.

II

EL FRUTO DEL ESCÁNDALO

El *Café de Daoiz y Velarde*, a que se refería Diego, estaba situado en el barrio del Avapiés; y,
20 con efecto, durante nuestra época de extravagan-
cia y misantropía fuimos allí algunas noches a estudiar filosóficamente el rostro y las costumbres
de los malhechores de oficio, como íbamos luego
a los hospitales a estudiar los cadáveres de sus
25 víctimas.

—Vamos al *Café de Daoiz y Velarde*... (respondí,
pues, afabilísimamente). —Tendré mucho gusto en
recordar allí nuestra vida de hace dos años...

—¡Nunca debimos ir a otra parte! (replicó Diego
30 con terrible ironía). —Aquél era el centro natural de
los *cómplices de Gutiérrez*.

—¡Diego! ¡Por Dios!... (exclamé, sin poder domi-
narme). —¡Ve lo que dices!

—Esto no es más que empezar... —respondió el infortunado con la más espantosa calma y mirándome por primera vez.

—Diego, ¿qué te he hecho yo? ¿Qué tienes? ¿Estás malo? —prorrumpí, colocándome delante de él y obligándolo a pararse.

Diego se subió el embozo de la capa hasta cubrirse todo el rostro, pero no sin dejarme ver primero la espantosa descomposición de sus facciones, su calenturienta mirada, su diabólica sonrisa.

—¡Vamos..., vamos adelante! —exclamó al mismo tiempo, apartándome con un brusco empellón y siguiendo su interrumpida marcha.

—¡Dios mío! (pensé). ¿Si estará loco?

Diego adivinó mi pensamiento; y antes de que yo hubiera vuelto a echar a andar en pos de él, retrocedió hacia mí, desembozóse tranquilamente, y me dijo:

—No creas que estoy loco... ¡Lo he estado hasta ahora, desde el funesto día en que te conocí! Renuncia, pues, a ese pretexto para no seguirme, si, como no dudo, tienes miedo...

—¡Miedo yo! ¿De quién ni por qué?

—Miedo de mí, y miedo de tu propia conciencia.

—¡Ah, mentecato!... ¡Tú mismo te has metido en la boca del lobo! —¡Verdad es que, de todas suertes, yo te hubiera buscado pasado mañana!... ¡Me faltaban dos días para ultimar tu proceso!

—¿Qué proceso? ¡Mira, Diego, que me estás matando! ¡Mira que no puedo más!... ¡Sólo a ti te aguantaría yo estas atrocidades, a que, por desdicha, me tienes acostumbrado! —¿Cuál es mi crimen? ¿No haberte visitado en ocho días? ¿Ser más dichoso que tú? ¿Deberte la felicidad? ¿Quererte con todo mi corazón?

—Sígueme..., sígueme... —fue su única respuesta volviendo a echar a andar con arrogancia.

Pero me pareció descubrir en su voz un asomo de enternecimiento y de cariño.

Lo seguí, y pronto llegamos al café.

La única sala que constituye aquel inmundo establecimiento estaba casi llena de hombres y mujeres de mala traza y peor vivir. En todas las mesas había vino o aguardiente. La atmósfera, enrarecida, pestilente y cargada de humo, apenas era respirable.

Nuestra presencia suspendió un momento los gritos, las reyertas y los chabacanos cantares de los concurrentes, que nos miraron como mirarán las arañas a las moscas que caen en sus redes.

Diego penetró hasta lo último de aquel antro, y como hubiese allí una mesilla desocupada, sentóse al otro lado de ella, dando la cara al público, con el aire de temeridad y desafío que le era habitual.

Yo me senté en frente de él, de espaldas a la concurrencia.

—¡Habla! (me dijo entonces el esposo de Gregoria). —¿A qué ibas esta noche a casa de *tu juez?* ¿Ibas a darme dinero, como a Gutiérrez, para que ocultase al mundo tus infamias, o a engañarme con pérfidos discursos, como engañaste a Matilde, y luego a Gabriela, y hoy a D. Jaime de la Guardia, y siempre a todo el que te ha tendido la mano? —Habla, Fabián Conde: Diego el Expósito te escucha.

Estas horribles frases cayeron sobre mi cabeza como plomo derretido; pero temblaba de tal suerte aquel infeliz al tiempo de proferirlas, y daba muestras de padecer tanto física y moralmente, que aún hice un esfuerzo extraordinario y exclamé con afectuosa mansedumbre:

—¡Diego! Te juro por la memoria de mi madre que, si no he ido a verte desde que volviste a Madrid, no ha sido por falta de cariño...

—¡Ya lo sé..., señor Conde!

—¡No lo sabes! (le interrumpí). Tú crees que soy ingrato contigo; que la proximidad de mi enlace con Gabriela, las atenciones y obsequios que me prodiga hoy el mundo, la buena acogida que yo merezco a las familias honradas, la protección del Gobierno, el favor de mis conciudadanos, mi esperanza de ser Diputado a Cortes, mi riqueza, que cada día va en aumento, la compañía y el aprecio de D. Jaime...; en fin, tantas venturas y prosperidades como hoy me rodean, me han hecho olvidar que a ti te lo debo todo; que tú has sido mi único amigo en los tiempos de desgracia; que, por defenderme, te hirieron en un desafío; que me salvaste la vida en una enfermedad; que me hiciste recobrar a Gabriela, y que has sido mi generoso fiador a sus ojos y a los de sus padres...

—¡Cómo te equivocas, Diego!... Yo te quiero más que nunca; yo te daría mi propia felicidad a ser esto posible; yo no seré realmente dichoso mientras tú no estés bueno y contento...

—¡Silba, serpiente, silba! (dijo el infortunado, riéndose con amargura). ¡Reconozco tu aciaga elocuencia!... Pero no esperes volver a engañarme...

—¡Engañarte!... ¿Para qué?

—Para que no te arranque la máscara que llevas hace un año... Para que siga siendo tu fiador y defensor ante el mundo...

—¡Vuelta a la misma! (respondí sentidamente). Abusas mucho, mi querido Diego, del privilegio que te tengo otorgado de reprenderme y hasta de injuriarme cuando estás de mal humor... Dejémonos de dramas, y vamos al caso.

—¡Es que el *caso* puede ser tragedia!... (replicó él con acento lúgubre). ¿Olvidas, por ventura, que yo sé que si eres Conde, si eres rico, si puedes pronunciar tu apellido desde hace algunos meses, es en virtud de documentos apócrifos, de testigos falsos, de haber supuesto la muerte de Gutiérrez, de haber desfigu-

rado, en fin, la verdadera historia de la muerte de
tu padre?

—¿Y a qué viene eso ahora? (exclamé desdeñosa-
mente). ¿Te has propuesto plagiar a Lázaro? —¿Qué
tiene que ver aquella historia con tu enojo?

—Tiene que ver... ¡y mucho! —¿No soy yo tu fiador para con Gabriela?

—Sí que lo eres... —¿Y qué?

—¡Que estoy repasando tu vida..., y me causa horror! —¡Ah, cuánta razón tenía Lázaro aquella noche! ¡Qué asqueroso fue tu pacto con Gutiérrez!

—¡Y tú me lo dices! ¡Tú, impugnador de los discursos de Lázaro! —¡Y me lo dices hoy!...

—¡Sí! ¡Yo te lo digo!... ¡Yo, que he abierto los
ojos a la luz; yo, que me he arrancado la venda del
insensato cariño que me hacía transigir con todas
tus iniquidades; yo, que estoy arrepentido y avergonzado de mi lenidad y tolerancia para contigo; yo,
que pido perdón a los hombres por haberte ampa-
rado, como te amparé varias veces, contra su justa
cólera!

—¡Repórtate, Diego, y tengamos la fiesta en paz!
(repuse, conteniéndome únicamente en virtud de la
sorpresa y la curiosidad que me causaban los discursos de mi antiguo cómplice). ¿Qué te he hecho para
que de pronto me prives de tu acostumbrada indulgencia y me juzgues con esta severidad intempesti-
va? —¿Es que te has propuesto que riñamos? ¿Es
que te lo ha propuesto... otra persona?

Diego eludió la pregunta y siguió diciendo:

—¡Ni creas que es de hoy el horror que me inspiras!... Aun en los tiempos en que mi amarga misantropía celebraba ferozmente tus atentados contra la
sociedad (de que me dabas cuenta diaria), causábame
espanto el ver la frescura con que engañabas a los
padres y a los maridos que te admitían en su hogar;
la crueldad con que los deshonrabas, por muy ami-

gos tuyos que fuesen; tu satánica maestría para seducir y perder a las pobres hijas de Eva; tu aptitud
para mentir, para jurar en falso y para faltar a tus
juramentos; tu impiedad, tu egoísmo, tu falta de
conciencia... 5

Dominé otro impulso de ira y respondí:

—¡Todo eso es verdad!... ¡Todo eso y mucho más
he hecho, por desventura mía! —Pero no eres tú el
llamado a echármelo en cara; ¡tú, el único hombre a
quien he sido fiel y leal; tú, a quien he querido y 10
quiero todavía con toda mi alma; tú, a quien nunca
he engañado, a quien jamás engañaré...; tú, en fin,
que puedes insultarme impunemente, como lo estás
haciendo, cuando sabes que no me faltan corazón ni
brazo para aniquilar a los que me injurian!... 15

—¡Me amenazas!... —bramó Diego con fiereza.

—¡No, Diego; no te amenazo..., sino que todavía
te pido misericordia! —¡Explícate por piedad! ¡Sepa
yo por qué estás así conmigo! ¡Algo debe de ocurrir
más grave de lo que yo me figuraba! —El no haberte 20
visitado en ocho días no es motivo bastante para
tanto enojo... —¡Habla de una vez! ¿Qué te han dicho de mí? ¿Qué te pasa? ¿Es que estás malo? ¿Es
que la calentura te hace delirar?... ¡Yo no puedo
creer que sin razón ni pretexto alguno hayas princi- 25
piado a odiarme! —¡Oh, sí...: tú estás enfermo...,
muy enfermo... En la cara se te conoce... Pero yo
te cuidaré... Anda, vamos...: ven a mi casa... Tú
necesitas tomar algo..., necesitas llorar..., necesitas
que yo te haga reír... —¡Diego, hermano mío, des- 30
arruga ese entrecejo! —¿No me oyes? ¡Yo soy tu Fabián! ¡Yo soy tu amigo de siempre!

—¡Silba, serpiente, silba! (replicó el mísero con supersticioso acento). —¡Así me atrajiste para morder-
me en mitad del alma! 35

—¡No soy yo la serpiente! (prorrumpí entonces a
pesar mío). La serpiente está más cerca de ti...

—¡Cuidado con lo que hablas! —repuso él, dando tal puñetazo en la mesa que todas las conversaciones del café volvieron a cesar por un momento.

—Quiero decir (añadí bajando la voz) que no ten-
5 go yo la culpa de que me aborrezca la mujer con quien te has casado...

—¡No la nombres! (rugió como un tigre). ¡No la nombres, que tu boca la infamaría sólo con mentarla! ¡No la nombres, o te mato aquí mismo!

10   La sangre se me agolpó a las sienes...; pero todavía exclamé con un resto de prudencia:

—¡Diego! ¡Por Dios! ¡Advierte que nos están mirando, que nos están oyendo... y van a creer que soy un criminal..., que soy un cobarde!...

15   —Y creerán lo cierto y positivo.

—¡Diego!

—Creerán lo que han de saber muy pronto; lo que todo Madrid pregonará dentro de tres días. —¿No te he dicho ya que estoy terminando tu proceso? —Gu-
20 tiérrez vive... Gutiérrez debe de estar en Madrid... —Mañana conoceré su guarida y lo delataré a los tribunales. —Pagado este tributo a la justicia, y hechas otras reparaciones que me aconseja mi buena fe, llegará el momento de matarte con mis propias
25 manos.

Faltóme la paciencia.

—¡Nada de eso harás, loco infame! (repuse con voz sorda, pero terrible). ¡Nada de eso harás; porque, o me pides perdón ahora mismo, reconociendo la in-
30 gratitud de que estás dando muestras, o al salir a la calle te mataré como a un perro rabioso! —¡Basta de miramientos! —Yo soy yo, y tú eres tú.

—¡Ahí te aguardaba! (replicó él, serenándose como por encanto). ¡Eso es lo que se llama hablar en ra-
35 zón! —Queda, pues, estipulado que nos batiremos a muerte... —¡Oh! ¡Bien sabe Dios que te doy las gracias! ¡No te creía tan valeroso!... ¡Temí tener que

asesinarte! —Conque no hay más que hablar: todo
está arreglado; puedes irte cuando gustes... —Pasado mañana te enviaré mis padrinos.

—¡Oh, no! ¡Esto no puede ser! (le respondí entonces con tal explosión de afecto, que se me saltaron 5
las lágrimas). ¡Tu locura es contagiosa, y me ha hecho desvariar a mí también!... Pero yo me arrepiento de todo lo dicho... Yo retiro mis palabras... Yo
no quiero matarte, ni que tú me mates a mí... ¡Sería
horrible! ¡Sería una atrocidad! ¡Sería una verdadera 10
sandez sin fundamento alguno! —¡Sin fundamento
alguno, Diego...!; créeme... —Y, si no, mírame a la
cara... —¿Ves cómo no te atreves a mirarme? —Dime
tus quejas... —¿Ves cómo no tienes ninguna?

—No vuelvas a suponer que estoy loco... (contestó 15
Diego sosegadamente). —Es un recurso muy gastado que empeora tu causa. —Yo estoy en mi cabal
juicio, y prueba de ello es que, desde que me has
ofrecido batirte conmigo a muerte, he recobrado la
tranquilidad y te hablo con entera calma. —Iba di- 20
ciéndote, o pensaba decirte, que si no te he buscado
antes que tú a mí, ha sido porque necesitaba arreglar las cosas de modo que, si me tocase morir en el
desafío, no te quedaras riéndote y envenenando el
mundo con tus perfidias. —En efecto: necesito, no 25
sólo denunciar a la justicia los crímenes (previstos
en el Código) que cometisteis Gutiérrez y tú para
apoderaros de la embargada hacienda del abominable general Conde de la Umbría, sino también acon-
sejarle a Gabriela que no se case contigo, pues que 30
yo *retiro mi fianza;* advertirle a D. Jaime de la Guardia que tú manchaste el honor de su familia al escar-
necer las canas de su hermano el General, y decirle,
en fin, al público (por medio de un *comunicado* que
pondré en todos los periódicos) que reniego de ti y 35
de tu amistad; que me arrepiento de haber derra-
mado mi sangre por ti; que todas las personas hon-

radas deben evitar tu contacto como el de un lepro-
so, y que, para impedir que sigas infestando el mundo con tu aliento, te he retado a singular combate,
seguro de que Dios me ayudará a quitarte la vida.
—¡No dirás ahora que estoy loco!... —Conque, adiós,
hasta pasado mañana.

Aterrado quedé al oír aquel plan, en cuyo satánico
artificio vi la mano de Gregoria; y, no ya dejándome
llevar de la ira, sino muy fríamente, conocí que no
iba a tener más remedio que matar a Diego aquella
misma noche si no conseguía que recobrase el juicio
o recobrar yo su cariño y su confianza. —De lo contrario, Gregoria había triunfado..., y ¡adiós para
mí riquezas, honra, nombre, amor, felicidad, todo!
—¡Todo, principiando por Gabriela, suprema aspira-
ción de mi alma!

Decidí, pues, no omitir medio alguno a fin de re-
conquistar el corazón de mi amigo, bien que para ello
tuviese que destrozárselo. —¿No estaba acaso resuelto a matar o morir por remate de aquella escena?
Pues ¡qué me importaba ya todo lo demás!

—¡Detente! (le dije, en virtud de estas reflexiones,
cogiéndole de un brazo y obligándolo a sentarse de
nuevo). ¡Todavía no hemos concluido!

Aquella acción mía, tan desapoderada y violenta,
y la siniestra expresión de hostilidad que debió de
leer en mi rostro, asombraron un punto a Diego, pa-
ralizándolo completamente; pero no tardó en decir,
tratando de volver a levantarse:

—¡Suelte usted! ¡Nuestros padrinos hablarán pasado mañana!

Mas yo lo retuve en su asiento, poniendo sobre su hombro mi mano (incontrastable a la sazón como la de un Hércules), y exclamé con mayor
furia:

—¡Te digo que no te vas!
—¿Cómo que no me voy?

—¡Como que no te vas! ¡Antes tienes que vomitar todo el veneno que llevas en las entrañas!

—¡Violencias a mí! (rugió Diego con voz sorda, pugnando inútilmente por escapar a la presión de mi mano y buscando con los ojos un arma, una salida, una defensa). ¿Piensas acaso matarme?

—¡Te mataré si no me oyes! —¡Ya estoy yo loco también, y sabes que soy más fuerte y más valiente que tú!...

—Lo que eres es más desalmado. —¡En este momento tienes cara de asesino!

—¡Atención!... Los señoritos se pelean... Los señoritos vienen a las manos... —pregonaron en esto algunas voces con grosero júbilo.

Y volvió a reinar en el café un silencio burlón, irrespetuoso, agresivo...

Nosotros callamos también, y yo retiré mi mano del hombro de Diego, diciéndole en voz baja:

—Mira a lo que estás dando lugar... ¡Esto es una vergüenza!

Diego se echó a reír con bárbara arrogancia: cruzó los brazos, y miró al público en actitud de provocación y apóstrofe.

—¡Dejadlos!... ¡Están borrachos! ¡Allá ellos! —dijeron con desdén varias mujerzuelas.

Sonaron, pues, algunas carcajadas y silbidos, y muy luego se tornó en cada mesa a la suspendida conversación o a los interrumpidos cantos.

—No he traído armas... (díjome entonces Diego, posando en mí una mirada serena, llena de dignidad y de valentía). —Puedes, por consiguiente, asesinarme a mansalva en el momento que gustes.

—¿Conque es decir (exclamé yo mirándolo de hito en hito) que esto no tiene remedio?

---

16 En la 1.ª ed.: «Y volvió a reinar en el Café un infamante silencio.»

—¡Ninguno, sino batirte a muerte conmigo pasado mañana, o asesinarme esta noche... e ir de resultas a presidio o al cadalso!... —Digo esto último, porque en mi casa saben que salí contigo, y, a mayor abundamiento, toda la gentuza que nos rodea se ha enterado ya de nuestra pugna y dará tus señas a la justicia.

Irritóme más y más aquella calma, y dije:

—¡No intentes asustarme, Diego!... ¡Te digo que estoy resuelto a todo antes que verme en la situación a que me quieren llevar tu locura y la perfidia de aquella mujer!...

—¡Calla!... ¡No la nombres!

—¡No callo! ¡Ahora me toca hablar a mí! —Por lo demás, ni el presidio ni el cadalso vienen aquí a cuento para nada. ¡Tengo en el bolsillo un revólver de seis tiros, con el cual hay de sobra para matarme después de haberte matado!

—¡Conozco la historia de ese revólver! —Es aquel con que le apuntaste un día a Gutiérrez para ver de escapar de la deshonra. —Hoy se repite la escena conmigo, como hubiera podido repetirse con la Guardia civil... —¡Aperreada vida llevas desde que te metiste a Conde de mentirijillas!

—¡Peor para ti! (repuse con una cínica ferocidad igual a la suya). El hombre de la vida de perros, el perro humilde que tan fiel y leal te fue siempre, y a quien tú has tratado en muchas ocasiones con aspereza y esta noche a latigazos y puntapiés, se ha acordado ya de que tiene colmillos de lobo, y va a clavártelos en la garganta si no pones fin a tu injusticia. Responde, pues, hombre feroz: ¿Qué mal te he causado? ¿Qué tienes conmigo?

—Absolutamente nada... (respondió él con glacial indiferencia). Ya te lo di a entender hace poco; lo que me pasa es que no quiero tratarte más; que me he cansado de ti; que quiero purgar el mundo de tu presencia, aunque para ello tenga yo que morir también... —¡Basta, basta ya de Fabián Conde!

¡Con espanto y pena oí aquellos conceptos fatídicos, empapados de tan profundo odio! ¡Parecióme escuchar la voz con que mi propio tedio me aconsejaba en otro tiempo el suicidio!...

Disimulé, con todo, mi profunda emoción, y repliqué:

—Pues que estás resuelto a callar... (porque te abochornas de revelarme el ruin origen de lo que aquí sucede), yo te diré lo que adivino aunque te desgarren el alma mis expresiones.

—¡Calla!

—¡Te he dicho que no callo! —Lo que tú tienes conmigo es que Gregoria...

—¡No la nombres, Fabián!

—¡Sí la nombro! —Te decía que Gregoria, herida en su infernal soberbia por el justo desdén con que la traté la otra tarde, yéndome de tu casa de la manera que sabrás...

—¡Yo no sé nada! ¡Yo no quiero saber nada!

—Tú lo sabes todo..., a lo menos tal como te lo habrá contado tu mujer...

—¡Mi mujer no me ha contado cosa alguna! ¡Respétala..., o aquí mismo te destrozo con las manos!

—Tu mujer, tu odiosa mujer... (¡ya ves que me río de tus amenazas!), deseando, como siempre, indisponerme contigo, provocó aquella tarde una horrible escena, que me prometió no contarte...

—¡Ah! ¡Confiesas al fin! (prorrumpió Diego, crispándose de tal modo, que su cara apenas aparecía sobre el nivel de la mesa). ¡Conque te vas a atrever a decírmelo! ¡Yo quería matarte de otro modo! ¡Yo quería que llevaras a la tumba toda tu infamia dentro del corazón!...

—¡Mientes, Diego! —¡No eras tú quien quería que

---

35 En la 1.ª ed. falta «¡Mientes, Diego!».

yo callara, sino ella!... ¡Ella es quien te ha aconsejado que no me oigas, que no me dejes hablar, que no me dejes justificarme! —Pero yo hablaré aunque revientes ahí sentado..., aunque mis palabras caigan sobre
5 ti como una lluvia de fuego...

—¡Habla, pues!... Quiero decir: miente como un bellaco, según tu antigua práctica... (replicó el mísero). Pero ten la bondad de concluir pronto. —Voy a escucharte, como escucharía los chillidos de una
10 rata que tuviese cogida bajo el pie... —¡Dios me dé estómago para aguantar las náuseas que vas a causarme!

—¡No he necesitado yo poco valor para soportar a tu mujer las tres veces que he tenido la desventura
15 de hablar con ella! —respondí implacablemente.

Diego, que se había puesto a mirar al techo y a tararear, echóse a reír en vez de contestarme.

—¡No he necesitado, no, poca resignación (continué) para tolerar el mezquino odio que tu Gregoria
20 me profesa desde antes de conocerme, los ridículos celos con que mira nuestra amistad, la ruin envidia que siente hacia Gabriela! —¡Oh! ¡sí..., tu mujer nos aborrece a todos!... El cariño que te tengo la estorba; el que tú me tienes la humilla; mi buena conducta la
25 defrauda y exaspera; la felicidad que me prometo al casarme, le parece una usurpación, o un hurto, o un escarnio que os hago a vosotros... Sospecha, en fin, la cuitada que no me agradan su carácter ni su figura; cree que la desprecio; cree que la encuentro
30 indigna de ti, y quiere separarnos y desconceptuarme a tus ojos antes de que lo conozcas... —Y la verdad, Diego, es que sus temores no son infundados... —¡Gregoria no me gusta! ¡Creo que has hecho mal en casarte con ella!... ¡Es una mujer abominable, que
35 va a costarte la vida!

—¡Ah! ¡canalla! ¡embustero! ¡tramposo!... ¡Cómo reconozco las malas artes con que has engañado y perdido a tantas pobres gentes! (prorrumpió Diego, con tal violencia que me hizo callar). —¡Así te las compondrías para mantener, como mantuviste a un mismo tiempo, relaciones con tres hermanas!... ¡Así sembrarías la cizaña entre ellas! —*«He hecho que cada una desconfíe de las otras dos* (recuerdo que me contabas), *y nunca podrán entenderse ni descubrirme.»* —¡Pues y las patrañas que inventaste para que aquel magistrado te creyese sobrino carnal de su mujer! —Pero ¿qué más? Tu historia en casa de Matilde, ¿no fue un perpetuo engaño, una continua doblez, una constante superchería?... —¡Y vienes ahora a decirme que no te gusta Gregoria! ¡Y vienes ahora a persuadirme de que debo recelar de ella! —¡Ah, ratero! ¡Ah, truhán! ¡Conque Gregoria te parece abominable!... ¡Sin duda por eso te prevaliste de mi ausencia cierto domingo para entrar en mi casa borracho y dando voces!...

—¡Yo te creí en Madrid! ¡Yo no iba borracho! ¡Miente la malvada si te lo ha dicho!...

—¡Oh, sí!... ¡es muy malvada! —Sin duda por eso le pediste una gran comida..., a fin de que Francisca tuviese que salir, como salió, a la calle...

—Yo traté de impedir que saliera...

—¡Justamente! —¡Y sin duda por eso, no bien se marchó la criada, penetraste en el tocador, adonde mi mujer se había refugiado con su dignidad y su decoro!...

—Iba a decirle... —Pero ¿a qué vienen estas explicaciones? —¿Por qué te ríes?

—¡Por nada! —¿Qué cosa más inocente sino que Fabián Conde invada el tocador de una señora que está sola en su casa?

—¡Jesús! —exclamé, principiando a adivinar todo el horror de mi situación.

—¿No era acaso Gregoria *una mujer más?* (prosiguió Diego). ¿No era bella? ¿No era la mujer de un amigo?

—¡Diego de mi alma!... ¡no concluyas!... ¡no concluyas!

—¡Afortunadamente, Gregoria era digna de su esposo!... Afortunadamente lo fue... ¡y Fabián Conde no oyó más que merecidos insultos y valerosas amenazas en contestación a sus infames requerimientos!... Así fue que al poco rato salías de aquella casa ignominiosamente despedido...

—¡Maldición sobre mí!... (clamé, levantándome como loco). —¿Gregoria te ha dicho eso?

—No ha sido menester... (respondió Diego con la mayor calma). —Esta última parte es de dominio público... ¡Yo soy ya un marido completo! —¡Gracias a ti, mi honra y mi nombre andan ya en lenguas de criadas y de mozos de fonda!... —Francisca, por ejemplo, sin embargo de no ser muy lince, comprendió perfectamente aquella tarde lo ocurrido entre el calavera *que se había convidado a comer y luego se marchaba fingiéndose enfermo, y la señora que se quedaba llorando lágrimas de indignación y de vergüenza.* —Con el mozo de fonda no he hablado; pero de seguro entendería lo mismo, o algo peor, y, al ver que el festín se frustraba de pronto, guiñaría el ojo diciendo: «*Estos amantes han andado a la greña.*» —¡Ya ves, hijo de tu padre, si tengo o no necesidad de pegarte un tiro!

—¡Pero, en fin!... (repuse desesperadamente). ¿Qué dice Gregoria? —¡Gregoria negará eso! ¡Gregoria no puede ser tan desalmada!... ¡Gregoria tendrá religión!

—Gregoria me ha confesado *la verdad.*

—¿Qué verdad?

—Que la requeriste de amores; que quisiste violentarla y que te echó a la calle. —¡Exactamente lo mismo que se figuró Francisca!

—¡Jesús! ¡Jesús! ¡Jesús! —grité, tapándome el rostro con las manos.

—Espero que ya me dejarás ir... (pronunció Diego, volviendo a levantarse). —¡Hasta pasado mañana! —Mis padrinos irán a las nueve.

Perdí totalmente la cabeza, y abracéme a Diego y principié a besarlo, diciéndole, entre lágrimas y so- 5 llozos:

—¡Diego mío! ¡Diego de mi vida! ¡Dime que no lo crees! ¡Dime que todo esto es una broma!

La gente del café principió a rodearnos.

—¡Discursos! ¡caricias! ¡embustes! ¡besos de Judas! 10 ¡lágrimas de cocodrilo!... ¡He aquí todo lo que yo quería evitar! (exclamó Diego rechazándome). ¡Por eso callaba! —¡Te conozco tanto!

—¡Diego, por Dios! ¡Por Gabriela! ¡Por Gregoria!... Óyeme..., créeme... ¡Soy inocente!... 15

—¡Ya sé que has de negar... y que te sobra elocuencia para mentir horas seguidas! —Pero perderías el tiempo... ¡Es imposible que engañes a tu antiguo confidente..., al poseedor de todos tus secretos, al registrador de todas tus hazañas! —Te sé de memoria. 20

—Pero Diego..., ¡hoy se trata de ti!

—¡Lo mismo les habrás dicho a los demás!... —¡Déjame; déjame!

—¡Déjele usted! —gritó en esto una especie de manolo cogiéndome de un brazo. 25

—¡Déjele usted! —¿No ve que está matando a sofocaciones a ese pobre enfermo? —añadió una mujercilla, plantándose delante de mí.

—¿No oye usted que ni lo cree, ni quiere creerlo? —dijo una buena moza, mirándome de soslayo. 30

Yo los contemplé a todos con aire imbécil, y no respondí ni una palabra. —Zumbábanme los oídos... Sentía la muerte en el corazón.

—¿Qué es esto? —preguntaron nuevos interlocutores acudiendo al tumulto. 35

—¡Nada!... ¡Que este señorito ha querido enamorar a la mujer de aquel otro!

—¡Pues que se maten! —exclamó un torero, escupiendo al suelo al pasar por delante de mí.

—¡Ca! ¡Este lindo mozo parece muy cobarde! (replicó la mujercilla). —¡No así el que se ha ido!

5 —¡Se ha ido! —repetí maquinalmente.

Y, en efecto, observé que Diego se había marchado, dejándome en manos de aquella chusma.

Di entonces una especie de rugido, y quise correr en pos de Diego; pero veinte personas me sujetaron, 10 diciendo:

—¡A la prevención! ¡A la cárcel! ¿Qué va usted a hacer? ¿No le basta haberle requebrado la esposa?

—¡Villanos, atrás! —grité al oír esto último.

Y fue tal mi voz, y di una sacudida tan furiosa, que 15 todos aquellos viles me cedieron paso, de grado o por fuerza, y escapé de allí como el león que rompe los hierros de su jaula.

III

AJUSTE DE CUENTAS

20 Poco más tengo que decirle a usted, padre mío.

Cuando salí a la calle, Diego no estaba ya en ella. —Érame, sin embargo, más indispensable que nunca detenerlo antes de que se encerrase en su casa; volver a la interrumpida refriega entre mi desamparada ino-25 cencia y aquella formidable calumnia; hablarle aunque no quisiese oírme; suplicarle, llorar, verter toda mi sangre a sus pies hasta conseguir que me creyera, hasta arrancarle del alma la emponzoñada saeta que le había clavado Gregoria.

30 ¡Ya no me inspiraba mi pobre amigo aquel odio, hijo del miedo, que poco antes me sugirió ideas de matarlo!... ¡Ya me inspiraba tanta compasión como yo mismo! ¡Ya me parecían perdonables sus malos tratamientos, legítima su cólera, respetables y santos

sus insultos y sus proyectos de venganza; *justa su injusticia*, si es lícito hablar de este modo!

¡Desventurado Diego! —¿Cómo imaginar desdicha igual a la suya? ¡Creer que yo, su único amigo, el hombre a quien tanto había amado y por quien había expuesto gozoso la vida, había sido ingrato y pérfido hasta el punto de atentar a su felicidad y a su honra! ¡Creer esto, y creerlo con fundamento sobrado! ¡Creerlo porque fatales apariencias así lo comprobaban; porque así lo había sospechado una fiel servidora; porque así se lo había dicho su amada mujer; porque así resultaba verosímil de mi detestable historia, de mis felonías con otros maridos, de mis propias desvergonzadas confidencias! —¿Qué mucho que el infeliz quisiera denunciarme a la execración pública? ¿Qué mucho que desease matarme con sus manos? ¿Cómo no lo había hecho desde el primer momento? ¿Cómo había podido soportar mis discursos durante una hora?

Además, aun prescindiendo de mi conciencia; aun dando sólo oídos a mi egoísmo, yo no podía ya pensar en matar a Diego... —¡Matarlo, equivalía a confirmar para siempre la calumnia! ¡Matarlo, era dejar huérfana y desamparada la verdad! ¡Matarlo, era cerrarme la única puerta por donde podía salir del infierno en que me había metido Gregoria! ¡Matarlo, era dar la razón a la mentira! —Gregoria diría a Gabriela, a Don Jaime, a todo el mundo: «Fabián Conde ha asesinado a su mejor amigo para evitar que se sepa que antes había atentado a mi honor.»

Todas estas ideas acudieron en tropel a mi imaginación desde que Diego me descubrió la envenenada herida de su inocente alma, y de aquí el renovado afán con que, no bien conseguí escapar del café, me puse a buscarlo por aquellas revueltas calles, sin poder presumir por cuál habría tomado para hacerme perder su pista...

Había dejado de llover, y la luna bogaba en los cielos, por entre rotos y negros nubarrones, como salvada nave después de furiosa tormenta.

—¡Cuándo se verá así mi alma! —pensé con dolo-
5 rosa envidia, dirigiendo al firmamento una mirada de suprema angustia.

Diego no parecía por ningún lado.

—¡Diego! ¡Diego! —grité insensatamente, como si mi amigo, en el estado en que se hallaba, hubiese de
10 hacerme caso aunque me oyera.

Los transeúntes se pararon a mirarme, creyéndome loco, o por lo menos ebrio.

Iré a esperarlo a la puerta de su casa... (pensé entonces). Tarde o temprano, al cabo ha de entrar en
15 ella; y, aunque desde luego se haya encaminado allí, yo llegaré antes que él...

Y corrí como un verdadero demente, hasta que llegué a la modesta calle en que vivía Diego.

La calle estaba sola.

20 Indudablemente Diego no había llegado todavía.

Contuve el paso, y fuime acercando poco a poco a la casa fatal, cuando de pronto reparé que en uno de sus balcones (la puerta se hallaba cerrada) se veía asomada una persona, que supuse fuese
25 Gregoria, inquieta y en acecho hasta la vuelta de su marido.

—¡Si yo hablara con esta mujer! (ocurrióseme de pronto). ¡Si me arrojara a sus plantas! ¡Si lograra que se apiadase de mí! ¡Si consiguiera que, aterrada de
30 las consecuencias de su infame calumnia, le confesase a Diego la verdad!...

Por temeraria y necia que pareciese aquella esperanza, eran tales mi tribulación y mi zozobra, que me agarré a ella como a una tabla de salvación, y
35 grité resueltamente:

—¡Gregoria! ¡Hágame usted el favor de decir que abran! —No se asuste usted... Nada le ocurre a

Diego... —Pero es preciso que usted y yo hablemos un instante... ¡Se lo suplico a usted, Gregoria!

Una brutal y ronca risotada respondió a mi súplica. ¡La persona que estaba en el balcón era Diego! Quedéme helado de espanto. —¿Qué hacía allí? ¿Por dónde había ido? ¿De dónde sacaba fuerzas aquel enfermo para ser tan rápido en su acción, tan seguro en sus cálculos, tan sarcástico y frío en medio de su tremenda furia? —¡Ay de mí! ¡Las sacaba de su propia ira, de su calentura de león, de su bárbara demencia; las sacaba de donde sacó Otelo sus crueles burlas, su grosera retórica, sus ironías de gato que juega con la asegurada víctima, y su ferocidad de tigre carnicero! —¡No había esperanza!

La misma desesperación me hizo, sin embargo, exclamar:

—¡Diego! ¡Di que abran! ¡Te lo suplico!

—¡Sereno! ¡Vecinos! ¡Socorro! ¡En nuestra calle hay un ladrón!... —gritó Diego con voz estentórea. —¡A ése! ¡A ése!

Lancé un alarido de dolor y huí.

—¡Hasta pasado mañana!... —tronaba en los aires la voz de Diego en el momento que yo salía de su calle.

No me pregunte usted qué hice ni qué pensé durante el resto de la noche. Apenas lo recuerdo de un modo incoherente y vago. Sólo sé que hasta muy entrada la mañana de hoy anduve como un sonámbulo por todo Madrid; que a lo mejor me encontraba en el campo y volvía a entrar en la población, para salir de ella poco después por el extremo opuesto, y que en dos o tres ocasiones, sin saber cómo, me sorprendí a mí mismo parado delante de aquel caserón en que Lázaro vivía el año pasado y donde no sé si todavía vive...

Más de una vez cogí el aldabón de hierro de su viejísima puerta con ánimo de llamar y arrojarme en brazos de aquel otro amigo de mi vida, diciéndole: —«*Necesito que los demás crean en mi inocencia, y principio por creer en la tuya. ¡Hay apariencias que engañan y que no pueden desmentirse! —Eso te pasaría a ti la noche de tu horrible escena con el Marqués de Pinos, y eso me pasa a mí hoy.*»

No me atreví, sin embargo, a llamar; pues me parecía oír a Diego exclamar irónicamente: —«*¡Dios los cría y ellos se juntan! El hipócrita busca al hipócrita; el estafador se entiende con el desheredado; mis enemigos hacen las paces entre sí.*»

Recuerdo también que, al ser de día, me hallaba recostado contra la puerta del convento en que habita Gabriela. —Una campana, de timbre puro y alegre como la voz de un niño, tocaba a las primeras oraciones que rezan las reclusas vírgenes al tiempo de levantarse. —¡Infinita amargura anegó mi alma!... ¡Quién había de decirle a Gabriela en aquel momento que todas nuestras esperanzas de felicidad se habían disipado con las sombras y ensueños de la pasada noche, y que aquella gozosa campana tocaba a muerto por nuestro amor!... —«*¡Feliz tú, Gabriela mía!* (gemí desconsoladamente) *¡Feliz tú, que puedes quedarte con tu inocencia en este santo albergue, y vivir y morir como las rosas de su cercado huerto! —¡Y ay de mí, que no encontraré ya nunca paz ni sobre el mundo ni en mi alma!*»

Recuerdo, por último, que a las nueve de la mañana penetraba en mi casa, y leía en la faz de mis antiguos criados pensamientos parecidos al siguiente: —«*El señor Conde se ha cansado de ser hombre de bien, y ha vuelto a su antigua vida pocos días antes de casarse. —¡Pobre señorita Gabriela!*»

Si esto leí en la cara de mis servidores, no fue menos amargo lo que me dijeron... —Dijéronme que en mi despacho tenía algunos objetos y una carta que D. Diego acababa de remitirme...

Los objetos eran: el vestido y el aderezo que regalé a Gregoria cuando se casó, los dos retratos y el reloj que envié a Diego, algunas bagatelas que le había dado en varias ocasiones, y un gran paquete de dinero en billetes, oro y plata, con un letrero que decía: *«Van 25.482 reales.»*

La carta... era ésta, que abrasa mis manos:

«Fabián Conde:

»Como ya no te casarás con la sobrina de tu querida, dedico el dinero que he reunido en Torrejón, y que pensaba gastar en tu boda, a pagarte lo que te debo. —Adjunto es todo el numerario que hay en mi casa hoy.

»Bien sé que, incluyendo las comidas que me has dado en tu palacio y en la fonda, además de lo que me prestaste cuando mi primera mudanza, y las cuentas mías que antes habías pagado, todavía resultará a tu favor un crédito de doce mil reales... Pero como no quiero que, cuando mañana nos veamos frente a frente y espada en mano, existan entre nosotros lazos de gratitud ni de ninguna especie, justiprecio y taso en la mencionada cantidad de doce mil reales mis visitas y asistencia como médico durante tu larga enfermedad del año pasado, así como la indemnización a que tengo derecho contra ti por resultas de la herida que recibí defendiéndote en el memorable desafío con los padrinos de aquel esposo que te negó la entrada en su tertulia. —¡No dirás que taso cara mi sangre, ni que estimo en mucho mi tiempo, pues ya recordarás que guardé cama cincuenta y tres días con el pecho atravesado de parte a parte! —Estamos, pues, en paz.

»Adjuntos son también todos los regalos que nos

---

7 En la i.ª ed.: «En cuánto a la carta, era la que usted va a oír.»

has hecho a Gregoria y a mí, y que, como ves, no
han sido suficientes a comprar nuestra honra.

»Conque hasta mañana. —Mis padrinos irán a verte
a las nueve en punto. —A la misma hora enviaré
5 sus respectivas cartas a Gabriela, a D. Jaime, al
Juez de ese distrito y los periódicos, refiriéndoles
todos tus crímenes. —Me avergüenzo de haber sido
durante mucho tiempo el único poseedor de ciertos
secretos tuyos, el único escandalizado por tus fe-
10 chorías... ¡Necesito que el escándalo sea universal,
para que mueras entre los silbidos y las maldiciones
que te lanzará mañana todo el mundo!

»DIEGO EL EXPÓSITO.

»P. D. Te prevengo que, si vuelves a parecer por
15 mi calle, te echará mano una pareja de guardias
civiles, a quienes he dado tus señas. —¡Cómo corrías
anoche, gran canalla!»

Fácilmente comprenderá usted en qué agitación
habré pasado las seis horas transcurridas desde que
20 recibí esta horrible carta hasta el momento en que
vine esta tarde a echarme en brazos de usted...
—Durante esas horas más de veinte veces he tenido
una pistola en la mano para levantarme la tapa de
los sesos... —Pero, ya se lo dije a usted al entrar
25 aquí: mi dignidad y mi conciencia me impiden suici-
darme. ¡Yo no puedo dejar a Gabriela convencida de
que he vuelto a engañarla, cuando esto no es cierto!
¡Yo no quiero causar su muerte o su eterna desdicha
con un nuevo golpe asestado a su generoso corazón!
30 ¡Yo no quiero que D. Jaime de la Guardia, después
de haberme perdonado faltas tan grandes, y cuando
pudiera pedirme cuentas de las que no conoce, me
condene por una que no he cometido! ¡Yo no quiero
que el mismo Diego se quede en el mundo con la

doble amargura de creer que mi amistad ha sido
mentira y de pensar que su rigor ha causado mi
muerte! ¡Yo no quiero, en fin, matar mi inocencia,
la única vez que de ella puedo ufanarme; matar el
amor y la amistad de los que ya me perdonaron mis
verdaderas faltas; matar mi memoria en sus corazones, el rezo de sus labios y las lágrimas en sus
ojos! —¡Quiero, por el contrario, que cuando me
toque morir me lloren los que no tengan razón alguna para haber dejado de amarme! —¡Mi suicidio sería
la calumnia propalada, sancionada, ejecutoriada por
mí!... ¡Y lo que yo necesito es hacer triunfar la
verdad; inspirar fe, ya que no pueda enseñar mi
corazón al mundo, ser creído! ¡Padre..., ser creído un
solo momento, y después morir!

A eso vengo. —En mi desesperación, viendo llegar
el día de mañana, y con él todos los horrores que me
prepara Diego, recordé que la fama hablaba de un
virtuoso y sabio sacerdote que sabía curar los más
acerbos males del espíritu, y aquí me tiene usted en
busca de sus consejos; *en busca de Dios*, si a Dios
se le puede hallar, en busca de los consuelos de la
Religión cristiana, si esa religión tiene consuelos para
los incrédulos; en busca de la paz del claustro, si
los calumniados son en él admitidos... En fin...,
¡no sé a qué..., pues mi pobre alma se agita en un
océano de dudas!... ¡Ello es que aquí estoy!

¡Y si supiera usted cómo he venido! ¡Si supiera
usted hasta dónde ha llegado el escarnio que ha hecho
hoy de mí la desventura!... —Es un incidente trivial,
pero que resume y simboliza en mi concepto toda mi
malhadada historia. —No bien resolví venir a hablar
con usted, di orden de que engancharan un carruaje,

---

22   En la 1.ª ed.: «*en busca de Dios*, como usted me dijo
antes».

25   En la 1.ª ed.: «en busca de los consuelos de la Religión
Cristiana; en busca de la paz del claustro».

y mis criados, viendo que era Carnaval, y recordando
mis costumbres de los años anteriores, dedujeron que
mi intención sería ir a la gran mascarada del Prado...
Acordaron, pues, enganchar el más irrisorio y profano
5 de mis coches, aquel en que siempre había ido yo
a las máscaras, una especie de picota de ignominia
que se llama *cesto*, al cual me subí maquinalmente.
—En él aparecí a las tres de la tarde, a la hora del
Juicio final, en la Puerta del Sol... —¡Allí he sido
10 reconocido y befado por mis antiguos camaradas o
émulos de libertinaje!... ¡Allí he sido insultado, sil-
bado, apedreado por la plebe, y de allí he tenido que
salir en precipitada fuga, perseguido por los aullidos
de los hombres y por los ladridos de los perros, como
15 un enemigo de la humana especie, como un réprobo,
como un paria, como el grotesco símbolo del Carnaval
y del escándalo!...

Ahora bien, padre mío: llegó el momento de que
usted hable. —No una vez sola, sino muchas, durante
20 mi larga relación, me ha prometido hallar fácil remedio a mis desdichas... *por grandes que ellas fuesen*.
—No sé si, después de conocerlas en toda su extensión, seguirá usted pensando del mismo modo. —Yo
considero totalmente imposible salir del infierno en
25 que me hallo.

IV

DICTAMEN DEL P. MANRIQUE

Serían las nueve de la noche cuando Fabián dejó
de hablar.
30 ¡Cosa rara! La última parte de aquella especie de
confesión, con ser la más triste y horrorosa, pareció
complacer mucho al P. Manrique y tranquilizarlo
por completo. —Lo decimos, porque mientras el
joven refería su violentísima escena con Diego y

los tremendos peligros que de resultas de ella le amenazaban, el rostro del jesuita fue bañándose de una leve sonrisa de satisfacción y júbilo, que más asomaba a sus ojos que a sus labios.

—¡Pues, señor! (exclamó al fin, retrepándose en 5 la silla y mirando de hito en hito al aristócrata). ¡Demos gracias a la *Providencia divina*..., aunque usted no crea en ella, según ha tenido la *ingenuidad* de confesarme!... —De todo cuanto me ha relatado usted se deduce que no hay nada perdido, y que, muy 10 al contrario, está usted de enhorabuena.

Fabián miró con asombro al P. Manrique.

El anciano se sonrió, y añadió con cierto donaire:

—¡Apostaría cualquier cosa a que sé lo que está usted pensando! —«Este buen señor (acaba usted de 15 »decirse) no se ha hecho cargo de mi situación, o va »a prevalerse de ella para poner el paño de púlpito, »predicarme un sermón rutinario contra la marcha »del siglo, desagraviar a la perseguida Iglesia romana, »ganarle un soldado a la Compañía de Jesús y ver 20 »de atraerme a su escuela política...» (¡Pues dicho se está que, a los ojos de usted, seré yo un carlista furibundo, o, cuando menos, un terrible neocatólico, partidario de la fusión dinástica!) —Con franqueza, Sr. D. Fabián, ¿no ha sido éste su recelo de usted, 25

---

24 La alusión a «la perseguida Iglesia romana» se relaciona con el ya citado asunto de la «cuestión de Roma» (véase pág. 70, nota 1). De «neocatólico» fue muchas veces motejado el propio Alarcón, sobre todo a raíz de la publicación de esta novela y de su discurso de ingreso en la Real Academia Española. *Fusión dinástica:* El grupo fusionista estaba integrado por católicos conservadores, no estrictamente carlistas. Su figura más representativa fue la de Jaime Balmes, el cual desde el semanario *El pensamiento de la Nación,* fundado en 1844, propugnó el matrimonio de Isabel II y su primo Carlos, Conde de Montemolín. Al contraer matrimonio Isabel con su otro primo, Francisco de Asís, Balmes abandonó la publicación del semanario. Pero los fusionistas perseveraron en su empeño y, muerto ya Balmes, planearon el matrimonio de la hija de Isabel II y del hijo de Montemolín.

al ver la tranquilidad con que le he asegurado que
no hay nada perdido? ¿No es verdad que principia
usted a desconfiar de mí, creyendo que más voy a
trabajar *pro domo mea* que por la felicidad de usted
5 y de sus amigos —pareciéndome en ello al médico
especialista que receta una misma fórmula contra toda
clase de males, menos cuidadoso de sanar a los pacien-
tes que de vender su específico y hacer prosélitos?

Fabián bajó la cabeza y suspiró, como pesaroso de
10 haber comenzado a recelar lo mismo que el sacerdote
acababa de decir.

—¡Perfectísimamente! (prosiguió el P. Manrique,
alzando abiertas las dos manos en señal de tolerancia
y de parlamento). ¡No tema usted que vaya yo a
15 enfadarme! *¡Estamos* muy acostumbrados a mayores
injusticias! —Sin embargo, bueno será que estudie-
mos a fondo la dolencia, y veamos si podría ser cu-
rada por otro procedimiento diferente del mío. —Para
ello principiaré, como suelen los doctores, haciendo
20 el resumen de la *historia* del mal y lo que pudiéramos
llamar su *diagnóstico*. El *pronóstico* y el *tratamiento*
vendrán después... Tenga usted calma entretanto, y
perdóneme el que yo también la tenga... Desde
ahora hasta las nueve de la mañana, que irán a su
25 casa de usted los padrinos de Diego y que éste hará
las demás atrocidades que se le han ocurrido, podemos arreglarlo todo. —¡Ya verá usted cómo, para
estos males tan espantosos, hay en la farmacopea
del antiguo régimen remedios más *heroicos* y eficaces
30 que el desafío y el suicidio!

---

29 *Antiguo régimen:* Sistema político-administrativo que
imperó en España hasta que fue desplazado por el régimen cons-
titucional; traducción de *ancien régime*, para indicar la época
anterior a la Revolución francesa; es decir, la caracterizada por la
ideología católico-tradicional a la que el P. Manrique quiere aludir. En España, el «antiguo régimen» se identifica con la monarquía de carácter absolutista anterior a la Constitución de 1812.

Y, así diciendo, el jesuita se levantó, renovó la vela del candelero, y dio algunas vueltas por la habitación, restregándose las manos y con la cabeza muy baja, como quien recoge sus ideas; hasta que al fin se paró delante del joven, y dijo: 5

—Inútil creo explicar a usted el origen de la crisis accidental en que hoy se halla, ni indicarle el nombre de esa revelación de la antigua ruina de su espíritu... ¡Ya los ha vislumbrado usted por sí solo, a pesar de lo muy turbios que están todavía los cristales de su conciencia! 10

—¡Usted, Sr. *Fernández*, además de vicioso, ha sido siempre fanfarrón del vicio: usted se ha complacido en escandalizar el mundo con sus maldades: usted ha tenido a gloria ser reputado como el libertino más audaz, o sea como el seductor más... *afortunado* de la corte... (me valgo de palabras de usted), y, no bastándole a su infernal soberbia tamaño *escándalo*, fue depositando en la memoria de Diego aquellos secretos que un joven bien educado no revela al público cuando el público no los trasluce por sí mismo...; fue usted, digo, contándole diariamente al que hoy es esposo de Gregoria todas las iniquidades y torpezas de que se valía usted para corromper a las mujeres de sus amigos; para abusar de la confianza de éstos; para engañar a cuantas personas le tendían la mano; para sacrificar, en fin, la paz y la ventura de innumerables familias en aras del brutal egoísmo y feroz concupiscencia a que rendía usted grosero culto, como si Dios no le hubiese dado un alma!... 15 20 25 30

—Bien..., sí...: ¡todo eso es verdad! —tartamudeó el antiguo calavera, como impaciente de llegar a las *conclusiones* o remedios.

---

12   En la I.ª ed.: «Usted, señor Conde.» En la nueva redacción el P. Manrique utiliza el apellido paterno de Fabián.

—¡Primera premisa!... (continuó tranquilamente el anciano). Y, puesto que acaba usted de decirme: «*concedo majorem*», paso a formular la *menor*. —Diego, el mísero expósito, enemigo como usted, de la socie- dad (cual si la sociedad tuviera la culpa de que la madre de aquel infeliz hubiese sido pecadora y des- naturalizada, y de que su padre de usted hubiese hecho traición a su esposa y al marido de Doña Bea- triz de Haro); Diego, repito, que no contaba con las cualidades personales ni con los bienes de fortuna necesarios para guerrear ventajosamente contra las clases nobles, ricas y elegantes, que le inspiraban especial aborrecimiento y envidia, se apoderó de usted como de un dorado puñal que esgrimir contra ellas desde la sombra; se empapó gustoso en las co- tidianas confidencias que usted le hacía acerca de los daños que acababa de causar en el hogar ajeno; aplaudió todas aquellas ruindades y demasías, no porque dejaran de parecerle odiosas, sino porque las utilizaba para satisfacer sus propios odios, y era, en suma, demonio tentador que lo sublevaba a usted contra un Olimpo de que el infeliz se consideraba desheredado. —Por eso luchó siempre con Lázaro, que (practicándolo o no, cosa que todavía ignoramos) predicaba el bien absoluto; por eso fue durante mu- cho tiempo el más cruel enemigo de Gabriela y se esmeró en pedir que usted siguiera sus santos con- sejos; y por eso ahogó cuidadosamente todos los buenos instintos de su corazón de usted, hasta el

---

3 De nuevo Alarcón aprovecha sus conocimientos escolás- ticos, al recordar la lógica aprendida en sus años de seminarista en Guadix.

22 En la 1.ª ed.: «un cielo». La paganización del mismo no deja de resultar significativa con referencia a los que podríamos considerar escrúpulos católicos del escritor. En función de ellos, debió considerar harto inapropiado el que un jesuita presentase como «cielo» el ámbito mundano en que Fabián se movía, tan envidiado por Diego.

día en que el pobre cunero, favorecido ya por la
suerte, ocupó un mediano puesto en el concierto
humano, sintió apego a la vida, se acordó de que
tenía corazón, y pensó en casarse, en transigir con
sus prójimos, en formar parte de la sociedad, en
fundar una casa y una familia... —Asustóse entonces
de su propia obra; sintió haber excitado hasta la
ferocidad sus pasiones de usted, y tal vez pensó en
dejar de tratarle, no decidiéndose a ello por egoísmo,
o sea por seguir disfrutando de la protección de todo
un Conde... Se alegró, pues, mucho de ver que usted
entraba también en la senda de la virtud...; pero,
recelando todavía que no tuviese usted valor y constancia para perseverar en ella, preparóse contra las
eventualidades del porvenir... —De aquí el afán con
que se dedicó de pronto a restablecer las relaciones
entre usted y Gabriela; de aquí el constituirse en
fiador para con ella y para con sus padres; de aquí
el exigirle a usted juramentos de no reincidir en las
antiguas faltas; de aquí, finalmente, el que procediera
en todo y por todo como quien, habiendo enseñado
a otro a tirar piedras al tejado ajeno, se encontraba
repentinamente con que él iba a tener el suyo de
vidrio.

—¡Ésa..., ésa es la pura verdad! —exclamó Fabián
Conde, recibiendo como un consuelo la propia auste-
ra justicia de aquel resumen.

—Pues saquemos ahora la *consecuencia*... (siguió
diciendo el religioso). —Diego no era el único escandalizado por los excesos de su antigua vida de usted.
Estábalo igualmente todo el mundo, y estábalo Gregoria... —¡Qué digo!... ¡Lo estaba hasta la humilde

---

11   En la 1.ª ed.: «y no se decidió a ello por seguir disfrutando
de su protección y conservar y aumentar las ventajas que ya le
debía».

27   En la 1.ª ed.: «recibiendo aquellas palabras como un rocío
consolador».

sirvienta de la casa!... ¡Recordemos, si no, el irreverente apóstrofe con que Francisca lo saludó a usted al conocerle!... —En cuanto al escándalo especial de Gregoria, debo añadir que era de una naturaleza muy complicada y dañina... Aquella mujer, más vana que concienzuda, más presuntuosa que honrada, no temía tanto el que usted pusiese los ojos en ella, como el que la considerase *indigna de semejante agresión*... ¡Ah! ¡La ruina espiritual que su historia de usted le había causado era completa! Gregoria tenía curiosidad..., ¡solamente curiosidad!, de oír las mágicas frases de que se habría valido el dragón infernal llamado *Fabián Conde* para seducir a tantas y tantas Evas: aspiraba además a la gloria de ser más fuerte que aquellas desgraciadas, y de rechazar y confundir al héroe de tan ruidosas aventuras; necesitaba, sobre todo, hacer patente a Diego que usted la hallaba agradable, envidiable, apetecible, a fin de que el altanero hipocondríaco (aquel hombre de quien me ha dicho usted que se volvía loco a la idea de estar en ridículo) no se avergonzase ni se arrepintiese nunca de haberse casado con ella... Agreguemos, finalmente, la diabólica, espinosísima escena de aquel domingo por la tarde, en que Eva y el Dragón se vieron solos en ausencia del amargado consorte (escena que tan herida y humillada dejó a Gregoria), y comprenderemos que haya incurrido en la vil tentación de levantarle a usted la calumnia más verosímil y mejor urdida que saliera jamás de los talleres del demonio...

—¡Calumnia horrible!..., ¿no es cierto? (interrumpió el joven, apoderándose de las manos del eclesiástico). ¡Calumnia infame, en que Diego no podrá menos de creer, diga yo lo que diga y haga lo que haga!...

—De eso iba a hablarle a usted en este momento... (respondió el anciano). —Diego, mi querido Sr. don

Fabián, debía sospechar más o menos distintamente (antes de que usted se lo dijera anoche, en ocasión en que ya no le convenía creerlo) que su muy querida y por él celebrada Gregoria le inspiraba a usted desdén o antipatía, y la ciega vanidad y torpe egoísmo 5 del marido, procediendo con una mala fe que no es ésta la sazón de analizar psicológicamente, le habrán hecho escamotearse a sí propio la humillante *verdad* y encariñarse con la lisonjera *mentira* inventada por su esposa... —pues así queda *consolado* y *vengado* 10 a un tiempo mismo, aunque esto implique en realidad una monstruosa contradicción de su conciencia. —Por otra parte, el morboso cariño que Diego le profesa a usted (*«formidable amistad»* lo denominó Lázaro en cierta ocasión)... se hallaba estos últimos 15 meses muy lastimado; la natural envidia del hipocondriaco estaba muy enfurecida, y su misantropía se había trocado en despecho y saña al ver que usted era ya dichoso *por sí y ante sí;* que para nada tenía que acudir a él, que reunía usted ya todo 20 cuanto a él le faltaba..., nombre, gloria, salud, gallardía, riquezas, valimiento social, y hasta albores o posibilidades de Fe, de divina Gracia, de favor con nuestro Eterno Padre, mediante la intervención de Gabriela..., y, por resultas de ese despecho, Diego 25 necesitaba un motivo, un pretexto, un asomo de razón, para fundar cargos contra usted; para declararle la guerra; para destruir su dicha, retirando la tan ponderada *fianza;* para aislarlo a usted de nuevo;

3　En la 1.ª ed.: «en ocasión en que ya no podía creerlo».

10　En la 1.ª ed.: «le habían hecho encariñarse con la especie inventada por Gregoria...». Alarcón trató de matizar más este proceso psicológico con las adiciones y modificaciones que presenta la nueva versión.

15　La 1.ª ed. añadía: «—¡y la verdad es que las criaturas no deben quererse de esa manera tan absoluta, que tiene algo de idolatría!».

para reducirlo otra vez a su obediencia; para volver
a hacerlo su esclavo. —¡Considere usted, pues, con
cuanta fruición y prontitud habrá dado crédito el
infortunado a la calumnia de Gregoria, comprobada
5 por apariencias funestísimas y por la sincera declaración de la fámula! —Añada usted (y esto es lo más
grave de todo) los antecedentes de su propia historia;
el alarde que siempre hizo usted, especialísimamente
ante Diego (quien se lo recordó anoche en el café),
10 de sus infames empresas amatorias, de su ningún
respeto a la honra ajena, de su arte consumado para
mentir, de su elocuencia infernal para defenderse y
obtener la absolución de padres y maridos, aun en los
casos más apurados, más patentes, más indudables...,
15 y habremos de convenir, mi querido señor *Fernández*,
en que por los medios puramente *externos*, con
discursos, con pruebas, con testigos, con lágrimas,
con la espada, con la pistola, matando, dejándose
matar, matándose usted mismo, ¡de manera alguna
20 podrá usted sincerarse a los ojos de Diego! —¡Por
todo lo cual, hijo mío (concluyó el jesuita con terrible
acento), el *escándalo* ha dado sus frutos: el fardo de
sus pecados de usted ha caído a última hora sobre la
cabeza del antiguo Tenorio, aplastándolo, anonadán-
25 dolo bajo su peso! ¡Todo el mundo dirá que Diego

9   Esta observación entre paréntesis falta en la 1.ª ed.
15   En la 1.ª ed. falta «mi querido señor Fernández». Cfr. página 153, nota 12. En la nueva redacción de toda esta escena
Alarcón hizo que el P. Manrique pusiera especial énfasis en diri-
girse a Fabián sirviéndose de tan vulgar apellido, y prescindiendo
siempre del tratamiento de «conde».
21   En la 1.ª ed. en lugar de «hijo mío», «señor Conde».
24   En la 1.ª ed.: «el fardo de sus pecados de usted, de que
era depositario Diego, ha caído a última hora sobre la cabeza
del antiguo Juan Tenorio Fabián Conde». La alusión a don Juan Tenorio ha de
relacionarse con la ya citada evitación del nombre y título del
personaje. La explicación de todo ello parece venir dada por la
petición que el P. Manrique hace a Fabián de que renuncie al
título de Conde de la Umbría.

tiene razón! ¡Nadie, nadie le creerá a usted bajo su palabra! ¡Don Jaime, Gabriela, el público, todos se alejarán de usted con horror y espanto, al ver que, después del que llamarán *su fingido arrepentimiento*, ha atentado al honor y a la felicidad de su único 5 amigo! —En resumen: ¡está usted perdido *sin remedio*... ante el juicio humano! ¡No tiene usted escape! ¡Ha sido usted cogido en sus propias redes, y no le queda más arbitrio que entregarse a discreción, que deponer las armas terrenas, que dejar las banderas 10 del mundo, que declararse mi prisionero y que fiar su triste suerte a la misericordia de Dios!

—¡Ay de mí! (gimió Fabián desconsoladamente). ¡Conque venimos a parar en que debo *huir* de la calumnia como de una acusación merecida, y ence- 15 rrarme en la soledad del claustro!

—¡No! ¡mil veces no! (respondió el P. Manrique con indignación y cólera). —¡Yo no le aconsejaré a usted nunca semejante cobardía! ¡Eso fuera apelar a un recurso hipócritamente piadoso, inventado por 20 los escritores románticos, en sus dramas o en sus novelas, como medio anodino de dejar impunes los crímenes no penados por las leyes humanas, haciendo que el veterano o inválido del vicio descansase en la paz de una Cartuja, libre de todo riesgo, mientras 25 que en el mundo manaban sangre las heridas que dejó abiertas! —¡En el caso presente, rechazo el con-

27 El texto experimentó aquí una curiosa modificación, la más notable, extensa y significativa con relación al que presentaba la 1.ª ed. de 1875. En ella el P. Manrique se lanzaba a un bastante prolijo ataque contra la literatura romántica, casi identificada con la ideología liberal, como si Alarcón hubiera tenido presente la conocida definición victorhuguiana de que «el romanticismo no era otra cosa que el liberalismo en la literatura». Transcribo seguidamente el extenso pasaje tal y como aparecía en la edición de 1875, para que pueda establecerse la adecuada comparación con el tan recortado luego. Alarcón debió considerar, con razón, que esa diatriba antirromántica del P. Manrique resultaba torpe,

vento con la misma indignación que el duelo y el
suicidio y que todo lo que sea *huir* de la batalla en
que está usted empeñado! —Al decirle a usted, pues,
que es *mi prisionero*, no he querido significarle que
se quede aquí conmigo, sino que está usted acorrala-

---

inverosímil y extemporánea en un momento tan crítico para
Fabián como el presentado en estas páginas. De ahí la supresión
de todas estas observaciones y digresiones de 1875:

«¡Eso fuera apelar a un recurso hipócrita piadoso, inventado por los escritores románticos! —Los románticos (¡impíos al
fin; como herederos directos de los libre-pensadores del siglo
pasado!) excogitaron ese tercer medio de desenlazar cómodamente
los conflictos de honor, los dramas de la conciencia. —Antes del
romanticismo, el hombre escandaloso, el criminal injusticiable,
el pecador que se hallaba en deuda con sus hermanos, el trasgresor
de la Ley Eterna (cuyas infracciones todas no están puestas en
los códigos, o no constituyen delito a los ojos de los legisladores
profanos) apelaba al indignamente llamado *Juicio de Dios;* se
batía en desafío con cualquier representante de la vindicta pública, y, matase o muriese, y hasta sin matar ni morir, con tal
que se hubiera mostrado propicio a derramar su sangre o la ajena,
ya tenía honra, aunque fuese infame; ya tenía inocencia, aunque
fuese culpado; ya se suponía desarmada la Suprema Justicia...
O bien, cuando la tragedia era unipersonal, cuando el conflicto
surgía en la conciencia de un solo individuo acusado por el mundo
entero, apelaba al suicidio... ¡y en paz! —*¡Componéoslas ahí como
podáis!* decía a las víctimas de sus infamias y al público escandalizado, y se acostaba tranquilamente en la tumba, muy confiado
en que Dios no iría a despertarlo nunca de aquel sueño. —Pero,
como digo, los escritores románticos juzgaron (y juzgaron bien)
que los crímenes no castigados por los Códigos requerían una
expiación más larga y de índole más religiosa que el desafío o el
suicidio, y, equivocándose en los medios de desagraviar la moral,
creyeron arreglarlo todo con enviar a un convento, al final de sus
dramas y novelas, a los libertinos desengañados, a los bandoleros
cansados del oficio, a los ladrones de honras, a los que dejaron
tras de sí en el mundo anchos regueros de lágrimas... Descansaba,
pues, grandemente el inválido o el veterano del vicio en la paz de
una Cartuja o de una Ermita, libre de todo afán temporal y de
todo riesgo, mientras que en el mundo manaban sangre las heridas
que dejó abiertas... —¡No le aconsejaré yo a usted semejante
fuga, semejante deserción!»

La comparación entre la redacción de 1875 y la posterior nos
hace ver que el instinto o saber novelesco de Alarcón se afinó lo

do por los hombres y obligado a entregarse a Dios...
—Pero ¿quién le habla a usted de *claustros*? —¡Al
mundo, Sr. *Fernández*, al mundo! ¡A combatir por el
bien! ¡a purificar su alma! ¡a redimir la de sus prójimos! ¡a salvar a los inocentes de la epidemia del 5
escándalo! ¡a deshacer todo el mal que les ha hecho!
¡a purgar y a pagar lo que ya no puede remediarse!
¡a impedir, en una palabra, que sea definitiva la
ruina espiritual en que ha sumido usted a Gregoria
y a Diego, y que va a trascender al corazón de Ga- 10
briela y de D. Jaime! —¡No muera usted *defendién-
dose interesadamente!*... ¡Pero muera usted, si es
necesario, defendiendo el bien, confesando la verdad,
acatando la Justicia divina, tratando de conquistar
el cielo! —¡Muera usted, en fin, edificando al mundo 15
con sus obras!

—¡Padre! (exclamó Fabián con profundo desaliento). Sus consejos de usted no pueden ser más santos...;
pero, desgraciadamente, en el caso actual no tienen
aplicación alguna. —Usted olvida lo apremiante y 20
angustioso de mi situación... —¡Dentro de pocas
horas Diego me habrá delatado a la justicia humana,
a los tribunales, al público, a D. Jaime, a Gabriela!...
¡a mi pobre Gabriela, que no podrá resistir este

suficiente como para podar el relato de tan inoportuna digresión.
Por otra parte, su presencia (e incluso la posterior versión reducida) nos da bastante luz sobre la tonalidad romántica que el
propio Alarcón parecía percibir en *El escándalo*, que él deseaba
rebajar o modificar mediante un desenlace que se apartase de los
topiqueramente asignados a los dramas o relatos con protagonis-
tas más o menos allegables al suyo. ¿Pudo creer Alarcón que su
novela, romántica por el protagonista, dejaba de serlo por el
desenlace? ¿Es que no poseía también un tono muy romántico
el motivo de la redención por el amor, a cargo aquí de Inés-Ga-
briela, salvadora de don Juan-Fabián, según señalara ya Emilia
Pardo Bazán?

2 Falta en la 1.ª ed. todo lo que va desde «Al decirle...»
hasta «claustros».

3 En la 1.ª ed.: «señor Conde».

nuevo golpe! ¡Dentro de pocas horas todos sabrán
que mi padre pereció por traidor; que yo fui falsario
para rehabilitar su nombre, y estafador para apoderarme de su hacienda; que un juez de primera ins-
5 tancia entiende en el asunto, y que no podré librarme
de ir a presidio!... ¡Dentro de pocas horas, Diego
habrá ya dicho a Gabriela y a D. Jaime que he
intentado seducir a Gregoria..., y, al oírlo, Gabriela
se acordará de aquella tarde..., del gabinete de Ma-
10 tilde..., del tremendo desengaño que recibió entonces..., y *creerá a Diego*, y dará otro grito como aquel
que aún resuena en mis entrañas, y caerá, no ya des-
mayada, sino muerta!... ¡Dentro de pocas horas,
don Jaime me habrá buscado para matarme como a
15 un perro, llamándome traidor a su amistad y asesino
de su hija!... ¡Dentro de pocas horas, los padrinos de
Diego llegarán a mi casa y me desafiarán..., y tendré
que rehuir el lance o que batirme con mi mejor
amigo! —¡Si rehúyo el duelo, quedaré por cobarde en
20 el concepto público, y añadiré esta fea nota a la
ignominia que ya cubrirá mi frente!... Si me bato,
¿cómo procurar herir el pecho del hombre sin ventura que constituyó mi única familia y que vertió
por mí su sangre generosa?... Y si no me defiendo, y
25 él me mata, como me matará sin duda alguna, ¿qué
dirá el mundo, qué dirá el propio Diego?... Diego
y el mundo escupirán a mi cadáver, exclamando
desapiadadamente: «¡*Bien muerto está el inicuo Fabián
Conde!*» —Pues suponga usted que el marido de
30 Gregoria, al ver que rehúso batirme, o que no me
defiendo en el campo de batalla, me insulta una vez
y otra, me abofetea en público, le escupe, no ya a mi
cadáver inanimado, sino a mi faz, todavía coloreada
por el rubor de la vida... —¿Qué pasará entonces,
35 P. Manrique? ¿Qué pasará entonces? ¿Ha olvidado
usted que soy hijo de un General, muy pecador sin
duda alguna, pero que fue rayo de la guerra y espanto

de sus enemigos?... —Ahora bien...: todos estos horrores no pueden remediarse más que de una manera:
sacando a Diego de su error antes de las nueve de
la mañana; combatiendo de frente la calumnia; haciendo resplandecer mi inocencia..., ¡devolviendo la 5
fe al corazón de mi amigo! —¡Dígame usted, pues,
qué hago para llegar a este fin!... ¡Dígame usted qué
recursos puedo intentar esta misma noche! —No es
otro el objeto de mi consulta... A eso he venido a
buscarle a usted... 10
—¡Ya comprendo!... ¡Ya comprendo!... ¡No tiene
usted que esforzarse en explicármelo! (respondió el
jesuita con sequedad). —¡Usted va derecho a su
negocio, desentendiéndose de que tiene un alma y de
que hay un Dios!... ¡Usted no quiere perder nada en 15
la partida, ni tan siquiera el ya mencionado fardo de
sus culpas!... ¡Usted quiere (haya sido buena o mala
la historia de Fabián Conde) convencer a Diego en
un momento, como por ensalmo, volver a ser feliz
inmediatamente, casarse con Gabriela, tener honra, 20
ser Conde, ser rico, ser diputado, y todo ello sin más
trabajo, sin más dilación, sin más sacrificio, sin más
penitencia que pronunciar muy bellas palabras!...
—¡Amigo mío, sigue usted delirando! Estamos como
al principio... Yo creía haber cortado toda retirada 25
a su cobardía; yo pensaba haberle demostrado que es
inútil vuelva la vista hacia las complacencias munda-
nales...; pero veo que su impiedad de siempre, el egoísmo terreno, el apego a la vida mortal, a los bienes fini-
tos, a los goces de la materia, al reino de Lucifer, le 30
hacen a usted desoír la voz del alma... —Concluyamos,
por tanto, Sr. D. Fabián..., y para ello, fijemos la cuestión en términos categóricos: —¡A mí no se me ocurre
ningún medio de convencer a Diego!... —¿Se le ocurre a
usted *alguno? —Contésteme rotundamente. 35

---

32   En la 1.ª ed.: «señor Conde».

—A mí..., no señor... —tartamudeó el joven con renovada angustia.

—Pues entonces, ¡desventurado! (prorrumpió el jesuita), entrégueseme usted sin reservas ni condiciones de ninguna clase, y siga literalmente mis consejos, —que son, en medio de todo, los de aquel Jesús que usted *ama y reverencia.*

—Pero ¿qué me aconseja usted en definitiva? ¿Qué debo hacer? —Todavía no me lo ha dicho...

—¿Qué? —Pues... ¡nada!... ¡Resignarse! (contestó el sacerdote con majestuoso acento). Es decir, reconocer que merece usted todo lo que le pasa, y confesarlo así en público, con palabras y *acciones...*

—¡Declarar yo que he cometido la infamia que me atribuye Diego!

—No, precisamente... Pero declarar *otras* que en realidad ha cometido, y sufrir, por vía de expiación, las consecuencias de la que le achacan: protestar cuanto quiera de que es usted inocente respecto de Gregoria; pero reconocer que ya había delinquido lo bastante para que Dios le castigue de esta manera...

—¿Y qué habré adelantado? (replicó Fabián). ¡Me llamarán hipócrita y cobarde!... ¡Seguirá en pie la calumnia, y Diego llevará a cabo sus amenazas!

—¡Oh! ¡Esto es horrible! ¡Ser inocente, y no lograr que lo crea nadie!

El P. Manrique se acercó entonces al oído de Fabián, y le dijo con tanta vehemencia, como si intentase infundirle su propia alma:

—¡Absolutamente *nadie*..., si exceptuamos al Sumo Dios!

—Pero usted, padre mío... ¡Siquiera usted!... (balbuceó el joven, con la suprema ansiedad del que

---

7 En la i.ª ed.: «que usted *ama* y *reverencia*... aunque negándole atributos de la divinidad».

se ahoga). ¡Si usted me ayudase!... —Porque ¿supongo que usted *me cree?*

El jesuita respondió, fingiendo indiferencia.

—¿Qué quiere usted que yo le diga?... —¡A mí mismo me cuesta mucho trabajo tener *fe* en un hombre que no la tiene en Dios! —Usted, sin dar oído a las voces de su espíritu, duda de que haya en el Universo un eterno Juez de nuestras acciones, fundándose en que no lo ha visto con los ojos de la cara... —¡Pues tampoco *he visto yo con los ojos de la cara* su corazón ni su inocencia de usted!... ¡Y lo mismo responderá Diego! ¡Y lo mismo dirá todo el mundo! —Hay que ser lógicos, Sr. Fernández: usted nos exige que lo creamos bajo su palabra, cuando lo acusan tantas apariencias y tantos antecedentes, y no cree, por su parte, que hay un Dios Todopoderoso, Criador del Cielo y de la Tierra, cuando la Tierra y el Cielo están llenos de su gloria y majestad... ¡cuando tiene usted un alma que suspira por Él a todas horas, con hambre y sed de justicia!... ¡cuando no le queda a usted ya más refugio que sus paternales brazos!... —¡Dé usted ejemplo de *fe* y de humildad, creyendo en el Dios que sólo se deja ver por la incomprensible grandeza de sus obras, y nosotros creeremos en su inocencia de usted... —sobre todo si nos la revela también con *obras*, y no con meras palabras, que se lleva el viento!...

—¡Padre! ¡Padre! ¡Le juro a usted que soy inocente!... —gritó Fabián todavía, cruzando las manos con desesperación.

—Es muy posible... (contestó el jesuita). Pero no se trata ahora de convencerme a mí, sino de convencer a Diego; pues dicho se está que el desgraciado no habría de creerlo a usted bajo mi pobre garantía, ¡basada precisamente en *palabras* de usted mismo! —Digo esto por si se le ha ocurrido a usted la idea de que yo vaya a hablar con Diego, o con Gabriela, o con la misma Gregoria... —¡Todo sería inútil!

—¡Dios mío! ¡Dios mío! (clamó Fabián). ¿Qué hago? ¿Y qué puedo hacer?

5 —Lo que está usted haciendo, mi querido hijo: ¡llamar a Dios! —respondió el P. Manrique con inexplicable dulzura.

—¡Lo he llamado tantas veces en esta vida! ¡Y ha sido tan insensible a mis clamores!

10 —¡Porque no lo ha llamado usted desde el fondo de una conciencia sin mancha!... ¡Porque ni tan siquiera lo ha llamado usted con gritos de verdadero arrepentimiento, con verdaderos propósitos de la enmienda!

15 —¡También lo he llamado de ese modo!

—¿Cuándo? —¡Me parece que se engaña usted!

—Cuando me abandonó Gabriela.

—Entonces llamaba usted a Gabriela, no a Dios... ¡Entonces le pedía usted al cielo que le entregase la

20 hermosura terrena de la hija adoptiva de Matilde!...

—¡Lo llamé luego, en la populosa soledad de Londres, cuando, seguro otra vez de que Gabriela iba a ser mía, deseaba ofrecerle creencias tan acendradas como las suyas!... —¡Y Dios no se mostró a los ojos

25 de mi espíritu!

—¡Había demasiado fango en su conciencia de usted para que pudiese reflejar la luz del cielo! —En primer lugar, no había usted expiado en el purgatorio de la penitencia sus antiguas iniquidades; en

30 segundo lugar, todavía estaba usted gozando de los millones que adquirió por medio de sacrilegios y falsos testimonios... —¡Dios no se satisface tampoco con *palabras*, amigo mío! ¡Dios pide *obras!*... Y

---

24 En la 1.ª ed.: «cuando, seguro otra vez de que Gabriela iba a ser mía, deseaba tener creencias religiosas... para no engañarla al pie del altar acerca del estado de mi alma».

mientras usted no me pruebe..., mientras no me prueben todos los que niegan la posibilidad de ver a Dios con los ojos de la fe..., que lo han buscado *desde el fondo de una conciencia pura* y por medio de *obras* de caridad y de penitencia, no les reconoceré derecho 5 a negar que nuestro Eterno Padre acude al alma de cuantos le llaman desinteresada y amorosamente.

—«*Bienaventurados los limpios de corazón* (dijo Cristo), *porque ellos* VERÁN A DIOS.»

Fabián se puso de pie, ostentando al fin en su 10 demudado rostro una dignidad soberana.

—¿Y ve ese Dios el fondo de los mismos corazones que le niegan su fe? (preguntó con arrebatado acento). ¿Estará viendo en este instante la inocencia que llora en el fondo del mío? 15

—¡Es el único que la ve, además de usted propio! (respondió el jesuita, aproximándose al joven y poniéndole una mano sobre el pecho). —Sí, mi querido hermano. ¡Usted propio se está viendo por dentro, y se basta y se sobra para testigo y juez de su inocen- 20 cia!... Dios no hace más que sonreír y premiar al que padece persecuciones por la justicia; al que, como usted, tiene hambre y sed de ella, y al que no vive de la ajena opinión, del falible juicio del mundo, de los aplausos externos, de las lisonjas de los mortales, 25 sino del íntimo testimonio de su corazón. —Bástele, pues, a usted saber que no ha cometido el pecado que le atribuye Diego, y no le importe nada de su ira, ni del escarnio de los hombres, ni de la injusticia de la sociedad, ni de los ultrajes, ni del tormento, ni de la 30 muerte... —En medio de todo (ya lo hemos dicho), si no ha cometido usted ese pecado, ha cometido otros muchos... —¡Tome usted lo que en adelante le suceda como castigo y penitencia de ellos!...

—¿Y Dios lo sabrá? ¿Dios me llevará esa cuenta? 35 (preguntó Fabián angustiosamente). —Si yo soy bueno; si yo hago todo lo que usted me diga; si yo

renuncio a todo por Dios..., ¿conoceré en algo que
Dios me lo agradece..., que tan siquiera lo sabe?

—Lo conocerá usted en la inefable alegría de que
sentirá inundado su pecho... ¡Usted, mi querido hijo,
5 no puede todavía figurarse lo hermosa, grande y rica
en perdurables flores que es el alma humana!... El
alma es un mundo que llevamos dentro de nosotros,
y al que muchos no se asoman nunca por atender al
tumulto de la vida mortal, a los ruines apetitos de la
10 carne, a las infernales seducciones del mundo exterior,
a los vanos aplausos del público. ¡Hay que asomarse
a nuestra propia alma por las ventanas de lo interior
de la conciencia, para ver todos sus tesoros! ¡Qué paz,
qué sosiego, qué floridos campos, qué eternos verdo-
15 res, qué claridades celestes se gozan desde allí!...
¡Cuán lejos se han quedado el ruido y la fiebre y la
locura del mundo!... ¡En el jardín que se tiene ante
la vista todo habla de la inmortalidad del espíritu,
todo murmura palabras de esperanza, todo con-
20 vida al bien, todo dice que hay una mansión de
justicia, que hay un descanso de los buenos, que hay
un premio de las virtudes, que hay una patria de
los desgraciados, que hay un Padre que nos aguarda
para explicarnos esta triste vida y satisfacer todas
25 nuestras ansias de bondad, de verdad y de hermosura!

—¡Hable usted!... ¡Hable usted, padre mío!... ¡Me
parece estar oyendo al mismo Dios!... (suspiró Fabián
lánguidamente, llevándose a los labios las manos
30 cruzadas y levantando los ojos al cielo). ¡Qué dulce
será creer de esa manera!

---

21   En la 1.ª ed.: «de las almas».

30 A partir de este punto el texto de la 1.ª ed. ofrecía una
redacción distinta y más breve:

«—Está usted oyendo sus amorosas palabras, aunque dichas
por mis indignos labios... Yo soy sacerdote de ese Dios... después
de haberlo desconocido como usted, y de haberlo injuriado con

—Y ¿por qué no ha de creer usted si creo yo?
—¡Ni se imagine que habla ahora el sacerdote de la
Religión católica, el discípulo de San Ignacio, el ca-
tequista de un determinado dogma positivo!... Ese
sacerdote le hablará a usted más adelante, otro día..., 5
cuando el espíritu de usted se halle sereno y no pueda
decirse que abuso de su angustia para obtener una
conversión presurosa, interesada, inconsciente... —El
Dios a quien invoco hoy para despertar la conciencia
de usted para combatir ese materialismo que le 10
abruma, para hacerle sentir toda la grandeza y
libertad del espíritu humano, es el Eterno Padre, el
Dios que nos crió y puso en nuestro pecho sentimientos filiales que ningún pueblo, ninguna raza,
ningún siglo le ha negado; el Dios de todos los 15
tiempos, anteriores y posteriores a la Redención; el
Dios de quien, por *ley natural*, han hablado siempre
todas las almas puras, a un medio del error y de la
ignorancia... —¿Por qué no ha de creer usted *siquiera*
en ese Dios, si será como creer en sí mismo, en su pro- 20
pia jerarquía de ser espiritual, libre, responsable,
imperecedero? —¡Nada más le pido por hoy! ¡Con
eso me basta para salvar su vida! ¡Después le haré
cristiano para salvar su alma! —Pero ¿qué digo?
¡Cristiano se hará usted solo!... ¡Cuando crea usted 25
en Dios Padre, adorará a Dios Hijo!... —Porque
Jesús no es más que la palabra de Dios, el Verbo
hecho carne; Jesús es el Revelador de las heroicas
fuerzas de la criatura para elevarse hasta el Criador;
Jesús fue *la verdad y el camino*, que se habían obscu- 30

mis culpas... ¡Yo creo en ese Dios! ¿Por qué no ha de creer usted?
—¡Sería usted tan venturoso en medio de sus penas!
»—¡Ah padre! ¡Yo creeré... yo creeré!... ¡Me lo está diciendo el
alma!... ¡Oh! Sí... el alma es muy hermosa... el alma es infinita...
el alma es inviolable... el alma es inmortal...»
De nuevo se ve cómo Alarcón creyó conveniente reforzar y ampli-
ficar la argumentación o doctrina puesta en boca del P. Manrique.

recido y borrado en el corazón del hombre... Jesús
es el consuelo, el amparo, el Salvador de todos los
que lloran...

—¡Ah! ¡padre! ¡padre! ¡yo creeré! (murmuró Fabián Conde, como si rezara en vez de hablar). ¡Yo
creeré!... ¡Lo conozco..., lo necesito..., me lo está
diciendo el alma!... —¡Oh, sí!; ¡el alma es muy hermosa...; el alma es infinita..., inviolable..., inmortal!... ¡Desde que me ha hecho usted asomarme a la
mía, siéntome fuerte, invulnerable, descuidado, tranquilo enfrente de todas las amenazas de Diego!...
¿Qué me importa el mundo, qué me importa la opinión de los humanos, en comparación de esta paz
sublime, de esta delicia sin nombre que experimento
al mirarme dentro de mi conciencia y ver que soy
inocente y que tengo un alma libre que lo sabe?

—¡Así, así, hijo mío! (prorrumpió el anciano, abrazando al joven). ¡Dios hará lo demás si usted no se
sale del buen camino! —Oiga usted, pues, ahora lo
que Dios exige en cambio de la eterna gracia que va
a derramar sobre su corazón... —Hágalo usted y *verá
a Dios en el acto*, sonriéndole en el fondo de ese alma...

—¡Diga usted!... ¡Estoy dispuesto a todo! —¡Yo
no conocía esta dicha inefable! —*¡Qué feliz soy* desde
que me he resignado *a no serlo!* ¡Cómo respiro desde que *sé yo mismo* que soy inocente! —¡Ya no necesito que *lo crea* nadie!

—¡Eso! ¡Eso es lo que yo quería decirle a usted!
(replicó el jesuita). —¡Ya ha principiado usted a conocer que *lo sabe* Dios! ¡Ya ha entrado usted en posesión de su alma! ¡Pronto sentirá usted desbordarse
en ella la oración, entre raudales de dulcísimo llanto!... —Conque basta por hoy de *palabras*... y vamos a las *obras*. —¡Qué feliz será usted mañana a la
noche! ¡Qué chasco va a llevarse Diego! —Pues, sí,

---

22 En la i.ª ed. falta esta última frase.

señor; lo que hay que hacer es muy sencillo... —Primeramente, y por razones que ya le explicó Lázaro, tiene usted que dar a los niños expósitos, antes de las nueve de la mañana, todo el caudal del Conde de la Umbría, reservándose únicamente lo que a estas horas le quedaría al antiguo Fabián Conde de la legítima de su madre... —¿Estamos conformes?

—¡Cuente usted con ello! (respondió Fabián, besando las manos del P. Manrique). —¡Muchísimas gracias por la justicia que me hace!... ¡Ese consejo es para mí una corona!

—Segundo... (continuó el anciano). Tiene usted que renunciar el título de Conde..., la Secretaría de Legación..., la candidatura para la diputación a Cortes...

—¡Renunciado, padre, renunciado!... —Pero vamos al punto concreto de mi conflicto.

—Tercero: tiene usted que buscar a Lázaro inmediatamente y pedirle perdón por haberle injuriado de aquel modo... —Usted no era Dios para juzgar ni castigar sus faltas... Y, por lo demás, usted está viendo que todos sus consejos eran saludables...

—¡Oh, sí!... ¡Esta misma noche iré a verlo! —¡Pobre Lázaro! ¡Quizá es también inocente! ¿No me condenan a mí las apariencias? —¡Un año sin saber de él! ¡Qué solo habrá vivido! ¡Qué solo puede haber muerto! ¡Con cuánta razón me acercaba yo anoche a su casa!... —Pero, en fin, lo principal...

—Cuarto... (prosiguió el P. Manrique). Tiene usted que escribir a D. Jaime de la Guardia diciéndole que por respeto a la memoria de su digno hermano, cuya honra mancilló usted alevosamente, renuncia usted a la mano de Gabriela...

—¡Padre mío!... —exclamó el joven en son de protesta y rebelión, como el operado al sentir que el bisturí le llega a lo vivo.

---

35 En la 1.ª ed. solamente: «¡Padre mío!...»

—Hay que hacer más... (continuó el sacerdote).
Tiene usted que escribir a la misma Gabriela diciéndole que Diego lo acusa de haber atentado a la virtud de Gregoria; que, *por mas que esto sea una ca-*
5 *lumnia,* no se considera usted merecedor de que nadie le crea inocente de tal pecado, ni digno del amor
y la compañía de un ángel, y que, por tanto, desiste
usted del proyectado casamiento...

—¡Padre! ¡Padre! (sollozó Fabián). ¡Yo la adoro!...
10 —¡Me es imposible obedecer a usted en este punto!

—¡Lo manda Dios! —repuso el jesuita, extendien-
do la diestra como si jurara.

—¡Gabriela mía! —murmuró el joven, cubriéndose
el rostro con las manos.

15   Y ardientes lágrimas corrieron por entre sus dedos.

—Realizadas todas estas cosas (continuó el anciano con enronquecida voz), irá usted a ver a Diego, y
le dirá: —«Acabo de desprenderme de mi caudal, de
»mi título y de Gabriela..., y, si no he denunciado
20 »a los tribunales el *delito que cometí* en unión de Gu-
»tiérrez y del Marqués de la Fidelidad, ha sido por-
»que no me toca a mí acusarlos ni perderlos siendo
»mis prójimos, y porque yo no debo contribuir con
»actos positivos a la difamación de mi padre y de
25 »Doña Beatriz de Haro... Pero puedes tú hacerlo,
»bien seguro de que *yo mismo me constituiré en pri-*
»*sión y declararé la verdad ante mis jueces,* tal y como
»la declaro en el papel que te entrego...» Y, con efecto, le entregará usted un papel en que humildemente
30 confiese todos sus crímenes; y si Diego lo pasa al
Juzgado, irá usted a la cárcel y a presidio, ¡donde
también podrá usted recrearse en la contemplación
de su alma y glorificarse con el amor de Dios! —No
he concluido... Si Diego insiste en batirse, se negará
35 usted a ello, aunque el mundo lo juzgue cobardía...

---

10   En la 1.ª ed.: «¡Es horrible lo que me aconseja usted!...»

Si le hiere en una mejilla, le presentará usted la otra.
Si lo escupe, si lo pisotea, le dirá usted: *«Soy inocente
del delito que me atribuyes; pero merezco que me trates
de este modo.»* Y si, por evento, sale usted vivo y
libre de tales pruebas... ¡aquí le aguardo!... ¡venga 5
usted a buscarme, y seguiremos hablando de Dios y
del alma, hasta que me llegue la hora de ir a espe-
rarle a usted en la otra vida!...

Fabián separó de su rostro las manos, enjugándose
al mismo tiempo con ellas las últimas lágrimas, e 10
irguió la descolorida frente, en la cual se veía ya el
sello de sublime impavidez o de valerosa mansedumbre de los mártires.

—¡Acepto! (dijo finalmente, alargando una mano
al P. Manrique). —¡Pobre Gabriela mía! 15

—¡Gracias! —respondió el sacerdote, estrechando
aquella mano entre las suyas.

Y callaron durante mucho tiempo, sin cambiar de
actitud, ambos de pie en medio de la celda; el jesuita
con los ojos clavados en el rostro de Fabián, y Fa- 20
bián con la mirada vaga y perdida, cual si contem-
plase remotos horizontes...

Sonaron las diez.

El joven tembló, como volviendo a la vida... Miró
en torno de sí, y sus ojos se posaron en el crucifijo 25
de talla que había sobre la mesa... Abalanzóse entonces hacia él, lo cogió con amoroso ademán, y púsose a contemplar a Jesús, diciéndole:

—Tú, Amigo del Hombre, Hermano de los desgraciados, padeciste muerte en cruz *por culpas ajenas.* 30
—Yo voy a padecer *por las mías...* —¿Dónde habrá
sacrificio igual al tuyo? Tú eras inocente, y podías
demostrarlo y librarte así del suplicio... ¡Y preferiste
morir, por dar a los hombres alto ejemplo de amor,
de humildad y de fe en el Eterno Padre!... —¡Oh 35

---

15   En la i.ª ed. falta «¡Pobre Gabriela mía!»

Cristo! Yo te he amado siempre... —¡Sostén mi corazón en la batalla que voy a emprender para hacerme digno de volver a besarte, como te beso, y de afiliarme bajo tu bandera!

5 Así habló, y llevándose a la boca los pies de Jesús Crucificado, estampó sobre ellos un ósculo ardentísimo, en que se sintió vibrar cuanto amor cabe dentro del alma humana.

El jesuita rezaba entretanto, contemplando la imagen del Redentor con piedad mucho más profunda y reverente.

—¡Adiós, padre mío! (exclamó Fabián, por último, abrazando al P. Manrique). ¡Hasta después de la lucha, si escapo con vida!

15 —¡Piense usted en Dios! —replicó el sacerdote.

—¡Pensaré!... ¡Conozco que va a ayudarme!... ¡Conozco que ya alborea la luz de la fe en la noche de mi espíritu! —¡Cuando salga en ella ese sol de la inmortalidad, yo vendré o lo llamaré a usted desde 20 dondequiera que me halle, para que me dé la absolución que todavía no merezco!

—¡Oh! ¡Vendrá usted! ¡vendrá usted!... (respondió el jesuita, acompañando al joven hacia la puerta).

—Mientras tanto, yo lo bendigo con toda mi alma, 25 como otro humilde religioso bendecía a Cristóbal Colón al verlo salir de su convento para ir a descubrir el Nuevo Mundo a través de los mares... —Usted va también a descubrir un mundo... ¡Usted va a descu-

---

1   Esta frase falta en la 1.ª ed.

4   En la 1.ª ed. falta «y de afiliarme bajo tu bandera». Las modificaciones introducidas sirven para reforzar y hacer más explícita la conversión de Fabián.

11   En la 1.ª ed. falta «con piedad mucho más profunda y reverente».

27   La tradición atribuye al prior del convento de la Rábida, fray Juan Pérez, el haber bendecido a Colón al hacerse a la mar. Gonzalo Fernández de Oviedo cuenta en su *Historia general y*

brir el mundo que hay más allá del océano de la muerte! —¡Adiós, hijo de mi vida!

Y, así diciendo, el jesuita bendijo a Fabián repetidas veces.

Éste recibió de rodillas aquellas bendiciones, después de lo cual salió de la celda, exclamando:

—¡Hasta la vista, padre mío! —¡Pídale usted a Dios por mí!

---

natural de las Indias: «Estuvo [Colón] con fray Juan Pérez comunicando y ordenando su alma e vida [...] y después de se haber confesado, recibió el Santíssimo Sacramento.» (B. A. E., tomo CX, página 23.)

LIBRO SÉPTIMO

EL SECRETO DE LÁZARO

I

EL PALILLERO ANIMADO

Nadie que hubiese visto aquella tarde a Fabián Conde subir atribulado y dudoso la escalera del Convento de los Paúles, lo habría reconocido en el momento de bajarla después de su larga conferencia con el P. Manrique. —Diríase que el joven había vivido diez años durante aquellas seis horas. Su rostro ostentaba la melancólica paz y firmeza de quien ha llegado a la cumbre de la edad y abarca desde allí todo el horizonte de su vida, limítrofe ya de la que hay al otro lado de la muerte.

Al cruzar la meseta de la escalera, iluminada por dos farolillos que había delante de una Virgen, y pisar cerca de la pila de agua bendita en que no se atrevió por la tarde a mojar los dedos, detúvose también un instante...

Aquella pila era una breve concha de mármol amarillento, que se destacaba de la pared como una mano amiga, ofreciéndole el agua del Jordán...

---

14 En la 1.ª ed.: «limítrofe ya del cielo que hay más allá de la muerte».

El joven no reprimió esta vez los impulsos de su corazón, y, después de mirar en torno de sí y ver que estaba solo, se acercó lentamente a la humilde taza, y asomóse a ella como el peregrino del desierto
5 a la cisterna en que piensa beber...

Quizá acababa de concebir el temor..., o la esperanza... (la *duda*, en fin), de si la pila estaría seca... Pero halló que estaba henchida del eterno rocío...

—¡Mírame si es que existes! (murmuró entonces el
10 joven, alzando los ojos al cielo). Mi limitada razón se recusa a sí misma ante la mera *posibilidad* de que estés contemplándome, y mi espíritu, que es otro misterio, te anticipa gustoso esta prueba de amor, de gratitud y humildad...

15 Y, así diciendo, sumergió en el agua bendita el pulgar y el índice, en forma de cruz, y se santiguó reverentemente.

—¡Quién reconocería en mí a Fabián Conde! (añadió luego sonriéndose). ¡Ay! ¡Si Diego me hubiera
20 visto santiguarme a solas con esta ansia de Fe, ya no dudaría de mi inocencia!...

—¡No tema nada!... —exclamó una voz al pie de la escalera, donde la obscuridad era muy grande.

—¿Quién me habla? —exclamó Fabián, lleno de
25 un miedo indefinible.

—Soy yo... (continuó la voz misteriosa); y digo que no tenga usía ninguna aprensión..., pues que hoy mismo he renovado el agua bendita.

Fabián, que había principiado a creerse en plena
30 tragedia sobrenatural, se tranquilizó al reconocer la voz del portero...

—¡Cuidado con caer!... (prosiguió diciendo éste). Agárrese usía al pasamanos... —«¿Por qué se habrá

8 La i.ª ed. añadía: «como permanente receptáculo de las lágrimas del Cielo»...
22 En la i.ª ed. en vez de «¡No tema nada!» se leía «¡Eso no me gusta!».

detenido el señor Conde en la escalera?» (me pregunté al sentir que cesaban los pasos...). —Y era que usía estaba santiguándose y rezándole a Nuestra Señora del Consuelo... —¡Vaya, vaya! ¡Si no vuelvo del asombro! ¿Conque tan amigo era usía del reverendo padre Manrique?... ¿Por qué no me lo advirtió cuando le abrí la puerta?... —Pero, ¡ya se ve! ¡hay tanta clase de gente en el siglo! —Por fortuna, yo me hice cargo de todo eso desde que supe que tomaban ustedes chocolate juntos y que la conversación duraba horas y horas... —En cuanto al pobre niño, no tenga usía cuidado, que ha corrido por mi cuenta...

—¿Qué niño? —preguntó Fabián.

—El criado de usía...

—¡Jesús me valga; tiene usted razón!... —¿Cómo he podido olvidarme de que ese infeliz estaba sin comer y expuesto al frío, sin abrigo ninguno, con la crudísima noche que hace?...

—Tranquilícese el señor Conde... Cuando yo vi que se alargaban los oficios, le saqué a Juan una manta para que se liara, y le di pan y otras cosillas que tenía yo en mi alacena... —¡Ya somos muy amigos!... —¡Y cómo le quiere a usía el rapazuelo!...

—¡Ah! Tome usted..., tome usted... ¡Le suplico que lo tome!... —dijo Fabián, alargándole al viejo algunas monedas de oro.

—No, señor...; ¡no lo tomo! (contestó el portero con firmeza). ¡Déjeme usía el gusto de haber hecho una pequeñísima obra de caridad!...

—¡Bien!...; pero déjeme usted a mí el gusto de hacer otra... —Con este oro puede usted...

—¡Yo no necesito nada, señor Conde, sino una buena hora en que morir, y ésa no puede proporcionármela nadie más que Dios misericordioso!

---

20 Otra frase reveladora de la condición de exclaustrado del personaje. Cfr. t. I, pág. 14, nota 28.

—Podría usted dar limosnas...

—Pues delas usía, y es lo mismo... ¡De todos modos..., el provecho había de ser para su alma! —Dios sigue el curso de cada moneda... y sabe adónde van a parar hasta las hojas secas de los árboles.

—¡Buen discípulo del de arriba! —exclamó el joven, aludiendo sin duda al P. Manrique.

—¡Y del de más arriba! —repuso el viejo, pensando seguramente en Dios.

A todo esto, habían salido a la calle.

El *groom* no estaba ya envuelto en la manta, de la cual se había despojado apresuradamente al conocer que salía su amo.

—¡Pobre Juanito! (le dijo Fabián acariciándolo). ¡Perdona el mal rato que te he hecho pasar!...

El niño miró al Conde con asombro y hasta con terror, al verlo producirse de aquella manera. —Se conocía que el sin ventura no había oído jamás una palabra cariñosa.

Principió, pues, a disculparse de haber aceptado los beneficios del portero, y a negar, como se niega un crimen, que hubiese pasado frío y hambre.

El Conde se sintió humillado y avergonzado ante aquellos dos seres, que tan despreciables le habían parecido algunas horas antes (dado que algunas horas antes se dignara fijar en ellos la atención), y exclamó aturdidamente:

—¡Vamos! ¡Vamos a casa! ¡Allí te dejaré, mi pobre Juanito, y encargaré que te cuiden como a un rey!...

—¡Conque adiós, amigo mío! (añadió en seguida, dando la mano al portero y subiendo en el coche).

—¡Hasta la vista! —¡Muchas gracias por todo! ¡Y perdone usted las molestias que le he causado!

Así diciendo, empuñó las riendas y la fusta, y puso el caballo al trote.

—¡Vaya usía con la Virgen! ¡Vaya usía con San Antonio! —se quedó diciendo el viejo, cuyas bendiciones y saludos no pudo menos de comparar nuestro joven con los silbidos y las pedradas que le lanzaron aquella tarde en la Puerta del Sol.

Así fue que dijo alborozadamente:

—Amigo Juan, ¡ya ves que no todo el mundo me detesta!...

El *groom*, o sea el *palillero animado* (como lo llamamos al principio), no comprendió aquellas palabras: sólo entendió que su amo volvía a hablarle con cariño, y contestó, quitándose el sombrero:

—Está muy bien, señor Conde.

Fabián se sonrió con dulzura, y, pasado que hubieron por la plazuela de Santo Domingo, donde aún había muchas máscaras, y entrando en la ya solitaria calle de Preciados, preguntó al lacayuelo:

—¿De dónde eres?

—De Lugo, señor Conde... —respondió Juanito más alentado.

—¿Cuánto tiempo hace que estás en mi casa?

—Dos años, señor Conde.

—¿Y cuánto ganas?

—Diez duros... y vestido.

—Y dime... (pero dímelo en verdad): ¿tenías esta noche mucho frío y mucha hambre cuando te socorrió aquel viejo?

—¡Ca! ¡no, señor! — Yo estoy acostumbrado a todo... ¡He pasado muchas hambres y muchos fríos en este mundo!

—Pues ¿cuántos años tienes?

—Catorce.

—¡Pobre veterano! —murmuró Fabián, mirándolo compasivamente.

---

8 En la I.ª ed. se precisaba aquí el porqué de tal denominación: «(como lo llamamos al principio al verlo llevar entre sus cruzados brazos el bastón del joven aristócrata)».

17 En la I.ª ed.: «De León.»

En aquel momento cruzaban la Puerta del Sol, donde había mucha menos gente que por la tarde.

La vendedora de periódicos que insultó al joven llamándole *Conde postizo* estaba en su puesto, pregonando el título de las publicaciones de aquella noche y el sumario de las más importantes noticias que contenían.

—¡Mañana pregonará mi deshonra (pensó Fabián). Y ¡quién sabe!... ¡Tal vez pregone también mi muerte! —¡Yo te saludo, triste mujerzuela, personificación o vehículo de la *opinión pública!*... ¡Tú serás la ejecutora de la venganza de Diego! ¡Tú serás la trompeta del escándalo!

En la calle de Espoz y Mina volvió el joven a dirigir la palabra al *groom*.

—Juanito, ¿tienes padre? —le preguntó, afectando cierta indiferencia.

—No, señor.

—¿Y madre?

—Tampoco.

—¿Quién te trajo a Madrid?

—Nadie... Víneme detrás de unos arrieros.

—¿Y cómo te mantenías?

—Pidiendo limosna. Luego me recogió la policía, y metióme en el Hospicio, donde aprendí a leer y a escribir. Pero escapéme, y un cochero, paisano mío, enseñóme a guiar... Ayudábale yo a limpiar los coches, y dábame él cuanto pan le sobraba. Entonces fue cuando el mayordomo de usía llevóme a su casa, donde lo paso muy bien..., muy bien...

---

10   En la 1.ª ed. falta «personificación o vehículo de la *opinión pública*».

29   En todo este párrafo, de acuerdo con la modificación introducida antes, por virtud de la cual, Juanito quedó trocado de leonés en gallego, Alarcón creyó conveniente *galleguizar* el lenguaje del muchacho en las formas verbales con pronombre enclítico. En la 1.ª ed. se leía «me metió», «me escapé», «me enseñó», «le ayudaba», «él me daba», «me llevó».

—¿Y no te he tratado yo nunca con crueldad? El galleguito miró espantado a su señor, cual si creyese que se había vuelto loco.

Fabián volvió a sonreír con infinita tristeza, y dijo para sí levantando los ojos al cielo:

—¡Qué mucho que esta criatura se asombre al oírme, si yo mismo no me conozco! —¡Ay! ¡En resumidas cuentas, lo que el P. Manrique me ha aconsejado es una especie de *muerte parcial!*

Con esto llegaron a la calle de Santa Isabel, donde vivía el joven, el cual echó pie a tierra después de entregar las riendas al *groom*, y le dijo, alargándole una carterita muy elegante:

—Juan: es muy posible que no nos volvamos a ver. —En esta cartera hay más de veinte mil reales... Yo te los regalo. —Vete a Lugo; compra un carruaje y un par de mulas, y dedícate a conducir viajeros. Después, cuando te cases, y seas muy dichoso con tu mujer y tus hijos, piensa alguna vez en mí..., y Dios te lo pagará...

Echóse a llorar el niño, y respondió alargando a su vez la cartera al Conde de la Umbría:

—¡Yo no quiero irme de la casa! ¿Qué daño le hice yo a usía para que me despida de este modo? —Además: yo no puedo quedarme con este dinero... ¡Todo el mundo se figurará que lo he robado!

—Descuida: que yo le contaré la verdad a mi administrador, encargándole que te aconseje y dirija en todo. —Ahora vete a cenar y a dormir...

Y, hablando de esta manera, Fabián penetró aceleradamente en su casa.

---

1 En la 1.ª ed.: «¿Y no te he tratado yo nunca con dureza? ¿No tienes por qué quererme mal? ¿No tienes nada que perdonarme?»

2 En la 1.ª ed.: «el niño».

9 En la 1.ª ed. no figura «parcial».

Juanito, más absorto y maravillado que nunca, le siguió con los ojos hasta que le vio desaparecer.

Guardóse entonces el dinero, y murmuró con gravedad, encaminándose a la cochera:

5 —Pues, señor, no tengo más remedio que cumplir la orden... ¡Iréme a Lugo y buscaré novia!

II

LOS PROTEGIDOS DE LÁZARO

Fabián había subido entretanto a sus habitaciones, 10 escrito apresuradamente una esquela, puéstose una capa, cogido cuanto oro y billetes del Banco encontró en sus gavetas (reuniendo así una cantidad de cinco o seis mil duros), y bajado de nuevo la escalera, diciendo al paso a sus criados:

15 —Llevad ahora mismo esta carta a casa de mi administrador. —Si viniese alguien a buscarme, decidle que infaliblemente estaré aquí a las nueve de la mañana. —No me esperéis esta noche.

—Advierto al señor Conde, por si piensa ir al baile 20 de máscaras (observó el ayuda de cámara), que se le ha olvidado ponerse de frac...

Fabián se sonrió de nuevo amargamente, y no contestó ni una palabra.

—Irá a jugar... —expusieron sucesivamente al- 25 gunos criados, cuando el joven hubo salido a la calle.

—Yo creo más bien (dijo el cocinero) que irá a escalar el convento en que está encerrada su futura esposa... —¡Todavía apuesto doble contra sencillo a 30 que no se casa!

—¡Qué se ha de casar! —exclamaron los otros.

---

6   En la i.ª ed.: «Me iré a León.»

Fabián se dirigía entretanto a casa de Lázaro, temblando a la idea de si habría muerto, o de si no estaría en Madrid, o de si no le recibiría a aquella hora, o de si no le haría justicia después de oírle. 5

Según ya sabemos, la casa de *Lázaro a secas* se hallaba situada en una triste y herbosa calle del antiguo Madrid, a espaldas de la iglesia de San Andrés, paraje que, todavía hoy, se asemeja más a ciertos melancólicos barrios de Ávila o de 10 Toledo, que al resto de la capital de la moderna España...

Llegado que hubo el joven a aquella silenciosa calle, se paró delante de un edificio (que bien podía haber sido palacio en la Edad Media, y cuyo portón, 15 casi todo cubierto de enormes clavos, estaba cerrado como una tumba); y, empuñando una de sus macizas aldabas, llamó fuertemente.

Pasó mucho rato sin que contestaran... —En cambio se abrió la única ventana de una casucha que 20 había frente por frente del severo caserón, y Fabián vio que alguien le observaba desde allí, bien que procurando recatarse de la luz de la luna.

Aquella maniobra le pareció a nuestro joven muy propia de un barrio tan solitario y quieto, por lo que, 25 encogiéndose de hombros con indiferencia, llamó otra vez al ferrado portón.

Cerróse entonces la ventana, y un momento después se abrió la puerta de la misma casilla, y apareció bajo su dintel un mancebo vestido de chaqueta, el 30 cual avanzó lentamente hacia el Conde en ademán confiado y pacífico.

Tampoco se alteró entonces Fabián, por grande que fuese su extrañeza, y se limitó a bajarse el embozo de la capa y levantar el rostro hacia la luna, a 35 fin de que el desconocido saliese de su error, si por acaso lo había confundido con otra persona.

Pero sucedió a la inversa; pues el mancebo, que apenas tendría diez y seis años, exclamó en el mismo instante, haciendo un reverendo saludo:

—¡No me había equivocado!... —¡Y cuánto me
5 alegro, señorito Fabián, de que vuelva usted a acordarse de mi padrino! ¡Si viera usted qué solo estuvo durante su enfermedad del año pasado!... Mas ¿qué es esto? ¿No me conoce usted?

—No recuerdo... —contestó Fabián.

10 —Yo soy Pepe, el hijo del zapatero de viejo que trabaja de día en este portal... —¿No se acuerda usted? ¡Yo soy aquel chiquillo a quien D. Lázaro enseñaba a leer y escribir!... —Hoy doy yo lecciones a los muchachos del barrio, y ayudo a mi
15 padre a sostener la familia... —¡Ah! ¡Don Lázaro fue siempre muy amigo nuestro!... Así es que, cuando vino tan malo cierta noche (por ahora hace un año), mi padre y yo ayudamos al portero y al aguador a curarlo y asistirlo... —Una noche lo ve-
20 laba el aguador, y yo lo velaba otra... Por cierto que, en el delirio de la calentura, todo era llamarlo a usted y nombrar a D. Diego... —Pero ¡qué! ¡si parece que se han dado ustedes cita! El señorito Diego, después de más de un año de no pare-
25 cer tampoco por aquí, ha pasado hoy toda la tarde con D. Lázaro...

Fabián tembló al oír esta noticia.

—¿Y se ha marchado ya? —preguntó con honda inquietud.

30 —Sí, señor... Pero no tenga usted cuidado, que quedó en volver.

—¿Cuándo? ¿Cómo? ¿Quién te lo ha dicho? —interrogó el joven con el mayor espanto.

—¡Le diré a usted!... (contestó el mozuelo). Subía
35 yo la escalera del palacio después del toque de oraciones, pues soy el encargado de repartir cada día las sobras de la comida de D. Lázaro a los más nece-

sitados de esta calle, cuando vi que D. Diego se despedía de mi padrino, diciéndole: «*No es menester que vayas a mi casa, yo vendré a verte.*» —Y por eso lo sé.

—¡Dios mío! (pensó Fabián, inclinando la cabeza). ¡Ya se han coligado en mi daño!

—Pero, a todo esto... (continuó su interlocutor), no sabe usted todavía por qué estoy aquí... —Estoy aquí porque, al oír llamar tan a deshora en casa de mi padrino, recelé si sería alguna persona que viniese de malas... —¡Ah! ¡Yo daría con gusto mi vida por ahorrarle el más ligero sinsabor a D. Lázaro!... ¡Es tan bueno!... ¡Ha hecho tanto por mi padre y por mí!... Pero ya se oyen los pasos del portero, que baja... Sin duda el pobre viejo había subido a consultar si abría o no abría la puerta... —¡Oh! ¡no haya temor! ¡tenemos bien guardado a nuestro rey, al padre de los pobres, al justo entre los justos! Ya está el portón abierto... —Muy buenas noches, Sr. D. Fabián.

—Buenas noches, amigo mío... (respondió el aristócrata con mansedumbre). Gracias por todo.

Y separóse del hijo del zapatero, murmurando melancólicamente:

—¡Y Diego y yo hacíamos burla de Lázaro porque prefería enseñar a ese joven a leer y escribir, al gusto de ir con nosotros al teatro!... —¡Cuánto le envidio hoy el cariño y el agradecimiento que aquella buena acción ha engendrado en el alma de su discípulo!... ¡Ah! ¡yo no tengo quien me quiera de ese modo! ¡Verdad es que yo no he hecho en este mundo nada de que poder ufanarme!

---

1 En la 1.ª ed. falta «pues soy el encargado de repartir cada día las sobras de la comida de D. Lázaro a los más necesitados de esta calle».

27 La 1.ª ed. añadía: «¡Y cuán satisfecho estará Lázaro de su obra!»

30 La 1.ª ed. añadía: «¡Por eso estoy tan solo y sin consuelo en la hora del infortunio!». Alarcón percibió luego lo inadecuado

Entró luego en el portal de la vetusta casa, donde el anciano portero lo acogió no menos jubilosamente que el flamante profesor de primeras letras.

—¡Gracias a Dios!... ¡Conque es usted!... (exclamó besándole las manos). —¡Qué contento se va a poner mi señor!... ¡Y qué falta le ha hecho usted durante el último año! ¡Creí que se me moría! —Pero ya se ha apiadado Dios de nosotros, y la alegría comienza a entrar en esta casa... ¡Todos..., todos vuelven en busca del varón ejemplar a quien he visto nacer, y que hoy me infunde tanta veneración y reverencia como si fuera mi padre! —¡Qué hombre, Sr. D. Fabián, qué hombre!... ¡Cada día es más santo! ¡Cada día le queremos más los pocos que tenemos la dicha de verlo y de oírlo!

Fabián pensó en sus propios criados, y en la manera despreciativa y zumbona con que lo habían recibido ya dos veces aquel día (suponiéndole entregado de nuevo a criminales placeres, cuando acababa de abrir al dolor y a la virtud las puertas de su alma), y no pudo menos de decir en alta voz:

—¡Cada cual recoge en este mundo el fruto de sus obras! ¡El hombre de bien cosecha bendiciones, y el perverso y libertino maldiciones y calumnias, engendradas por el escándalo!

—¡Así es! —contestó el portero, mientras que Fabián Conde subía la ancha y ruinosa escalera del palacio con tanto miedo como sonrojo.

Todavía halló a otro antiguo *protegido* de Lázaro antes de llegar al piso principal... —Aquel ser fue aún más expresivo que el adolescente y que el portero; pues, no bien reconoció a nuestro joven, comenzó a hacerle caricias y fiestas, como dándole también las gracias y la bienvenida.

---

de tal frase, habida cuenta de la ayuda y consuelo prestados a Fabián por el P. Manrique.

Era el perro favorito de Lázaro; aquel perro, durante cuya enfermedad se abstuvo el entonces llamado *hipócrita* de ir con Fabián y con Diego a una jira campestre...

Por último, en lo alto de la escalera, aguardaba a Fabián un hombre con los brazos abiertos...

Pero (¡oh sorpresa! ¡oh asombro! ¡oh inesperado lance del destino!) ¡aquel hombre no era Lázaro! ¡aquel hombre no era el antiguo amo de la casa, en favor de cuya virtud o inocencia iba declarando todo el mundo!...

Por el contrario: ¡aquel hombre era el famoso acusador de Lázaro, su enemigo, su terrible juez, el joven americano, en fin, que lo apellidó *«infame, seductor, desheredado y cobarde»* la tremenda noche en que logró arrancarle cierto misterioso retrato!

Es decir, aquel hombre era el Marqués de Pinos y de la Algara.

III

DONDE SE DEMUESTRA QUE LÁZARO NO ERA HIJO
DE SU PORTERO

Fácil es imaginarse la estupefacción de Fabián al verse recibido en tal casa por aquel mancebo, a quien suponía allende los mares...

Éste lo abrazó triste y gravemente, y le dijo:

—La Providencia me lo trae a usted, cuando ya desesperaba yo de encontrarlo... —¡Hace ocho días que busco a usted inútilmente por todo Madrid!

—¡Usted me buscaba! (exclamó Fabián con mayor asombro). ¡Y usted me recibe con un abrazo!...

—Declaro que no lo comprendo... —Por lo demás, todo el mundo sabe quién soy y dónde vivo...

---

15   En la 1.ª ed.: «en que le arrancó el misterioso retrato que ahabí venido a buscar desde Chile...».

—Recuerda usted, sin duda, al hablarme así (contestó dulcemente el joven), que cuando nos despedimos aquella triste noche, me honró usted entregándome su tarjeta, aceptación eventual de un reto
5 posible...

—Justamente... —repuso el llamado Conde de la Umbría con tanta moderación como dignidad.

—Pues empiece usted por saber que la tarjeta se me perdió aquella misma noche al salir de esta casa...;
10 lo cual me importó muy poco, dado que yo no pensaba en manera alguna desafiarle a usted...

Fabián saludó afectuosamente al Marqués de Pinos, el cual prosiguió diciendo:

—Y en cuanto a su nombre de usted... (perdóne-
15 me), se me olvidó por completo a las pocas horas de ocurrida aquella escena... ¡Tenía yo a la sazón cosas tan horribles en que pensar!

—Pero... ¡en fin!... —insinuó el puntilloso Fabián Conde, cediendo maquinalmente a su belicosa con-
20 dición.

—A eso voy... —Pues bien: como decía, hace una semana que estoy en Madrid, de regreso de Chile, buscando a usted por calles, teatros y paseos, seguro de que no se me despintaría su rostro (o el del otro
25 caballero, que creo se llamaba *Diego*) si la casualidad me hacía tropezar con ustedes... —Pero ¡nada! ¡Todas mis pesquisas eran inútiles! Y como, por otra parte, ni Lázaro ni el viejo portero consentían en darme luz alguna sobre el particular, ya estaba materialmente
30 desesperado, cuando he aquí que ahora mismo, hallándome en el gabinete de Lázaro, entra agitadísimo el tal portero, y le dice: —«¡Señor! ¡Señor! ¡Gran noticia! ¡Don Fabián Conde está llamando a la puerta de la calle! ¡Lo he visto por el ventanillo! ¿Abro?»
35 —«¡Le esperaba! (responde Lázaro). Abra usted in-

20	En la 1.ª ed. solamente se leía: «insinuó Fabián Conde».

mediatamente.» «¡*Fabián Conde!*... —(exclamo yo recordando de pronto que era éste su nombre de usted...) ¡El cielo me lo envía! ¡Al fin voy a poder descubrirle la verdad!» —«¡Te prohíbo que lo veas! ¡Te prohíbo que le hables!» (grita Lázaro tratando de detenerme). —Pero yo soy más ligero que él; salgo de la habitación; cierro la puerta detrás de mí, dejándolo prisionero...; y aquí me tiene usted, pidiéndole por favor que me oiga antes de entrar a ver a *mi hermano.*

Fabián caminaba de sorpresa en sorpresa, y la última lo dejó un momento sin habla.

—¡Su *hermano* de usted! (exclamó por último). ¿Lázaro es su *hermano* de usted?

—Mi hermano, sí, señor... (respondió el Marqués de Pinos con amoroso orgullo). —Pero digo mal... (agregó en seguida, cruzando las manos como si rezara). ¡Lázaro es mi segundo Dios! ¡Lázaro es el hombre más grande, más digno, más generoso que haya existido jamás en el mundo! —¡Sólo a decírselo a usted y a su amigo Diego he venido esta vez de América, yo, que estampé aquella noche sobre la frente del mártir, y en presencia de ustedes, el hierro infamatorio de una atroz calumnia!

—¡Ah! ¡Dios lo sabe! (prorrumpió Fabián, vivísimamente conmovido). ¡Dios sabe que, sin necesidad de su testimonio de usted, venía yo esta noche a abrazar a Lázaro y a decirle: «*¡Juro que eres inocente!*» —¡Lo sabe Dios, repito, y sábelo también el sacerdote a quien acabo de pedir consejo!

—Pero ¿qué? (repuso el joven americano). ¿Usted conocía ya la verdad? ¿Usted sabía ya que Lázaro no era culpable? —¿Quién se lo había dicho a usted?

---

24 La i.ª ed. añadía: «yo mismo debía venir a rehabilitarlo tan luego como lució a mis ojos su inocencia».

30 En la i.ª ed.: «el sacerdote con quien acabo de confesarme».

—¡Mi propio corazón! ¡Mis propias desventuras! ¡La
fe..., la misma *fe* que pido a Dios inspire a todas las
almas para leer en el fondo de la mía!... —¡Ah! ¡Pobre
Lázaro!... ¡Quiero verle, quiero pedirle perdón, quiero
5 estrecharlo entre mis brazos!...

—Ya le verá usted... —Pero antes debo referirle
gravísimos secretos que el generoso Lázaro no le con-
taría jamás...

—¡Ah, señor Marqués!... ¡Yo no merezco saber
10 nada!... Yo no tengo derecho a recibir cuentas de
nadie... (expuso Fabián con amargura). —¿Olvida
usted acaso lo que me sucede?

—Lo ignoro de todo punto, amigo mío...

—¡Pues qué! ¿No ha visto usted aquí esta tarde a
15 aquel *Diego* a quien conoció cuando a mí?

—¡Cómo! ¿El otro caballero ha estado también
acá hoy?... ¡Luego con él ha sido con quien ha
pasado Lázaro toda la tarde encerrado en su gabinete!... —¡Cuánto siento no haberlo sabido! ¡Le
20 habría dado las mismas explicaciones que voy a
darle a usted, y que abruman hace tres meses mi
conciencia!

—¿De modo (insistió Fabián) que Lázaro no le ha
contado a usted cosa alguna? ¿De modo que ignora
25 usted lo que me pasa?

—¡Se lo aseguro bajo palabra de honor! —¡Ah! Mi
hermano es un sepulcro..., no sólo para ocultar los
secretos propios, sino para guardar los ajenos... ¡Mi
hermano es un mar insondable de callados y sublimes
30 dolores! ¡Mi hermano se parece a aquellos volcanes
muertos de la olvidada Etruria, cubiertos hoy de
agua, al través de cuyo inmóvil cristal se transparen-
tan melancólicas ruinas de templos y ciudades! ¡El
alma de mi hermano es inmensa y muda como la
35 Eternidad, en que piensa a todas horas!

—¡Dios mío! ¡Y yo pude desconocerle tanto tiempo! (gimió Fabián). ¡Y yo pude hacer escarnio de sus

saludables máximas! ¡Y yo pude atribuirlas a hipo-
cresía! ¡Y yo lo maltraté inicuamente!...

—¡También yo! (repuso el joven chileno con mayor
amargura). ¡Y todo hubiera seguido en el mismo
estado, nosotros calumniándolo y escarneciéndolo, y 5
él sufriendo con paciencia nuestra injusticia, si Dios
no se hubiera encargado de rehabilitarlo a mis ojos,
y si yo no estuviese dispuesto, como lo estoy, a des-
garrar todas las fibras de mi corazón refiriéndole a
usted la gloriosísima historia del héroe a quien escupí 10
en el rostro aquella noche!...

—¡Me asombra usted! (exclamó Fabián). ¿Qué es
ya mi merecido infortunio al lado del martirio? ¿Qué
es ya la penitencia que tengo que cumplir, comparada
con los inmerecidos tormentos que hemos hecho 15
padecer a Lázaro? —¡Hable usted! ¡Hable usted! ¡Dios
me depara esta lección y este ejemplo para fortalecer
mi angustiado espíritu!...

—Sígame, pues, y escuche...; ¡que cuanto usted se
imagine será poco al lado de la verdad! 20

Y, así diciendo, el Marqués de Pinos condujo a
Fabián a un aposento inmediato y le habló de la
manera siguiente:

IV

EL DESHEREDADO 25

—«Lázaro y yo somos hijos del opulento Marqués
de Pinos y de la Algara, natural de la isla de Puerto
Rico y muerto en Chile hace dos años.

»El Marqués estuvo casado dos veces: la primera,
con una irlandesa de origen, nacida y criada en esta 30
misma casa en que nos hallamos, e hija única del ya
entonces difunto Barón de O'Lein, emigrado de las

10   La 1.ª ed. añadía: «del Santo, del paladín de Cristo».

islas Británicas a consecuencia de sus exaltadísimos
sentimientos católicos... —De este primer matrimonio, que apenas duró año y medio, nació Lázaro,
quien heredó, por consiguiente, el título de Barón, el
5 caudal, no muy importante, a él anejo, y este ruinoso
palacio, comprado por el Barón de O'Lein cuando se
estableció en España.

»Muerta la madre de Lázaro, pero no todavía su
abuela materna, obtuvo ésta del Marqués de Pinos
10 que dejase a su cuidado al tierno infante, quien fue
educado primeramente en Madrid y después en un
colegio católico de Irlanda, de la manera aprovecha-
dísima que habrá usted podido notar en sus relaciones
con mi sabio hermano.

15 »Había regresado entretanto a América el Marqués
de Pinos, y pasado a establecerse a Chile, donde muy
luego contrajo segundas nupcias con una hermosísima criolla, que apenas tendría catorce años, de
quien nací yo a esta triste vida...

20 »Perdóneme la emoción que me embarga. —¡Acabo
de nombrar a mi madre..., y es horrible todo lo que
tengo que contar respecto de ella!... —Pero me lo
manda Dios...; me lo mandó ella misma en su lecho
de muerte...; el austero sacerdote que la asistió en
25 su última hora la absolvió únicamente a condición de
que yo publicaría sus culpas..., y ¡gracias que luego
obtuve de aquel mismo sacerdote el que esta publicidad se redujese a los límites que le marcara Lázaro,
el calumniado Lázaro, para desagravio de su honra!...
30 —Lázaro ha sido tan grande y tan generoso, que ha
renunciado por completo a semejante satisfacción...;
pero yo juzgo que, cuando menos, debo sincerarlo a
los ojos de las dos personas en cuya presencia lo in-
sulté y atropellé aquella infausta noche... —No ex-
35 trañe usted, pues, ni censure el oírme, como me va
a oír, hablar de mi desdichada madre... ¡Cumplo una
penitencia en su nombre!...

»Conque prosigo...»

—Permítame usted... (interrumpió Fabián Conde, quien oía al joven chileno con un interés y una ansiedad imponderables). —Aquel sacerdote... ¿era un anciano jesuita, llamado el P. Manrique?

—No, señor. Aquel sacerdote es joven todavía, y se llama el P. González. —En cuanto a lo de jesuita, tengo seguridad de que lo es...

—Continúe usted..., y perdóneme la interrupción... (repuso Fabián). ¡Hay tales analogías entre mis desgracias y las que adivino detrás de las salvedades que acaba usted de hacer; concuerdan y armonizan de tal modo los preceptos de aquel confesor con los que acaba de dictarme el P. Manrique, que me pareció que ambos sacerdotes eran uno solo...

—Y *uno* son, en efecto... (replicó el Marqués con gravedad superior a sus años). —En la Compañía de Jesús no hay más que un alma...: el alma de San Ignacio de Loyola.

Fabián miró al adolescente con cierta extrañeza.

—¿Qué? (dijo éste, recogiendo aquella mirada). ¿Le causa a usted asombro que hable así el aturdido mozuelo que alborotó esta casa el año pasado? —Pues sepa usted que consiste en que, desde la muerte de mi madre, ocurrida hace tres meses, me parece que he llegado a la vejez... —Así es que sólo pienso en Dios y en mi alma...

—¡También usted! —suspiró Fabián de una manera indefinible.

Y los dos jóvenes quedaron contemplándose melancólicamente, hasta que, por último, dijo el Marqués de Pinos:

—Continúo:

«Hace cinco años, cuando apenas tenía yo quince,

---

29 La I.ª ed. añadía: «en que se traslucía tanto júbilo como tristeza y resignación».

mi padre nos anunció a mi madre y a mí que Lázaro
llegaría a Chile al cabo de unos días, para vivir ya
en adelante con nosotros. —El joven Barón de O'Lein
(quiero decir, Lázaro) acababa de perder a su abuela
5 materna; había terminado su carrera de ingeniero;
hallábase solo en el triste suelo de Irlanda, y mi padre
ardía en deseos de conocer a aquel otro hijo, a quien
no había vuelto a ver desde que le dejó en la cuna,
pero respecto del cual había recibido siempre los
10 informes más laudatorios. —Según aquellos informes,
Lázaro era un prodigio de hermosura, de talento, de
instrucción. Su retrato confirmaba el primer punto;
tocante a los otros dos, sus cartas daban claro testimonio de que tales elogios no eran sino muy mere-
15 cidos. Celebraban también sus profesores y algunos
antiguos amigos de mi padre su severa moralidad, su
fuerza hercúlea y su denodado valor, contando a este
propósito muchos rasgos que lo honraban y enalte-
cían a todas luces.
20   »Semejantes noticias entusiasmaron poco a poco a
mi padre, al extremo de inquietar a su esposa con
relación a mí. ¡Había yo sido hasta entonces el ídolo
y encanto del Marqués, a quien no sin justicia
hubiera podido acusarse durante muchos años de no
25 recordar que en Europa tenía otro hijo...; y mi madre,
al ver la súbita adoración que se despertó en el alma
de su marido hacia aquel fruto de sus primeras nupcias, temió que yo perdiese terreno en el aprecio
paternal... y que ella misma fuese pospuesta al re-
30 cuerdo de la primitiva consorte!...
    »No amaba mi madre a mi padre... (¡Ay Dios!...
¡Llegó el momento de las confesiones dolorosas!) No
lo amaba, digo, como él a ella... Él estaba materialmente hechizado por la peregrina hermosura de
35 aquella hija de los Andes y de las brisas del Pacífico;

---

17   En la 1.ª ed. falta «su fuerza hercúlea».

pero ya era casi viejo, y mi madre sólo veía en él al
aristócrata que había halagado su orgullo ennoble-
ciéndola; al millonario que, por obtener una sonrisa,
ponía a sus pies todos sus tesoros, como un esclavo
ante una sultana, y al padre, loco de amor por el 5
hijo habido en ella, cuanto descastado e insensible
para con el que otra mujer le había dado.

»Todo esto lo he discernido o me lo han contado
últimamente... Pero cuando Lázaro llegó a Chile, y,
aun después, cuando yo vine a Madrid el año anterior, 10
todavía estaba a ciegas respecto de los verdaderos
sentimientos de mi madre... —¡Era mi madre..., y
yo la creía perfecta!... ¡Yo la idolatraba, como ella
a mí!... ¿Por qué no morí entonces?...

»El mero anuncio de que Lázaro iba a vivir con 15
nosotros, produjo en mi casa horrorosas reyertas...
Pero mi padre se mantuvo firme por primera vez
ante la tiránica voluntad de su esposa, y yo principié
a sentir odio hacia aquel desconocido hermano mío,
que abortaba el infierno para hacer derramar a mi 20
madre las primeras lágrimas...

»Llegó Lázaro finalmente..., y, con gran asombro,
vi que, lejos de tomar incremento la disensión doméstica, calmóse como por ensalmo. —Mi padre lo
atribuyó (y así solía decirlo) a la bondad y al talento 25
del joven Barón, «que había desarmado los celos
MATERNALES de su madrastra»; y en cuanto a mi
madre, reparé que, efectivamente, dejó de hablarme
mal de mi hermano, con quien, lejos de ello, se mos-
traba solícita y cariñosa... 30

»¿Qué le diré a usted relativamente a la persona
misma de Lázaro? —Usted lo conoce hace tiempo;
¡pero había que verlo entonces, cuando todavía no
estaba amargado por la vida! —Como figura material
era un querubín, y su corazón rebosaba la alegría 35
y la dulzura que hoy le faltan, y que suple su resignación infinita. Gracioso, confiado, afable con todos,

sabio y modesto en sus discursos, y fácil y compla-
ciente cual si no tuviese gusto propio, no tardé en
verme prendado de él, en tanto que él me demos-
traba un cariño casi paternal, como en compensación
5 del que me hubiese retirado mi padre.

»Así las cosas, y cuando apenas haría un mes que
estaba entre nosotros, desapareció mi hermano súbi-
tamente, sin despedirse de nadie y sin que se adivi-
naran el motivo de su fuga ni el lugar adonde se
10 había encaminado. —Nadie le vio partir...; por lo
que, durante dos o tres días, temióse que los indios
próximos a nuestra *hacienda* lo hubiesen sorprendido
en la hamaca donde solía dormir las primeras horas
de la noche bajo un dosel de pomposos árboles...;
15 o que, habiéndose internado en las selvas vecinas,
lo hubiesen devorado los jaguares...

»Todo era, pues, en la casa lágrimas y sollozos,
pesquisas y conjeturas, cuando mi madre, que no
había llorado ni gemido por aquella aparente des-
20 gracia, sino limitándose a consolar a mi padre, llegóse
a él con una carta abierta en ocasión que yo estaba
presente, y le dijo con indignado acento:

—«El cartero acaba de traerte esta carta de Láza-
»ro, fechada en Valparaíso. Yo la he abierto por si
25 »contenía alguna mala nueva; pero no dice nada que
»pueda inquietarte ni afligirte, sino, por el contrario,
»te da una buena noticia.

—»¿Qué noticia? —preguntó mi padre, lleno de
»ansiedad.

30 —»La de que el peor de los hijos y el más infame
»de los hombres, en lugar de levantarse la tapa de los
»sesos después de la *indignidad* en que incurrió hace
»pocos días, se ha contentado con librarnos de su
»presencia, embarcándose para Europa.

---

16 En la 1.ª ed.: «lo hubiese devorado alguna fiera». La modificación introducida estaba al servicio de cierto «color local».

—»¿A qué *indignidad* aludes? (gritó mi padre con
»mayor agitación). —Retírate, Juan... (prosiguió, di-
»rigiéndose a mí). Tu madre y yo tenemos que
»hablar solos...

—»¡Quédate, hijo mío!... (exclamó al mismo tiem-
»po mi madre). ¡Yo te lo mando!—Ya eres un
»hombre, y necesito que sepas de hoy para siempre
»quién es el hermano que tienes en el mundo, por si
»vuelves a tropezar con él durante tu vida...

»Yo obedecí y me quedé.

—»¡A ver esa carta! (había dicho mi padre en-
»tretanto, apoderándose de ella). ¡Sepamos lo que
»dice!— ¡Tus palabras y tu rostro me llenan de
»terror!

»La carta decía así:

«Padre de mi corazón: Perdóneme usted el desa-
»cato de mi fuga... He querido ahorrarle a usted la
»aflicción de una despedida acaso eterna. No me
»avengo a vivir en Chile, y salgo para Europa en un
»vapor que estará cruzando los mares cuando llegue
»a usted esta carta.

»Adiós, padre mío. Reciba usted toda el alma de su
»hijo,

»LÁZARO.»

—«Fáltame ahora... (dijo mi padre cuando hubo
»acabado de leer, y pudiendo a duras penas contener
»el llanto); fáltame ahora enterarme de esa *indignidad*
»a que te refieres.

—»Te la diré en una sola frase; pues hay palabras
»que abrasan los labios... —¡*Tu hijo Lázaro me ha*
»*requerido de amores!*»

—»¡Jesús!—exclamó mi padre.

»Y quiso levantarse; no pudo tenerse, y cayó otra
»vez en el sillón como muerto.

»Yo corrí hacia mi madre; la estreché entre mis
»brazos, y le dije:

—»¡Dime si quieres la cabeza del infame! ¡Yo iré
»por ella a Europa y la arrojaré a tus plantas!

»Mi madre me miró con inmensa ternura... Son-
»rióse dulcemente, y cubrió mi rostro de besos.

5 —»No es menester... (me dijo). ¡Bien castigado
»está!

»Al día siguiente de esta escena, mi padre nos leyó
a mi madre y a mí una carta que escribía a Lázaro,
concebida en estos términos:

10 «Monstruo, a quien llamé hijo:

»Has atentado a la honestidad de mi esposa, es
»decir, a la honestidad de tu madre.

»Si yo no me debiera a su amor y al de mi *verdadero*
«hijo, correría todo el mundo para quitarte la vida
15 »que te di.

»Pero estoy enfermo, o más bien herido de tu
»parricida mano; conozco que moriré muy pronto, y
»quiero lanzar el último suspiro al lado de los que me
»aman.

20 »No escaparás, sin embargo, a mi justa cólera, pues
»el cielo se encargará de vengarme; y para que así lo
»»haga, *yo te maldigo* una y mil veces, renegando de
»ti a la faz de Dios y de los hombres.

»EL MARQUÉS DE PINOS Y DE LA ALGARA.»

25 »Cuando mi padre hubo acabado de leer esta formidable carta, y en medio del terror que me produjo,
oí que mi madre le decía:

—«¡Ten entendido que el inicuo te escribirá defen-
»diéndose, mintiendo, calumniándome, desgarrándote
30 »el corazón con nuevas heridas!...

—»¡Yo no leeré sus defensas!... ¡Yo no abriré sus
»cartas... (contestó mi padre en el colmo de la indig-
»nación). ¡Para mí ha muerto ya el réprobo! ¡Al mal-
»decirlo, como lo he maldecido, lo he matado en lo
35 »profundo de mi alma!»

»¡Asómbrese usted! —¡Pasaron meses..., pasó hasta un año, y Lázaro no contestó a aquella carta!... —¡Y, sin embargo, era indudable que la había recibido..., pues mi padre se la envió duplicada a los Cónsules de Chile en Dublín y en Madrid, y este último se la entregó en su propia mano!

»Por el mismo Cónsul supimos mi madre y yo (mi padre no volvió a hablar ni a permitir que le hablaran de Lázaro) que el mísero se había establecido en Madrid, en la casa donde estamos; que no usaba su título de Barón de O'Lein, ni hacía ostentación del mediano caudal, más que suficiente para un hombre solo, que había heredado de su madre, y que no tenía otra servidumbre que un antiguo criado de sus abuelos maternales, encargado hacía ya medio siglo de la portería de esta especie de palacio encantado.

»Mi padre no volvió a gozar día de salud después del horrible suceso que acabo de referir, y al cabo de dos años murió de tristeza y consunción. —Su último aliento fue para murmurar de una manera espantosa: —»*¡Yo le maldigo!*»

»Finalmente: cuando quince días después se abrió su testamento en consejo de familia, y hallándose también presente el Cónsul español (pues mi padre conservó siempre su primitiva nacionalidad), viose que contenía esta tremenda cláusula, escrita al tenor de una Ley de partida:

«AL ADÚLTERO, INCESTUOSO, PARRICIDA, QUE NO »MERECE SER HIJO MÍO, LÁZARO DE MONCADA, HABIDO »EN MI MATRIMONIO CON LA DIFUNTA BARONESA DE »O'LEIN, DESHERÉDOLO POR EL AGRAVIO QUE ME

---

28 *Al tenor de una Ley de Partida:* es decir, según el estilo o pauta de la famosa codificación de Alfonso X el Sabio, *Las Siete Partidas.*

»HIZO ATENTANDO A LA HONESTIDAD DE SU MADRASTRA
»MI MUY QUERIDA ACTUAL ESPOSA.»

»Sabrá usted, Sr. D. Fabián, que, para la validez
de los heredamientos, es preciso que el testador o el
5 heredero gananciosos prueben la *justa causa* de tan
terrible disposición, y que, por ende, quédale siempre
al *desheredado* el derecho de interponer la *acción de
inoficioso testamento*... —Pues bien: Lázaro, a quien
se notificó debidamente la última voluntad de mi
10 padre, no reclamó, no protestó, no dijo una palabra
siquiera, ni en los tribunales ni fuera de ellos..., todo
esto con gran asombro de mi madre y mío, que
temíamos vernos envueltos en litigios interminables.

»Este proceder de Lázaro irritaba más y más el
15 odio de mi madre hacia él; y aun yo mismo, atri-
buyendo a desprecio o a falta absoluta de sentido
moral aquella glacial indiferencia, soñaba con venir
a Europa a pisotear al que parecíame entonces una
venenosa serpiente...

20 »Otra razón me impulsaba a venir en busca de
Lázaro, y era el deseo de recobrar un magnífico
retrato de mi padre, hecho por uno de los más
afamados pintores de Madrid, cuando el Marqués de
Pinos estaba casado con la Baronesa de O'Lein,
25 retrato que pertenecía a esta casa; que se hallaba,
por consiguiente, en poder del *desheredado*, y a cuya
posesión me creía yo con mejor derecho que él.

»Aquí entra, en el orden cronológico de los sucesos,
la terrible escena que usted y Diego presenciaron
30 aquella noche, y la cual queda (pienso yo) suficiente-
mente explicada y aun justificada por lo que a mí
toca. —Voy a desvirtuarla ahora con relación a Lázaro..., y ¡téngame Dios en cuenta el dolor que ha de
causarme lo que me queda por referir!...

35 »Cuando regresé a Chile portador del retrato de mi
padre y con la cruel satisfacción de haber visto a

mis plantas al hombre a quien tanto aborrecía entonces, mi madre, que había hecho esfuerzos inmensos
para impedir mi venida a Europa, quedó profundamente sorprendida al oírme contar los pormenores
de mi entrevista con Lázaro...

—«Y ¿no se ha defendido? (me preguntaba con
»insistencia) ¿No me ha acusado a su vez? ¿No me
»ha calumniado? ¿No ha negado siquiera la veracidad
»de mi delación?

—»¡Nada, madre mía!... ¡No ha hecho más que
»llorar y arrastrarse por los suelos! —¡Es tan cobarde
»como malvado! —Lo único que no acierto a expli-
»carme es el empeño que ponía en conservar el retrato
»de aquel mismo padre a quien tan villanamente
»había ofendido... ¡Todo le importaba poco con tal
»que le dejase el retrato..., y eso que lo tenía arro-
»llado y escondido en un armario, como arrumba-
»do objeto o como hurtada prenda que no se atre-
»vía a lucir...»

»Mi madre guardó silencio...; dijo que se sentía
indispuesta, y se retiró a sus habitaciones. —Aquel
día no comió. Al otro se quedó en la cama, e hizo
llamar al médico. —El médico la halló bien, y le dijo
que sólo tenía una poca pasión de ánimo... ¡Pero
pasión de ánimo fue, que minó poco a poco su salud
y marchitó su hermosura; que la hizo encanecer en
pocos meses, cuando no contaba treinta y cuatro
años; que pronto le causó una total inapetencia,
como la que había padecido mi padre, y que acabó
por producirle una consunción mucho más rápida
y desastrosa!...

»No tardó, pues, en llegar la hora de su muerte...

»Aunque nunca había sido muy devota... (¡he
dicho a usted que tengo la obligación de contárselo
todo!), ya hacía una semana que había pedido confesión y que el P. González celebraba con ella
largas conferencias de día y de noche..., mas sin que

por esto se procediese a administrarle el Viático...,
lo cual hacía suponer que la confesión no se había
formalizado o no había concluido... —Pero llegó,
repito, su última hora, y entonces el P. González,
5 que llevaba aquel día mucho tiempo de estar encerrado con la moribunda, y a quien ya se había oído
gritar varias veces: «*¡Hermana: mire usted que luego
»será tarde para obtener la absolución!*», salió al fin
de la alcoba y me participó que mi madre deseaba
10 confesar un gran pecado en presencia mía y de siete
testigos...

»¡Permita usted a mi sonrojo suprimir detalles y
circunstancias!... La *confesión pública* de mi madre se
redujo a decir: que Lázaro era inocente; que ella se
15 enamoró perdidamente de él tan luego como le vio
y le oyó hablar; que ella fue también quien una noche
(la misma noche en que se fugó mi hermano) se
acercó a la hamaca en que éste dormía al aire libre,
y lo requirió osadamente de amores..., y que, horro-
20 rizado Lázaro, dio un grito diciendo: —«*¡Ah, pobre
»padre mío! ¡No sepas jamás cuán desgraciado eres!...*
—y huyó como José, dejándola loca de amor y de
espanto...

»Después de esta horrenda confesión, tornó los
25 ojos hacia mí la que me había llevado en sus entrañas, y me dijo:

—«No como madre tuya..., pues no merezco invo-
»car tan sagrado título, sino como pecadora que va
»a comparecer ante el tribunal de Dios, te pido que
30 »me perdones, y que vayas a España a impetrar *para
»mí* el perdón de Lázaro... —¡Rehabilítalo; devuél-
»vele su limpio honor, su título y su hacienda!...; y
»si para lograrlo es menester publicar mi pecado a

---

16   En la 1.ª ed. falta «que ella se enamoró perdidamente de
él tan luego como le vio y le oyó hablar».

22   Alude, naturalmente, al relato bíblico sobre la castidad
de José, asediado por la mujer de Putifar.

»la faz de todos los hombres, publícalo, Juan de mi
»alma, publícalo...; que el mundo te bendecirá por
»ello, como yo te bendeciré desde el cielo... cuando
»Dios me haya perdonado...»

—«¡Yo te perdono en su nombre!» —exclamó entonces el P. González.

»Y la absolvió en nuestra presencia...

»Mi madre inclinó la frente y exhaló el último
suspiro.»

. . . .

Cuando Juan de Moncada (que no ya para los
lectores el *Marqués de Pinos*) pronunció esta postrera frase, faltábale también el aliento... —Lanzó, pues, un gemido y sepultó la cabeza entre las
manos.

Fabián se había puesto de pie, y revelaba en su
semblante una admiración, un entusiasmo, una ple-
nitud de sublimes emociones, tal posesión, en fin, de
su propio espíritu, que parecía un vencedor en el
momento de la apoteosis...

—¡Existe el alma! (pronunció llevándose ambas
manos al pecho, dilatado como si fuese a estallar).
¡Existe el alma! ¡La siento aquí!... ¡Siento que se
abrasa de celos, de emulación, de noble envidia por
hacer lo mismo que ha hecho el alma de Lázaro!
—Pero ¡Dios de bondad! ¡cuánto más amarga era
su situación que la mía!... ¡Él había sido siempre
bueno! ¡él tenía derecho a que lo creyeran! ¡él podía defenderse!... ¡Y él abrazó voluntariamente el
martirio!... —¿Estaba, por ventura, obligado a
tanto?

El hermano del *desheredado* levantó la cabeza y
exclamó:

---

11   En la 1.ª ed.: «no ya para nosotros». La sustitución no
deja de ser reveladora de la tan romántica identificación que el
novelista deseaba conseguir con sus lectores.

—¡Óigale usted respecto a eso! ¡Hay que oírlo, como lo he oído!... ¡Él propio Jesús parece hablar por sus labios, como habló un día por los del insigne autor de *La Imitación!*

5   —¡Oh! ¡se lo suplico a usted!... ¡Vamos ya! ¡Vamos a verle! —exclamó Fabián Conde, encaminándose a la puerta.

—Lo verá usted solo. —Yo no debo importunar a ustedes... Además..., ¡mi corazón está chorreando 10 sangre después de cuanto acabo de referir!... —Sígame usted.

Y, dichas por Juan estas palabras, salieron ambos jóvenes de aquel aposento, cruzaron varios salones, y llegaron a uno, delante de cuya puerta se detuvo 15 Fabián reverentemente.

—Lo recuerdo... (dijo). ¡Este es su cuarto!

Y pasó delante de su guía.

Pero Lázaro no estaba allí.

Juan, que entraba entonces dando muestras de 20 igual respeto, señaló a una puertecilla algo disimulada que había a la mitad de aquel salón, y murmuró en voz baja:

—Por aquí, Sr. D. Fabián... —Yo me retiro.

—Arriba, hallará usted cerrada la puerta (pues ya he 25 dicho que me ha sido forzoso aprisionar al calumniado para que me deje defenderlo); pero la llave está en la cerradura... —Muy buenas noches...

—Advierto a usted (observó Fabián delicadamente) que ni Diego ni yo hemos entrado nunca ahí..., 30 y que, por el contrario, varias veces creímos notar que Lázaro nos vedaba con su actitud hasta el hacernos cargo de que existía esa puerta...

—¡Aquellos eran otros tiempos! (respondió el adolescente). —Pase usted sin cuidado... ¡Lázaro no ten-

---

4   Alude a la *Imitación de Cristo,* atribuida al famoso místico alemán Tomás de Kempis.

drá ya secretos para usted, pues que yo acabo de
contarle a usted todos los de su gloriosa vida!

Y con esto saludó otra vez a Fabián, y se retiró
por donde había venido.

Fabián empujó entonces la puerta misteriosa. 5

V

ENTRE LA TIERRA Y EL CIELO

Al lado de aquella puerta había una reducida estancia, desamueblada completamente, en medio de
la cual se veía una escalera de caracol, de madera y 10
hierro, por cuyo extremo superior comenzaba a vis-
lumbrarse alguna claridad...

Fabián subió aquella escalera, y, a su remate, se
encontró en otra estancia, también desamueblada.
Sobre el pavimento había una linterna encendida 15
cerca de una segunda puertecilla, cuya llave estaba
puesta.

No obstante las graves preocupaciones que embar-
gaban su ánimo, el antiguo libertino recordó sin duda
la viva curiosidad que a Diego y a él les había ins- 20
pirado en otro tiempo aquella parte de la casa, y los
mil comentarios y conjeturas que habían hecho acerca de lo que Lázaro pudiese tener guardado allí...
—Ello es que contempló supersticiosamente la puertecilla, y dijo: 25

—Todo llega en este mundo... ¡Al fin voy a salir
de dudas!

Y, desechando rápidamente la llave, abrió.

Pero el cuadro que apareció ante sus ojos lo maravilló de tal manera, que se detuvo un momento, 30
sin atreverse a pasar adelante...

Érase una especie de urna de cristal, de colosales
proporciones, inundada por la luz de la luna y ta-

chonada por todas las estrellas y luceros de una noche clarísima. El fulgor del astro melancólico rielaba en una y otra vidriera, produciendo reflejos de deslumbradora plata, o hacía brillar una multitud de
5 rutilantes discos y de tendidas columnas de oro. —Es decir (hablando en puridad): era un gabinete de cristales construido sobre una azotea, o más bien sobre la plataforma de una torre, y que dejaba ver el cielo, no sólo por la techumbre, sino también por
10 las cuatro paredes. —Era, en fin, un *observatorio astronómico* en toda regla, y, por tanto, aquellos misteriosos discos y tendidas columnas de oro no pasaban de ser enormes relojes siderales, cronómetros, telescopios, investigadores, heliómetros, teodo
15 litos, esferas, meridianos y otros instrumentos con que los geógrafos del cielo buscan los astros, los siguen, los estudian, los miden, averiguan su composición física, los pesan, y forman exacto juicio de sus movimientos, de sus órbitas, de sus esta
20 ciones y de todas las leyes de su naturaleza y de su destino.

Era, pues, aquella celda aérea una morada que no tenía relación con nuestro mundo; una estación fuera de la tierra; una especie de antesala del cielo; y en
25 medio de ella veíase a Lázaro de pie, vestido con larga blusa azul, como cualquier obrero, y apoyado en un inmenso anteojo ecuatorial, —que salía en gran parte fuera del gabinete por una abertura de las vidrieras, a modo de cañón asomado a la porta de for
30 midable navío...

Decimos que Fabián se detuvo lleno de asombro ante aquel cuadro...

Lázaro se sonreía, mirando afablemente a su antiguo amigo, en tanto que se comprimía con una mano
35 el corazón...

---

26   En la 1.ª ed.: «vestido con una larga blusa de obrero».

—Entra, Fabián... (prorrumpió al fin el desheredado, mostrando una tranquilidad melancólica y dulce, semejante a la que revela la voz de los convale-
cientes). ¡Hace un año que te aguardan los brazos de
tu amigo!...   5

—¡Lázaro! (exclamó Fabián precipitándose en
ellos). ¡Eres tan generoso como yo desventurado!

Lázaro permaneció silencioso y como yerto. —Dijérase que perdonaba, pero que no amaba.

Lo comprendió así Fabián, y retrocedió un poco,   10
murmurando:

—Ya sé que Diego ha estado aquí... ¡Pero yo te
juro que soy inocente!

—¡Lo sé!... (respondió Lázaro con gravedad). Y
me fundo... en que vienes a buscarme. Cuando hace   15
poco llamaste a mi puerta, estaba yo diciéndome por
centésima vez: —«Si, como presumo, Fabián es ino-
»cente, acudirá a mí en su desdicha... Ahora: si por
»acaso ha cometido el crimen de que le acusa Diego,
»no vendrá a verme de manera alguna...» —Y he   20
aquí la razón por qué no salí a buscarte tan pronto
como se marchó Diego...

—¡Luego tú conoces mi corazón! —prorrumpió Fabián, acercándose otra vez a Lázaro y cogiéndole
una mano.   25

—¡Te conozco, y conozco a Diego!... —¡Por eso os
anuncié que *me buscaríais!*... —Lo digo sin ningún
género de petulancia, puesto que gano más que vosotros en que nos veamos.

—¡Perdona, Lázaro! (suspiró Fabián, en cuyas cris- 30
padas manos yacía inerte la de su amigo). ¡Perdó-
name todas mis antiguas injusticias!... ¡Perdona que
desconociera tu sublime virtud!

Lázaro inclinó la cabeza con visible fatiga, y repuso amargamente: 35

---

29   Todo este párrafo falta en la 1.ª ed.

—Veo que mi hermano te lo ha contado todo...

—¡Todo, todo, mi buen Lázaro!

—¡Sabe Dios que lo siento!

—¿Por qué? ¿No soy yo también hermano tuyo?
5 —¿O imaginas acaso que vengo a verte con alguna
mira interesada?

—Pues ¿a qué venías... antes de conocer mi historia?

—He venido porque, al verme calumniado y sin
10 medio alguno de defensa, mi corazón empezó a tener
fe en la tuya... —Así es que anoche estuve dos o
tres veces a la puerta de esta casa... sin atreverme
a llamar... —He venido porque necesitaba *creer*...
para que me creyesen a mí...; porque apetezco
15 *creer*...; porque «creer» es muy dulce, hermano mío...;
porque *yo creo ya... mucho más de lo que tú te
figuras*... He venido, en fin, porque habiéndole contado mi historia a un sacerdote (al célebre P. Manrique, con quien acabo de pasar seis horas), éste
20 me ha dicho que tú me habías dado siempre saludables consejos; que hice mal en no seguirlos
aquella noche... (cuando con tanta razón te opo-
nías a que estafase a la opinión pública en el
asunto de mi padre), y que, por resultas de todo,
25 debía buscarte y pedirte perdón... —¡A eso he venido, Lázaro; nada más que a eso..., antes de
saber, como sé ahora de una manera material, que
tú habías hecho previamente cuanto nos aconse-
jabas a Diego y a mí, y que tú..., no sólo eres
30 de la misma arcilla de los santos, sino tan santo
como ellos!

Lázaro estrechó por vez primera las manos de Fabián, y le dijo, mirándolo intensamente:

—¡Conque tú te has confesado!...

35 —No me he confesado en el sentido sacramental
de la palabra... Pero le he contado toda mi vida a
un sacerdote de la Religión en que nací y fui cria-

do..., de la Religión del que murió en la cruz calumniado y desconocido...

—Y bien: ese sacerdote, ¿qué más te ha aconsejado que hagas? —¿Qué vas a hacer cuando salgas de aquí... llevándote el perdón que desde luego te otorgo y la fe que no le niego a tu inocencia?... —¡Ya sabrás que Diego está loco de furor; que no hay manera de aplacarlo; que mil apariencias te condenan y que quiere tomar una venganza horrible!

—Lo sé... —respondió Fabián.

—Yo he intentado inútilmente disuadirlo, calmarlo, retenerlo aquí... —¡Él insiste en matarte hoy mismo! —«¿Pues a qué has venido a verme si no habías de tomar mis consejos?» (le he dicho con verdadera indignación, sin perjuicio de lo que luego me ocurriera hacer para evitar el duelo. —«¡No sé!... (me ha contestado estúpidamente). He venido aquí como iré a todas partes a quitarle la máscara a Fabián Conde.» —Estás, pues, perdido..., amigo Fabián..., por lo menos a los ojos del público... —Dime, en consecuencia, qué vas a hacer...

—¿Yo? (respondió el interpelado con una sencillez tan grandiosa, que Lázaro lo contempló extáticamente). —¡Yo no tengo ya nada que hacer en este mundo, sino prestarme a lo que me ha mandado el padre Manrique y a lo que determine Diego! —Cuando me vaya de acá no seré ya Conde, ni rico, ni aspirante a la mano de Gabriela. Dentro de poco vendrán mi administrador y un notario, y renunciaré mi título, daré a los pobres el caudal de mi padre, escribiré a Gabriela rompiendo nuestro compromiso, e iré en seguida a ponerme en manos de Diego para que

2 Todas estas frases faltan en la 1.ª ed.; ya que en ella Fabián parece aceptar que, efectivamente, se ha confesado con el jesuita, versión que asimismo acepta Lázaro. Cuanto ahora explica Fabián supone una precisión más o cautela que añadir a tantas otras como han ido siendo señaladas en anteriores notas.

me mate, para que me pisotee, para que me entregue
a los tribunales, para que castigue, en fin, todas mis
antiguas faltas, ya que Dios omnipotente lo ha nombrado ministro de su justicia...

5   —¿Tú vas a hacer todo eso? —exclamó Lázaro,
trémulo de entusiasmo y regocijo.

—¿No has hecho tú mucho más? —replicó Fabián
Conde.

—¡Oh! ¡ahora es cuando puedo abrazarte! (gritó
10 aquél con los ojos arrasados en lágrimas). ¡Ya existes! ¡Ya eres invulnerable! ¡Ya no tienes nada que
temer de Diego! ¡Ya es Dios el mantenedor y defensor de tu inocencia!

—¡Lázaro mío! —gimió Fabián con desconsuelo.

15 —¿Qué? ¿Flaquea todavía el barro mortal? ¿Te
duele mucho el sacrificio?

—¡Mucho..., Lázaro de mi alma! —¡Había llegado
a adorar de tal modo a Gabriela!... ¡Es tan cruel
esta especie de suicidio parcial a que me veo conde-
20 nado! —¿Qué seré yo sin ella en este mundo?

—¡Sin ella! —¿Qué estás hablando? ¿Quién podrá
arrojarla de tu espíritu? ¿Quién podrá impedirle a tu
alma que sea suya? —Escucha, Fabián: necesito hablarte de mí..., ¡de mí, que amaba a mi padre tanto
25 como tú puedes amar a Gabriela! Vas a saber lo que
a nadie he referido..., lo que a nadie pensaba referir... (Y aquí te advierto que Diego ignora completamente mi historia, y que te agradeceré no se la
cuentes si llegas a hablar con él... —¡Ay! ¡El mísero,
30 en el egoísmo de su pasión, no ha demostrado síquiera
acordarse de las acusaciones que me dirigió en otro
tiempo!...) —¡Vas a saber, digo, de qué milagros es
capaz el alma humana cuando se desliga de la materia! ¡Vas a saber hasta dónde llegan las fuerzas
35 del hombre! ¡Vas a saber quién eres..., o quién
puedes ser, y asombrarte de haberte desconocido
hasta ahora!... ¡Vas a saber, en fin, cómo vivo yo,

y a convencerte de que aún puedes ser muy venturoso!

Lázaro condujo a Fabián a un ángulo de aquella transparente estancia, en el cual había una mesa y una silla: obligólo a sentarse; y, apoyándose él en la mesa, dijo con una voz que parecía salir de lo profundo de su alma:

—«Voy a hablarte de cosas que llenan muchos y muy reputados libros, cuya forma literaria se admira todavía generalmente, pero cuya esencia inmortal empieza a no tener sentido en la moderna Babilonia... Voy a hablarte de los inefables goces que experimenta el alma humana cuando sabe anticiparse a la muerte, separándose del cuerpo, y ponerse en inmediata comunicación y contacto con el creador de todas las cosas visibles e invisibles.

»Comprendo perfectamente que nieguen la posibilidad y efectividad de estos goces aquellas gentes que viven en medio del ruido mundano, atentos al espectáculo social, sin entablar nunca íntimos coloquios con su propia alma, ni escuchar un solo momento los alaridos de su conciencia... —¡Naturalísimo y lógico es que quien regresa a su casa con el corazón lleno de cieno; el que sale del teatro, del

22 La 1.ª ed. presentaba una versión más extensa del discurso de Lázaro, al incluir estas confidencias: «¡Explícome, sí, que en estos tiempos de impiedad y materialismo, apocalípticos en mi entender para la llamada civilización, los filósofos, los sabios, los estadistas, los grandes críticos, preocupados por fenómenos externos, por conflictos objetivos, por intereses convencionales puramente humanos, no crean, no comprendan o no hallen digno de la alta consideración de su ciencia *racionalista,* nada de lo que dicen los libros ascéticos acerca de las misteriosas intuiciones del alma, de sus inefables diálogos con Dios, y de las extremas delicias y seráficos éxtasis que prueba al refugiarse en el seno de su Padre celestial... —¡Naturalísimo y lógico es semejante desconocimiento de una beatitud a que los modernos grandes hombres no llegan ni pretenden llegar nunca! —Y más natural es todavía (fijándonos ahora en la generalidad de los pecados), que quien regresa a su

festín o de la tertulia con el espíritu prendado de
ídolos terrenales, de mundanas hermosuras o de fe-
briles ambiciones; el que acaba de ensangrentarse en
sus prójimos, luchando con ellos en la arena de tal
5 o cual asamblea o club político; el que viene, en fin,
de disputarles el oro en la casa de juego, la mujer en
el sarao, la vida en la pendencia, el honor en la
murmuración, el poder en el periódico, la gloria literaria en la revista, o el empleo en las antesalas mi-
10 nisteriales, no pueda de pronto (sólo con abrir y ho-
jear un libro místico... para ver de conciliar el sueño)
despreciar la vida que lleva y piensa seguir llevando,
y reconocer que hay otra más alta, digna y más *feliz*,
que consiste precisamente en renunciar todo lo que
15 aquí abajo se llama *felicidad*... —Por eso yo, Fabián
mío, mientras te vi correr de escándalo en escándalo,
no te hablé nunca el lenguaje que te hablo hoy, sino
que me limitaba a pedirte que entrases en cuentas contigo propio, apartándote del mal, convencido
20 como estaba de que luego te sería muy fácil renunciar asimismo a los ilusorios bienes de la tierra...
—Pero hoy que Dios misericordioso, mostrándose
parcial en tu favor, no por tus merecimientos, sino
por las buenas intenciones de que le has dado prue-
25 bas algunas veces, ha hecho por ti lo que tú te resis-
tías a hacer; hoy que la Providencia ha conducido
tu libre albedrío, por medio de Gabriela, a apartarte
del mal, y, por medio de Diego, a despojarte de todo
soñado bien; hoy, en fin, que eres lo que el mundo
30 apellida «*desgraciado*», y que, por consiguiente, estás
ya en aptitud de apreciar y apetecer la verdadera
felicidad, voy a descubrirte el fondo de mi alma, voy
a asomarte al abismo de mis dolores, para que veas

---

casa con la conciencia cargada de cieno; el que sale del teatro»,
etcétera. Tal vez Alarcón consideró excesivamente condenatorias
todas las frases suprimidas, especialmente aquellas que aludían
a los filósofos, sabios, estadistas, etc.

cuán dulcemente, allá abajo, en lo hondo de la sima, entre verdores eternos, está el sumo Dios, departiendo afablemente a todas horas con tu calumniado amigo, con el venturoso *desheredado* que te habla.

»Empieza, Fabián, por hacerte cargo de cuál era mi situación... antes de conocer tales delicias. Me decías hace poco que te dolía mucho el acto que hoy piensas llevar a término... —¡También me dolió a mí el sacrificio que hice en aras de mi piedad filial! ¡También fue aquello una especie de suicidio! —Era yo inocente, como sabes, del crimen que me imputaba mi madrastra; pero no podía defenderme sin acusar a ésta, y su acusación equivalía a herir en mitad del alma al hombre que me dio el ser; era decirle que la mujer de quien estaba locamente enamorado no lo quería, ni merecía que él la quisiera; era demostrarle que estaba deshonrado; era entregar su nombre al ludibrio del mundo...; era, en fin, sacrificar a mi padre para ser yo dichoso, o cuando menos tenido por honrado, en lugar de sacrificarme yo para que mi padre siguiera creyéndose con honra y con ventura... —Opté por mi sacrificio..., y mi primer paso fue privarme para siempre de su amor y de su compañía, abandonándolo con todas las apariencias de la ingratitud... Soporté luego su terrible maldición, el odio de mi hermano y el peso de la más atroz calumnia... Y sufrí, por último, la eterna flagelación del desheredamiento..., ¡del desheredamiento, que era como la anulación de mi ser, como mi destierro de la sociedad y de la familia, como una sentencia que me declaraba sin derecho a mi nombre, sin derecho a la sangre de mis venas, sin derecho al aire que respiraba, sin derecho a la sombra de mi cuerpo..., *sin existencia positiva*, en suma, como un error abjurado, como una úlcera cauterizada, como un reo cuyas cenizas aventa el verdugo, como una epidemia que disipa el viento!... —Pues bien: yo, ca-

lumniado, indefenso, maltratado por mi hermano,
desheredado por mi padre, injuriado por vosotros,
me alejé del mundo de los hombres..., no por medio
del suicidio, ni tampoco retirándome a un conven-
5 to..., sino refugiándome a esta especie de isla desierta
enclavada en el océano de la vida, y desde la cual
sólo estaría en contacto con lo infinito... —¡Encerrar-
me en un convento hubiera sido demasiado teatral
en mi situación; hubiera sido escandaloso (pues, a
10 las veces, también las obras de piedad causan escándalo...), y preferí fabricar este *observatorio*, donde,
sin afanes ni ociosidad, podía vivir (y he vivido cinco años) en la contemplación del cielo y de mi
alma!... —La horrible tragedia que me obligó a des-
15 terrarme de la sociedad me había conducido desde
luego a hacer voto espontáneo de no fijar los ojos en
ninguna mujer, o sea de vivir y morir sin amores...
Mi condición de desheredado me aconsejó después
no tener tampoco amigos que con el tiempo pudie-
20 ran avergonzarse de haberme dado la mano; y si en
este punto fui débil un día..., el día que os conocí
a ti y a Diego..., ¡ya recordarás los crueles tormentos que me ocasionó al cabo vuestra amistad! —Me
encerré, pues, de nuevo y para siempre en este re-
25 cinto, y me reduje otra vez a vivir de mí propio, sin
esperar nada de los hombres...

»Ni ¿qué falta me hacían sus consuelos? —Cuando
mi padre me envió su maldición; cuando conocí la
espantosa calumnia que pesaba sobre mi cabeza;
30 cuando vi que para la felicidad de mi padre, de mi
inocente hermano y de la misma calumniadora se re-
quería que yo me resignase con tan atroz injusticia,
parecióme que se entreabría el cielo y que Dios me
decía: «Sé que eres inocente: te agradezco tu sacrificio:

---

9 También aquí Lázaro se expresa como el P. Manrique.
Recuérdese lo apuntado en la pág. 159, nota 27.

»estoy orgulloso de haberte criado: yo te recompen-
»saré con mi eterno amor.» —Cuando en seguida supe
que mi padre había muerto, maldiciéndome otra vez
y desheredándome..., caí de rodillas en medio de
esta estancia, y clavé los ojos en el firmamento... 5
—«¡Padre mío! (dije). Ya estarás leyendo en mi co-
»razón... ¡Ya puedes conocer cuánto te he amado!...»
—Y en el instante mismo, al través de mis lágrimas,
vi que mi padre me sonreía cariñosamente en los
espacios sin medida, alargándome los brazos y dicién- 10
dome: «¡Gracias, hijo mío..., gracias! Yo te bendigo...
»Yo te pido perdón... Aquí te aguardo para prodigarte
»el amor y las caricias que te negué en la tierra...»
—Y, en fin, cuando vino mi hermano la primera vez
y me insultó tan inhumanamente; cuando Diego y 15
tú me injuriasteis del propio modo, ¡Dios y mi padre
me asistieron y consolaron igualmente desde más allá
de esos mundos que ves brillar sobre nuestra cabeza!... —¡Así es, Fabián, que yo he pasado aquí
noches sublimes, en que mi alma extravasaba mi 20
ser y se extendía por los ámbitos celestes, proporcio-
nándole a mi corazón un júbilo inefable, una paz y
una gloria que no sabría explicar la lengua humana,
y que sólo podrían compararse a las visiones mila-
grosas que los grandes místicos han tenido de la 25
bienaventuranza eterna!...
»¡Se me dirá que todo esto ha sido alucinación de
mi mente...; que ni Dios se ha movido del cielo, ni
mi padre de la tumba; que el orden natural no se ha
alterado poco ni mucho en provecho mío; que he 30
delirado; que he soñado!... ¡Pero Fabián, la consolación y la dicha que he sentido yo, y las fuerzas
que me han comunicado esas visiones para poder
seguir sacrificándome por mi padre y por mi hermano, no han sido sueño ni delirio!... Admítase, cuando 35
menos, que han sido intuiciones, avisos, presenti-
mientos de mi conciencia... —¡Para mí el caso es

siempre igual: el caso es que, cuando el hombre hace
dejación de su egoísmo en bien de sus semejantes o
en cumplimiento de sus deberes, siente una misteriosa alegría, recibe un infinito consuelo, cree que
5 Dios lo corona de gloria, y vive más amplia y dignamente que nunca! —¡Todo eso querrá decir, en definitiva, que el alma se entiende con la Justicia eterna
sin intervención de nuestros sentidos ni de nuestra
misma razón!... ¡Todo esto querrá decir que hay un
10 mundo para el alma; que hay otra vida además
de la material; que nuestra conciencia presiente esa
vida; que la idea de Dios es en nosotros ingénita,
consustancial, innata, como satisfacción de la más
grande necesidad del espíritu! —Pues bien: ¡a ese
15 mundo te llamo yo, que no soy el P. Manrique!
¡esa vida te ofrezco! ¡ese Dios es el que te aguarda
en ella!»

Fabián había escuchado este largo discurso con
verdadero arrobamiento, fijos los ojos en la estrella-
20 da bóveda celeste, esclarecida por la blanca luna...,
y, cuando Lázaro dejó de hablar, murmuró, como si
le respondiese desde otro mundo:

—Sí, Lázaro... ¡Lo comprendo, lo veo, lo toco!...
El P. Manrique tenía razón... Hay algo más fuerte
25 que la calumnia; hay algo más poderoso que la injus-

---

15   En la 1.ª ed. falta «que no soy el P. Manrique». La inclusión de tal distingo resulta significativa: Alarcón debió darse
cuenta de que Lázaro y el jesuita se expresaban ante Fabián de
la misma o muy parecida manera. Las últimas líneas de la novela,
con el diálogo entre el P. Manrique y Lázaro, no hacen otra cosa
que confirmar todo esto.

20   De nuevo habría que aludir a esa casi óptica teatral de
que Alarcón se servía para disponer algunas escenas novelescas.
En este caso, se esforzó en lograr, mediante una serie de referen-
cias plásticas, el ámbito adecuado para el espiritual reencuentro
de Fabián y de Lázaro.

22   En la 1.ª ed.: «murmuró por su parte maquinalmente,
como un eco de su propia conciencia».

ticia; hay algo superior a la ira de Diego... ¡Existe Dios!

Dichas estas palabras, y hallando delante de sí papel y tintero, cogió la pluma y se puso a escribir apresuradamente...

Lázaro fue a alejarse entonces de la mesa; pero Fabián lo detuvo con esta pregunta:

—Dime: ¿y piensas perseverar en tu martirio?

—¿Por qué no?

—¡Es que ya estás rehabilitado!... Tu madrastra ha confesado públicamente tu inocencia al tiempo de morir, y, por consiguiente, puedes recobrar con pleno derecho tu buen nombre, no ya sólo el de Barón de O'Lein, sino el título de Marqués de Pinos y la mitad de la fortuna de tu padre...

—Todo eso sería a costa de deshonrar a mi padre y a mi madrastra, después de muertos, y anteponer mi ventura a la de mi pobre hermano... Yo he preferido escribir a los siete testigos y rogar a mi hermano que guarden perpetuo silencio acerca de aquella confesión, cuya mayor o menor *publicidad* quedó al arbitrio de mi conveniencia...

—¡Tu hermano se opondrá a ese nuevo sacrificio de tu parte!... ¡Yo lo espero así de su nobleza!

—Lo ha intentado...; pero se ha convencido de que no tiene derecho a oponerse, dado que él renuncia también a la herencia de nuestro padre...

—¿De modo que nadie heredará ni el título ni las rentas del Marqués de Pinos?

—Las rentas las heredarán los pobres... —contestó Lázaro.

—¡Basta! —replicó Fabián solemnemente.

2 En la 1.ª ed. sólo: «—Sí Lázaro... Lo comprendo, lo veo, lo toco... ¡Existe Dios!»

5 La 1.ª ed. añadía: «cual si durante la peroración de su amigo hubiese estado coordinando aquello que escribía».

8 En la 1.ª ed.: «en tu sistema de vida».

Y siguió escribiendo.

Lázaro se acercó entonces a un telescopio-investigador, y se puso a viajar por los espacios infinitos.
Era en aquel momento la una de la noche.

VI

LOS TESOROS DE LOS NÁUFRAGOS

Hora y media después, un golpe dado a la puerta del observatorio interrumpió a aquellos dos jóvenes, de los cuales el uno estaba renunciando todos los bienes de la tierra, y el otro buscando en remotos mundos consolación y olvido para los males que había experimentado en el nuestro.

Los que llamaban eran el anciano portero, el hermano de Lázaro, el Administrador de Fabián y un Notario.

El que iba a dejar de ser Conde de la Umbría rogó a todos que lo escuchasen, y preguntó a su Administrador:

—¿A cuánto ascendía mi caudal cuando recobré los bienes de mi padre?

—Le quedaban a usted cincuenta mil duros.

—¿Cuánto habré gastado desde aquel día, así en Madrid, como en Londres, como en los preparativos de mi casamiento?

—Veinte mil duros.

—Réstanme, pues, treinta. —De ellos tengo seis en mi poder, en dinero... Resérveme usted los otros veinticuatro, adjudicándomelos preferentemente en los regalos de boda que he comprado estos días y en la casa de campo en que murió mi madre, y entregue usted al señor Notario una lista de mis demás bienes, para que esta misma noche extienda una escritura, de la cual resulte que se los cedo a los niños expósitos de Madrid. —Mañana al ser de día ha de obrar una copia de esa escritura en poder del P. Manrique, que vive en el convento de los Paúles...

—Señor Conde... (observó tímidamente el Administrador): usted ha crecido en dos millones los ocho 5 que heredó de su difunto padre...

—¡Los renuncio también! (contestó Fabián Conde).

—Señor Notario (añadió en seguida): redacte usted además esta noche un acta, por la que aparezca que yo, Fabián Fernández de Lara y Álvarez Conde, re- 10 nuncio para mí y para mis sucesores el condado de la Umbría; y de esta acta, señor Administrador, envíe usted mañana copia autorizada al Ministro de Gracia y Justicia, acompañada del correspondiente oficio. —Extienda usted también mi dimisión del cargo de Secre- 15 tario de la Legación de España en Londres y la retirada de mi candidatura para diputado a Cortes; todo en papel sellado, y tráigamelo antes del amanecer para que lo firme. —Señores (agregó en fin, dirigiéndose a Lázaro, a Juan y al portero): sean ustedes testigos. 20

—Señor Notario (dijo entonces Lázaro), venga usted mañana a verme, pues tengo que otorgar otra escritura de cesión...

—Y al mismo tiempo (añadió Juan), pase usted por mi cuarto, pues también necesito yo hablarle de 25 negocios del mismo orden...

El Notario y el Administrador se miraron asombrados. —El portero rezaba. —Lázaro, Juan y Fabián Conde se reunieron en amistoso grupo y se dieron las manos fervorosamente. 30

Alejáronse luego todos los recién llegados, y volvieron a quedar solos Lázaro y Fabián.

—Ahora (dijo éste), oye los documentos que he escrito:

---

30 Otra escena de tono teatral, dado por las actitudes y disposición de los personajes.

«Señor Juez...»

—¡No sigas! (interrumpió Lázaro)... —Ese documento, ¿es una declaración en que te acusas de las falsedades cometidas en unión de Gutiérrez?

5 —Sí.

—Pues rómpelo... Ya no hace al caso. Diego no puede esgrimir contra ti ese arma... Esta tarde me ha dicho, lleno de furor, que Gutiérrez (cuyo domicilio había logrado descubrir) fue asesinado hace 10 quince días en una casa de juego, y que de las actuaciones judiciales aparece que se llamaba Juan López.

—Así lo acreditaban todos sus documentos, y es imposible probar otra cosa... —Estás, pues, por lo menos, libre del presidio con que te amenazaba mi 15 antiguo impugnador.

—¡Siento mucho que Gutiérrez haya muerto! (contestó Fabián con soberana arrogancia). —Pero, una confesión de parte, revelación de prueba... ¡Yo me delataré de todos modos! ¡No quiero privar a Diego de 20 ningún medio de hacerme daño! —¡Espontáneamente le entregaré esta declaración para que él la presente al Juzgado!... ¿Qué puede importarme ir a presidio, cuando renuncio a mi Gabriela? —He aquí, si no, lo que escribo a D. Jaime de la Guardia:

25   «Respetado señor mío:

»Soy indigno de ingresar en su familia de usted, y »usted mismo lo reconocerá así al enterarse de que »yo manché la honra del difunto general la Guardia »manteniendo criminales relaciones con su esposa.

30   »Perdóneme usted que le haya ocultado hasta hoy »esta horrible circunstancia, que me inhabilita para »enlazarme con Gabriela.

»Queda de usted humilde servidor,

»FABIÁN CONDE, EX CONDE DE LA UMBRÍA.»

—¡Valor, hermano! —dijo Lázaro al notar la palidez de muerte que cubría el rostro de Fabián.

—¡Lo tengo! (respondió éste). —Oye lo que le escribo a Gabriela:

«Gabriela:

»Diego retira su fianza. Diego me acusa de haber »atentado a su honor, requiriendo de amores a su »esposa.

»Sabe Dios que esto es falso, y Diego lo sabrá en »la otra vida...; pero yo no puedo probárselo y justi- »ficarme en ésta... —¡Todos mis antiguos delitos y »escándalos deponen contra mí!...

»Por esta razón, y por otras (de las que hoy expon- »go alguna a tu digno padre), renuncio a tu mano, »pidiendo a Dios misericordioso te dé toda la felicidad »que esperaba de ti

»FABIÁN CONDE.»

—¡Ánimo, Fabián! —volvió a decir Lázaro, viendo que por el rostro del infortunado amante corrían dos hilos de lágrimas.

—¡Lo tengo! (contestó de nuevo el mísero, poniéndose de pie). —Tú enviarás mañana estas dos cartas a su destino... —Y ahora, si quieres, retírate a descansar. —Yo esperaré aquí hasta que sea de día; firmaré los documentos que he mandado extender, y me iré a mi casa a aguardar a los padrinos de Diego, en pos de los cuales llegará él de seguro cuando sepa que no me bato... Necesito reunir para entonces todo mi valor... ¡Diego es naturalmente innoble, y pondrá su mano en mi cara!... ¿No recuerdas que quiso pegarle a tu hermano la infausta noche en que lo conocimos? —¡Dios me dé fuerzas para sufrir tamaño insulto!... Pero, sí; lo sufriré..., lo sufriré... ¿No he renunciado a Gabriela? ¡Pues renunciaré también a mí mismo!

Mientras Fabián decía estas cosas, Lázaro se paseaba meditando, hasta que al fin se detuvo y dijo:

—Espero en Dios que Diego y tú no lleguéis a tales extremos... Yo arreglaré este asunto de otra manera, suponiendo que el insensato no esté completamente loco... Siéntate ahí, y escríbele una carta refiriéndole todo lo que has hecho y estás dispuesto a hacer por consejo del P. Manrique... —Yo se la llevaré en cuanto amanezca... ¡y Dios dirá!

Fabián obedeció ciegamente y se puso a escribir.

Lázaro volvió a sus telescopios y a sus astros, murmurando melancólicamente:

—¡Veamos entretanto por dónde andan los demás mundos!

Pasó una hora.

Eran las cuatro de la madrugada, y sobre la Tierra no se oía más ruido que el chisporroteo de la pluma de Fabián. —Lázaro, subido en una especie de andamio, desde el cual manejaba por medio de manubrios un anteojo enorme, apuntándolo, ora a un astro, ora a otro, miraba de vez en cuando a su amigo sin decirle palabra, hasta que de pronto cesó el ruido de la pluma, y observó que Fabián se había dormido con la cabeza reclinada sobre el pupitre...

—¡Infeliz! (murmuró Lázaro). ¿Desde cuándo no habría descansado?

Y bajó del andamio con sumo tiento y se acercó al amante de Gabriela.

En la última página que había escrito figuraba su firma... Estaba, pues, terminada la carta.

Lázaro la cogió cuidadosamente y la leyó.

Decía así:

«Mi muy querido Diego:

»Va a amanecer el día crítico y solemne de nuestra vida; tal vez el día de mi muerte; tal vez el día de la tuya; el día, en fin, de que tú y yo tendremos que

dar más estrecha cuenta cuando Dios nos llame al
último juicio... Escúchame, pues, como si oyeras a
un moribundo... ¡De todos modos, y pase hoy lo que
pase, será ésta la postrera vez que te dirija la palabra
Fabián Conde..., tu único amigo, el hombre que tanto   5
te ha amado y te ama, el que tan grandes favores te
debe y quien hoy te bendice más que nunca por la
inmensa felicidad que acabas de proporcionarle!...

»Sí, mi querido Diego: ¡Dios te crió para mi bien!
Tú me acompañaste por las sendas del error como   10
solícito hermano, llevándome la cuenta de mis crímenes y delitos, y haciendo las veces de mi apática
y empedernida conciencia, y tú, en el momento
supremo, me has detenido en el camino de perdición,
has juzgado severamente mi vida, has blandido   15
sobre mi cabeza la espada de la cólera celeste, y me
has obligado a caer de rodillas ante el Dios de la
misericordia, pidiéndole perdón para mis culpas...

»¡Dios me ha oído! ¡Dios me perdonará, según
acaba de anunciarme un digno sacerdote!... —Porque   20
yo soy ya todo de Dios, en quien me has hecho creer,
y en cuyos brazos me has obligado a refugiarme al
repelerme de tu seno... ¡Ha sido, pues, providencial
tu injusticia! ¡Tu furia me ha purificado; tu persecución me ha redimido; tus crueles insultos a mi   25
inocencia (que no puede ser mayor en cuanto al
delito de que me acusas) han sublevado toda la
dignidad de mi alma, me han hecho entrar en mí
mismo, han despertado mi conciencia, y aquí me
tienes, vuelvo a decirte, en inmediato contacto con   30
Dios, libre ya de angustias y temores, sin necesidad
de testigos que me defiendan, sin miedo alguno a tu
ira!... ¡Gracias, Diego mío, gracias!

---

20   En la 1.ª ed.: «¡Dios me ha perdonado, por medio de este
digno sacerdote!...» La modificación introducida se relaciona con
la señalada en la pág. 211, nota 2. Fabián Conde no ha realizado una verdadera *confesión sacramental* con el P. Manrique.

»Así es que ya no te pido que me creas. —Podrás
tú necesitarlo... ¡Yo no lo necesito! —¿Para qué?
—¡El Juez supremo sabe que soy inocente! —Tampoco te pido ya que dejes de herirme... —Al con-
5 trario: yo mismo te envío armas para que me hieras...
Necesito ser castigado, y castigado por ti, ya que no
como expiación del agravio que me atribuyes y que
no te he inferido, como penitencia de las innumerables culpas de que me acuso y me arrepiento...
10 ¡Viniendo de tu mano me dolerá mucho más el castigo, y será, por tanto, más acepto al Cielo y más
provechoso para mi alma!

»Ni creas que te hablo con tanta humildad para
aplacar tu furia... —¡Pobre Diego mío! ¡Tú no
15 puedes ya hacerme daño alguno! Todas las armas
con que me amenazaste anoche las he esgrimido yo
contra mí..., y una de ellas, que se ha roto en tus
manos, es la que, según te dije antes, te remito con
esta carta, después de haberla aguzado mucho mejor
20 que tu odio lo hubiera hecho... —Adjunta es, en efecto, una declaración escrita y firmada de mi puño y letra, que podrá suplir con ventaja en los tribunales por
la que ya no prestará el difunto Gutiérrez. Presenta al
Juzgado el documento que te envío, y, sin necesidad
25 de más prueba, iré a presidio irremediablemente.

»Por lo demás, y según te dirá Lázaro, a estas
horas he dado a los niños expósitos de Madrid toda
la fortuna de mi padre; he renunciado al título de
Conde de la Umbría; he retirado mi candidatura
30 para la diputación a Cortes; he escrito a D. Jaime de
la Guardia diciéndole que yo deshonré a su hermano,
y que, por consiguiente, no debo casarme con Gabriela, y he escrito a la misma Gabriela participán-
dole que ya no eres mi fiador; que me acusas de haber
35 requerido de amores a tu mujer; que no tengo medio
de defensa contra esta acusación y que renuncio, en
consecuencia, al proyectado casamiento...

»Por lo tocante a ti, o sea en cuanto al desafío a que quieres arrastrarme, estoy resuelto a no admitirlo de manera alguna. Sin embargo..., estaré en mi casa a las nueve de la mañana, sólo para decir a tus padrinos que no quiero batirme, y luego permaneceré 5 en ella, o iré, si quieres, a ponerme al alcance de tu mano, para que me abofetees, para que me asesines, para que me arrastres por calles y plazas, bien seguro de que yo sufriré todo con resignación y hasta con orgullo y alegría, de la propia manera que soportaré 10 sin contestar las injurias que me dirijas por medio de los periódicos, y hasta iré yo mismo a los parajes públicos a que la plebe me silbe y escarnezca... —¡Dios me tendrá en cuenta todo lo que me hagas sufrir!...; y, si me dejas con vida y desistes también 15 de entregarme a los tribunales, partiré a las misiones de Asia en calidad de hermano de la Compañía de Jesús.

»Hasta aquí lo que me concierne. —Ahora, llevado del cariño que siempre te he profesado y que nunca 20 dejaré de profesarte, así como de la inmensa gratitud que te debo, voy a hablarte de ti mismo, pues me interesa demasiado tu felicidad temporal y eterna para que te deje morir desesperado y permita que te condenes, como te condenarías sin remedio, en la 25 situación en que se halla tu alma...

»¡Diego!: prepárate a morir... ¡Se acerca tu última hora! —¡Creas o no creas ya en mi inocencia, la calumnia forjada por tu infeliz mujer va a costarte la vida! Si llegas a creer que me has atormentado 30 injustamente, que has sido ingrato y cruel con tu

---

18 Cfr. pág. 64, nota 16. La idea de ser misionero en Asia ya se le ocurrió a Fabián en la edición de 1875; si bien Alarcón modificó ese pasaje con la corrección «me marcharé a explorar el interior de África». Se diría que aquí Alarcón se mantuvo fiel a la versión de la 1.ª ed. En este tema pudo, tal vez, influir el desenlace de la novela de N. Pastor Díaz, *De Villahermosa a la China*.

mejor amigo, te matarán los remordimientos. Y si
continúas en tu error, y me hieres, y ves que no te
respondo, y me matas, y ves que te bendigo al morir,
quedarás fluctuando entre el horror, el desengaño y la
5 duda, y morirás o te volverás loco... —¡Morirás más
bien..., pues tu salud está ya muy quebrantada!

»De estas dos muertes, la más dulce para ti y más
provechosa para tu alma sería la que te originasen
los remordimientos al convencerte de mi inocencia;
10 pues si bien te dolería mucho el saber que tu esposa
había mentido, causando tu muerte y separándome
de Gabriela, te serviría de consuelo el pensar que
todo lo había hecho a impulsos del amor que te
profesa...

15 »Y así es, Diego mío. Tu mujer... (Ya lo veo claro... He pensado mucho en ello. Oye... toda la verdad...) Tu mujer, digo, deseaba que yo la enamora-
se, y que tú lo supieses: en primer lugar, para que la
juzgaras merecedora de todos los extremos de tu
20 amor, dado que *despertaba también mis deseos;* y, en
segundo lugar, para desunirnos e impedir que yo te
hiciese partícipe de la profunda antipatía que en realidad me inspiraba, y que ella echó de ver desde la
primera vez que nos hablamos. —A pesar de todo
25 esto, aquel domingo que la visité durante tu ausencia (¡lo que te voy a decir es espantoso; pero Dios
me manda iluminar tu mente y corregir tus errores
para apartarte del pecado!...); aquel domingo se for-
mó Gregoria la ilusión, basada en fatales aparien-
30 cias, de que tal vez podría yo olvidarme de ti por un
momento y tratar de amarrarla al carro de mis triunfos... Dígolo porque recuerdo que me provocó y ex-

---

28   Fabián se ha convertido ya en otro implacable predicador,
en la línea del P. Manrique, de Lázaro y hasta de Gabriela. Su
celo catequístico le lleva a escribir a Diego esta carta no exenta
de notas realmente crueles, como el anunciarle lo inevitablemente
próximo de su muerte.

citó varias veces, trayendo a colación y comentando sarcásticamente mis pasadas aventuras... Yo afecté no comprenderla...; yo me desentendí de sus infernales maniobras, y de aquí el altercado que suscitó en seguida, lo muy irritada que se quedó contra mí y la atroz calumnia que le sugirió el despecho...

»¡Perdono a Gregoria! —Díselo. —¡Culpa mía y resultado de mis escandalosos excesos ha sido la perturbación que produje desde luego en su alma, y que nos ha traído a todos a la situación en que nos hallamos! —Perdónala tú también, *si es que llegas a dar crédito a mis palabras.*

»No me atrevo a esperar que esto ocurra... Creo que tu fatal ceguera no tiene remedio...; pero voy a concluir admitiendo esta hipótesis y discurriendo un poco acerca de ella.

»Diego: suponiendo que la verdad brillase hoy ante tus ojos y vieras que soy inocente del delito de que me acusas; suponiendo que me pidieses perdón y quisieras restablecer las cosas al estado que tenían antes de estos errores, yo me opondría a ello con todas las fuerzas de mi alma... —¡No..., no quiero otro premio ni más ventaja en la ruda campaña que estoy sosteniendo, que la inmensa gloria que he alcanzado ya...; esto es, la reconquista de mi alma y la visión de Dios! —Así es que aunque tú mismo me lo suplicaras de rodillas, yo no tornaría ya a aceptar el título y la herencia de mi padre..., y, aunque volvieses a fiarme para con Gabriela, y Gabriela, convencida de que soy inocente, me alargase su mano, yo no me casaría ya con la noble hija de D. Jaime, sino que insistiría en mi propósito de irme a Asia a predicar la Fe del Crucificado.

»Digo más... (y esto te hará ver cuán desinteresada es la presente carta): ¡yo renuncio también a ti mismo!... —Por consiguiente, el día que llegues a creer en mi inocencia (si es que Dios te reserva tan suave

castigo), no me busques para desagraviarme y pedirme perdón... —¡Para mí has muerto! ¡Ya que no
nuestra amistad, nuestro trato ha concluido definitivamente!... ¡Tú y yo no volveremos a vernos sobre
5 la tierra! ¡No quiero más alegrías del mundo! ¡No
quiero más entusiasmos transitorios! ¡No quiero amistades sino con mi conciencia! ¡No quiero amores sino
con Dios! ¡No quiero exponerme a que se vuelva a
dudar de mis más nobles afectos!

10 »En cambio, ¡te emplazo para la otra vida! —Allí
verás mi corazón... Allí verás mi inocencia, crucifi-
cada por ti en las soledades de mi alma... Allí sabrás,
en fin, con cuánta lealtad te he amado..., y va a
seguir amándote sin verte, tu agradecido amigo

15			»FABIÁN CONDE.»

Cuando Lázaro hubo acabado de leer esta carta, se
la llevó a los labios y la besó.

Contempló en seguida a Fabián con la ternura y
el respeto que infunde el sueño de los desgraciados,
20 y, cogiendo entonces las demás cartas que había sobre la mesa, así como la declaración dirigida al juez,
salió del observatorio andando de puntillas para no
despertar al dormido joven...

Pasó otra hora, y se puso la luna, dejando en
25 tinieblas el espacio... Mas no tardó en aparecer el
lucero de la mañana, seguido al poco rato de la mañana misma, que comenzó a marcar en el remoto
horizonte los límites de la tierra y del cielo.

Saludóla el canto marcial de un gallo, y casi al
30 propio tiempo empezaron a piar algunos pajarillos...
El albor de Oriente se tiñó entretanto de un leve
rosicler, y muy luego se extendió por toda la bóveda
azul, apagando a su paso las estrellas... Principiaron
entonces a distinguirse unas de otras las cosas te-
35 rrestres; se oyó tocar a misa en algunas iglesias; do-

ráronse de pronto sus torres y cúpulas y las cimas
de las distantes montañas, y, por último, salió el sol
para toda la capital de la Monarquía, inundando el
observatorio de un mar de lumbre...

Fabián abrió los ojos en aquel instante, y se encontró cara a cara con el P. Manrique, que lo miraba sonriéndose...

LIBRO OCTAVO

LOS PADRINOS DE FABIÁN

I

DONDE EL JESUITA DIVAGA Y SE CONTRADICE

—Muy buenos días, Sr. Fernández (profirió el discípulo de Loyola, sin sacar las manos de debajo del manteo). —¿Qué tal se ha pasado la noche?

—¡Usted aquí (exclamó Fabián, creyendo que soñaba). —¿Qué hora es? —¿Y Lázaro? —¡Ah, se ha llevado todas mis cartas! —¡Consumóse mi sacrificio!... ¡Adiós, Gabriela mía!... ¡adiós para siempre!

El P. Manrique aguardó a que el joven se calmara, y luego le dijo con fingida indiferencia:

—¿Preguntaba usted por Lázaro? —Precisamente salía de acá en el instante que yo iba a llamar a la puerta... —¡Por cierto que nos reconocimos en el acto, a pesar de no habernos visto nunca!... —«¿Es usted el P. Manrique?» (me preguntó al encontrarse conmigo). —«¿Es usted Lázaro?» (le preguntaba yo al mismo tiempo). —Y nos pusimos a hablar como dos amigos de toda la vida... —¡Apreciable sujeto!

—¡Un santo, P. Manrique..., un santo! —¡Cómo lo envidio! ¡Él tiene todo el valor que a mí me falta!

---

5 En la 1.ª ed.: «¡Buenos días, amigo!»

—¿No se lo decía yo a usted? —Y, a propósito: también conozco ya al hermano de Lázaro..., o sea al famoso Marqués de Pinos y de la Algara... Cuando yo subía la escalera acompañado de nuestro *Lázaro a secas* (que había retrocedido para conducirme en busca de usted), tropezamos de manos a boca con el joven chileno, el cual me reconoció también inmediatamente. —¡Por lo visto, usted había pasado la noche buscándome amigos!... ¡Y qué amigos tan buenos!... Lázaro y el Marqués se abrazaron cariñosamente al encontrarse, y acto continuo me dijeron ambos con igual ufanía: —«*¡Aquí tiene usted a mi hermano!...*», —lo cual me bastó para comprender (después de lo que usted me había contado) que aquellos jóvenes eran dos ángeles fuertes, vencedores de algún demonio que los había tenido separados mucho tiempo.

—¡Vencedores del demonio de la calumnia! ¡vencedores de otra Gregoria! (prorrumpió Fabián). ¡Lázaro había sido calumniado como yo!

—¡Lo mismísimo que me había figurado! —Pero hablemos de usted...; pues ya me contará Lázaro su propia historia, y, si no, me la referirá su hermano, que no tardará en subir en nuestra busca... —Conque vamos a ver, mi querido Fabián: ¿cómo está ese espíritu? —Yo no he podido dormir en toda la noche pensando en usted; y, no bien Dios echó sus luces, me dije: «Busquemos a nuestro pobre navegante..., »y busquemos de camino a Lázaro...; pues indudablemente estarán juntos...» —Y ¿querrá usted creerlo?, no bien llegué a este barrio, en que me dijo usted vivía su amigo, todo el mundo me dio razón de su casa... —¡Ah! ¡Cómo lo aman las gentes!... Y es que, a pesar de su reserva para ejercer la caridad, no hay quien ignore que gasta sus rentas en limosnas. —«*¡Es un santo!*», me han dicho, como usted, cuantas personas se han enterado de que venía a esta casa.

Según costumbre, el P. Manrique estaba fingiendo que divagaba en su discurso; pero, en realidad, no perdía de vista su objeto. —Era éste en aquel instante consolar y fortalecer a Fabián, y, la verdad sea dicha, lo consiguió mejor celebrando las virtudes de 5 Lázaro que lo hubiera logrado por medio de exhortaciones directas.

Comprendiólo al cabo nuestro joven, y exclamó afectuosísimamente:

—¡No me abandone usted nunca, padre mío! ¡Tie- 10 ne usted el don de endulzar mi alma! —Ya sabrá usted que Lázaro ha ido a conferenciar con Diego...

—Tanto lo sé..., que he leído la hermosa carta que le escribe usted a su infeliz adversario...

—Pues entonces sabrá usted también que he es- 15 crito a D. Jaime y a Gabriela... ¡A Gabriela..., padre mío!... ¡renunciando a su amor! ¡renunciando a su mano!...

—Lo sé todo...; lo sé todo...; y de todo, lo más grande y plausible que, a mi juicio, ha hecho usted, 20 ha sido no aprovecharse de la muerte de Gutiérrez para eludir el más tremendo golpe con que le amenazaba Diego. —¡La espontánea declaración que usted ha escrito y firmado acusándose de falsedad y estafa, va a anonadar al marido de Gregoria! —¡Así 25 se lucha contra el mundo! ¡Así se conquista el cielo! —Ahora sólo falta que formalice usted sacramentalmente su confesión de ayer tarde, a fin de que yo pueda absolverle... —Pero tiempo tendremos después para todo... 30

Por aquí iba la conversación cuando llamaron a la puerta del gabinete de cristales...

---

30 En la i.ª ed. el P. Manrique concluye: «¡Así se conquista el Cielo!» Todo lo relativo a la *confesión sacramental* falta en el texto de 1875. Alarcón, luego, no quiso dejar ningún cabo por atar, al darse cuenta de que la conversión espiritual de Fabián carecía del refrendo ahora recordado por el jesuita.

Eran el Administrador y el Notario, precedidos de Juan de Moncada.

Aquéllos le traían a Fabián la escritura de cesión de sus bienes paternos, el acta de renuncia del condado de la Umbría y los demás documentos que les había encargado.

Firmólos todos sin vacilar, y, cogiendo entonces la copia de la escritura de cesión, se la entregó al padre Manrique, diciéndole:

—Había mandado que le llevasen a usted esta especie de testamento, a fin de que se encargase de cumplirlo...; pero ya que está usted aquí, tengo a suma honra entregárselo con mi propia mano...

—¡Una limosna de diez millones de reales! (observó con énfasis el Administrador). —¡No se quejarán los niños expósitos!

—Diez millones de reales... (respondió fríamente el P. Manrique, guardándose el papel debajo de la sotana) representan un puñado de polvo de este planeta que Dios sacó de la nada y que puede reducir otra vez a la nada con idéntica facilidad.

El que así decía, acababa de celebrar como exorbitantes las limosnas de Lázaro... —Comprendió Fabián Conde la sublime delicadeza de esta aparente contradicción, y contestó inmediatamente:

—No envuelve mérito alguno, con respecto a mí, lo que acabo de ejecutar. —¡Téngaselo Dios en cuenta a mi difunto padre, en cuyo nombre obro!

—¡Oh..., sí! Pero ¡renunciar también su título de Conde!... —murmuró el Notario, recogiendo el acta en que esto aparecía.

—¡Respeten ustedes la voluntad de Dios! —contestó Fabián, saludando ceremoniosamente a los dos comentadores.

Éstos se retiraron tan asombrados como la noche anterior.

—¡Bien, hijo mío! (exclamó entonces el jesuita). Estoy muy satisfecho de usted.

Juan quiso también decir algo a su heroico amigo; pero se lo impidió la emoción, y hubo de contentarse con besarle las manos.

—Tome usted, padre... (agregó Fabián, entregando al sacerdote una cartera muy abultada). Guárdeme usted este dinero, que acaso es el único resto de mis bienes legítimos; además de aquella pobre tierra en que está sepultada mi madre y de las galas de Himeneo, que ya se han trocado en sudario de mis amores... Más adelante dispondremos lo que haya de hacerse con esta suma que pongo en sus manos... Dependerá del rumbo que tome mi vida... Pero si muero hoy, gástela usted en sufragios por mi alma...

—Y ahora, señores, adiós... Me voy a mi casa a esperar a los padrinos de Diego...

—¡A los padrinos de Diego! (gritó espantado Juan). ¡Diego y usted van a batirse!... —¡Oh! En ese caso usted necesitará también padrinos... Ruégole que admita mi concurso.

—Y también el mío... (añadió el anciano sacerdote con una expresión indefinible). —¡Todo podrá ser que me rehusen los contrarios al ver mi traje clerical!... Pero en el ínterin, quizás le sirva a usted de algo este pobre viejo...

Fabián no pudo menos de sonreírse, y dijo con cierta satisfacción, apoyándose en el hombro de Juan de Moncada:

—Pues, señor... ¡nadie diría que me suceden tantas y tan horrendas cosas! Me siento como aliviado de un peso enorme, y advierto en mí no sé qué especie de buen humor... que no he tenido desde antes de la muerte de mi madre.

—Es que su conciencia de usted va poniéndose a

_____

5 Todo este párrafo falta en la 1.ª ed.

flote... (respondió el P. Manrique). Es que acaba usted de arrojar al Océano mucho cargamento inútil que hacía zozobrar la nave de su alma. —Conque marchemos... ¡Vayamos en busca de esos terribles padrinos! —¡De seguro no se hallarán tan alegres y tranquilos como los de usted! A lo menos, a mí me da el corazón que la victoria va a ser nuestra...

—¡Muy belicoso está usted, P. Manrique! —dijo tristemente el hermano de Lázaro.

—¿Qué? ¡Belicoso yo! (repuso el jesuita). —¡De manera alguna! Lo que estoy es muy confiado en la fuerza y en la sabiduría del *tercer* padrino de Fabián..., o, por mejor decir, del *primero*...

—¿Quién es? —¿Lázaro, acaso?

—No, amigo mío...

—Pues ¿quién?

—¡El mismo Dios!... —respondió el jesuita.

—Yo le explicaré a usted todas estas cosas en la calle... (dijo Fabián al otro joven). —¡Por cierto que va usted a hallar en mi historia muchos puntos de analogía con la de Lázaro!...

Hablando así, los tres nuevos amigos salían ya del vetusto caserón, no sin haber encargado antes al portero que, cuando fuera su amo, le dijese que en casa de Fabián lo aguardaban.

II

LAS NUEVE DE LA MAÑANA

El reloj del comedor de casa de Fabián marcaba las nueve menos cuarto.

Sentados a aquella mesa que presenció la célebre consulta en que fue vencido Lázaro, almorzaban a la sazón el P. Manrique, Juan de Moncada y el que ya había dejado de ser Conde de la Umbría.

Lázaro no había regresado todavía de su conferencia con Diego.

Los criados, sabedores ya sin duda de todo lo ocurrido al *groom* la noche anterior, y asombrados de ver un clérigo en la casa, comprendían que pasaba algo extraordinario y en pugna con sus murmuraciones de la víspera... Servían, pues, la mesa con aire preocupado y medroso, a la manera de empleados públicos en día de cambio de Ministerio.

El almuerzo había sido silencioso y triste. Sólo Fabián se había mostrado algo expresivo, sacando diferentes conversaciones ajenas al caso en que se encontraban... Pero estas conversaciones no lograron tomar incremento, y al término de cada una exclamó Juan con febril impaciencia.

—¡Pero ese Lázaro, que no viene!...

En fin: cuando el almuerzo hubo terminado, y el padre Manrique y los dos jóvenes se quedaron solos, Fabián no pudo ya contenerse, y poniendo una mano sobre la del jesuita, dijo con melancólica resignación:

—¡Sólo siento a la pobre Gabriela!

—Gabriela se basta a sí misma... (respondió el anciano). ¡Ya la conoce usted! ¡Será monja en la tierra, y después santa en el cielo!...; y allí, como aquí, pedirá a Dios por el hombre de quien fue Ángel Custodio durante los días de tribulación...

—Usted irá a verla algunas veces..., ¿no es verdad? —indicó Fabián en tono suplicante.

—Sí, señor...; iré a verla... (contestó el P. Manrique): sobre todo si no vuelve usted a indicármelo, ni me pide nunca que le refiera mis visitas. ¡Gabriela ha muerto para usted, y usted para Gabriela..., a menos que Dios disponga otra cosa!...

En este momento sonó un timbre.

Fabián se puso más pálido de lo que ya estaba.

---

9 Es decir, amenazados de posible cesantía.

El P. Manrique y el joven chileno se miraron con una angustia que tampoco pudieron disimular.

El reloj marcaba las nueve en punto.

—Ahí están los padrinos... (murmuró Fabián con
5 triste y reposado acento). ¡Deme Dios valor... para ser lo que en el mundo se llama *cobarde!*

—Señor... —decía al mismo tiempo un criado, alzando una cortina y en actitud de anunciar...

—¡Que pasen! — respondió Fabián sin dejarlo
10 concluir.

Sonaron pasos en la habitación inmediata; alzóse nuevamente la cortina, y apareció un hombre en el comedor.

Era Lázaro.

15 —¿Solo? —preguntó Juan vivísimamente.

—¡Solo! —respondió Lázaro, dejándose caer en la primera silla que encontró, como si no le quedasen fuerzas para dar un paso más...

Pero desde allí saludó a Fabián Conde con un ade-
20 mán de triunfo y una mirada de inmenso regocijo, diciéndole entre los respiros de la fatiga:

—¡Victoria!... ¡Victoria, Fabián mío!... ¡Diego me envía en busca de tu perdón!

El P. Manrique y Juan de Moncada se pusieron
25 de pie al oír las palabras de Lázaro: Juan de Moncada para abrazar a Fabián con delirante alegría; el padre Manrique para elevar al cielo su radiosa faz y sus cruzadas manos, como en acción de gracias.

30 Fabián permaneció inmóvil en su asiento, y, cuando Juan lo estrechó entre sus brazos, lo halló rígido y frío como un cadáver...

Pero la reacción no se hizo esperar... El atormen-

---

29 Obsérvese, de nuevo, la disposición teatral de la escena. Parece, casi, una acotación enderezada a marcar cómo han de situarse o accionar los actores.

tado joven se puso de color de grana; la indignación
y la ira estallaron por sus ojos en lágrimas de fuego,
y, alzándose como un gigante que rompe sus cadenas,
dijo con atronadora voz:

—¡Ah!... ¡ya soy libre! —¡Conque el insensato re- 5
conoce su infamia y mi inocencia!... ¡Conque el verdugo me pide perdón! —Es tarde... ¡Yo no lo perdono! ¡Yo no lo perdonaré jamás!

—¡Fabián! —gritó Lázaro, corriendo hacia él...

—¡Ahora soy yo quien necesita sangre! (prosiguió 10
el cuitado). ¡Ahora soy yo quien desafía al hombre vil,
al ingrato, al inicuo que me ha tenido tres días bajo
sus pies! —¡Lázaro!... ¡Juan!...: id..., corred..., no
perdáis un momento, y decidle al calumniador, decidle al ruin expósito... 15

—Señores..., me retiro... —Queden ustedes con
Dios... —interrumpió en este punto el P. Manrique,
cogiendo su sombrero y encaminándose hacia la
puerta.

Fabián, aterrado, suspendió su discurso. 20

El jesuita se detuvo entonces, y dijo señalando al
cielo:

—¡El ingrato, el verdadero ingrato..., es usted!

Fabián dejó caer los brazos a lo largo de su cuerpo,
bajó la cabeza y se desplomó sobre la silla. 25

—¡Es verdad! —murmuró.

El P. Manrique retrocedió al oír esta frase; soltó
el sombrero, y sentándose al lado del abatido joven,
le dijo con blandura:

—No olvide usted lo que hablamos anoche en 30
mi celda... —Por lo demás, paréceme indispensable que, ante todo, oiga usted a Lázaro, y sepa
por qué medios y hasta qué punto se ha dignado
la Misericordia divina indultar a usted de tan justa
pena... 35

Fabián se tapó el rostro con las manos y balbuceó
desfallecidamente:

—Tiene usted razón... —Habla, Lázaro..., y nunca
dudes de mi profundo agradecimiento...

Lázaro, que había estado limpiando sus quevedos
de oro, calóselos entonces y habló de la siguiente
5 manera:

III

OBRAS SON AMORES

—«No es acreedor ciertamente Diego a la dureza
con que lo has tratado en un momento de disculpable
10 trastorno... ¡Acabo de dejar al infeliz en bien lasti-
moso estado; a tal punto que, por mucho daño que
te haya hecho, antes merece tu compasión que tu
ira!... —Pero entro en materia desde luego.

»Cuando llegué a su casa, ya estaba levantado...
15 —Díjome que no había dormido, y harto lo revelaba
su semblante.

»Se hallaba el pobre loco (pues tal nombre había
que darle en aquel momento) preparando unas pistolas de combate, y sonreíase espantosamente al mi-
20 rarlas. —Él mismo salió a abrirme con aquellas armas
en la mano, y me introdujo en su despacho, diciéndome:

—»Creí que eran los padrinos... —Los tengo citados a las ocho para darles mis últimas instrucciones...
25 —¡A muerte, Lázaro..., a muerte! —He buscado dos
capitanes de infantería, que ni siquiera sé cómo se
llaman... ¡los primeros que tropecé en la calle!...
Gente ruda, de feroz aspecto, aficionada a las balas...
¡Dos tigres sedientos de sangre como yo!... —Con-
30 que... vamos a ver..., ¿qué te trae por aquí? ¡Supongo que no vendrás a sermonearme de nuevo!...

---

12 La 1.ª ed. añadía: «(y yo creo que no te ha causado sino
beneficios)».

—Sin embargo, por si tienes tal intención, te diré
que estoy decidido a matarlo..., y que lo mataré
indudablemente..., y a ti, y a mi mujer, ¡y al mundo
entero que se me ponga por delante!...

»Yo le dejaba hablar para adquirir el derecho a
que me oyese; pero en esto se abrió la puerta del
despacho y apareció su mujer... ¡Su mujer!... ¡Pavorosa criatura!... ¡La propia efigie del pecado!

—»¡Caballero... (me dijo con una voz seca y desa-
pacible que crispó mis nervios). ¡Todo lo sé!...
—Supongo que usted es uno de los padrinos... Pues
bien: le advierto que estoy resuelta a avisar a la
policía y a que todos ustedes vayan a la *prevención*...

—»¡Cállate tú, y no te mezcles en mis negocios!
(prorrumpió Diego groseramente). ¡Este caballero no
es padrino de nadie!... Es mi amigo Lázaro.

—»¡Ah! ¿el señor es?... ¡Ya!... ¡ya recuerdo!
—¿Conque han hecho ustedes las amistades? —¡Me
alegro muchísimo! ¡El Cielo le trae a usted por esta
casa!... —Por supuesto que usted, cuando viene tan
temprano, lo sabrá también todo... ¡Hay que impedir a todo trance ese desafío! ¡Yo he sido engañada!... ¡Diego me prometió no armar pendencia, ni
darse por entendido del asunto, si yo le decía toda
la verdad!... ¡Y vea usted en qué estado se encuentra
desde que se la dije!... —¡Usted no sabe qué días y
qué noches estoy pasando!

»Yo guardé silencio.

»Gregoria me miró entonces con desconfianza, y un
relámpago de repentino odio brilló en sus pupilas. —No
hubiera sido más pronta la víbora en escupir su veneno.

»Diego exclamó entonces:

—»¡Gregoria, vete!... —Y, por lo demás, no de-
lires... ¡Tengo la llave de la puerta y no la soltaré!...
Cuando me vaya te dejaré encerrada, así como a Fran-

---

13 En la 1.ª ed.: «a la cárcel».

cisca..., de modo que no podréis avisar a la autoridad... —¡En fin, no se me escapará la presa!...
—Conque, retírate... ¡Este caballero puede tener que
decirme algo!...

5 »Quizás fuera aprensión mía; pero me pareció que
la voz del hipocondriaco revelaba tedio, cansancio,
instintivo desvío...; un comienzo, en suma, de aversión a su esposa.

»Ella respondió:

10 —»¡No creo que deba ser un secreto para mí lo que
este caballero tenga que decirte!...

—»¡Sin embargo, señora... (expuse yo terminantemente), desearía hablar a solas con mi amigo!...

»Gregoria tembló de rabia.

15 —»¡Ya lo oyes!... —repuso Diego.

—»Disimule usted... —añadí yo.

—»¡Oh! Me iré..., ¡me iré!... (tartamudeó ella,
mirándome, ora con miedo, ora con furor). ¡Que les
aprovechen a ustedes sus secretos!

20 »Y sin dignarse contestar a mi respetuoso saludo
salió bruscamente del despacho, cerrando de golpe
la puerta y diciendo con ásperos gritos:

—»¡Para esto se casa una! ¡Quién había de decírselo a mi madre!

25 »Diego seguía inspeccionando las pistolas.

—»Vengo de parte de Fabián... —le dije cuando
nos quedamos solos.

—»¡Lo presumía! (contestó Diego riéndose sardó-
nicamente). ¡El traidor tentará todos los medios de

30 quedar impune! —Pero se equivoca... —Por lo que
respecta a ti, supongo que ya te habrá engañado...
y vendrás a abogar por él...

—»¡Vengo solamente a entregarte una carta suya!

—»¡Guárdatela!... ¡Me la figuro! ¡Será elocuentísi-

35 ma!... ¡Tan elocuente que dará asco!

—»Tiene la elocuencia de los hechos...; y en ella
no te pide nada.

—»Pues ¿para qué me escribe entonces?

—»¡Por lástima al estado en que te encuentras!

—»¡Que la tenga de sí mismo! Dentro de dos horas veremos quién es más digno de compasión... —Desengáñate: ¡me escribe porque me teme!

—»Y yo diría que tú no lees su carta porque le temes a él. —Si no es así, léela... Aquí la tienes.

—»¡No la leo!

—»¿Es decir que tienes empeño en no salir de tu error?

—»No: es que yo no doy fe a palabras ni a escritos de nadie.

—»Pero se la darás a las *obras*... —¡Te repito que se trata de hechos!

—»Pues bien: dímelos..., y ahórrame el disgusto de ver la letra de aquel malvado...

—»El primer hecho es que Fabián Conde, sabedor de la muerte de Gutiérrez y de que no te ha sido posible identificar la verdadera persona del antiguo inspector de policía, se denuncia a sí mismo como estafador y falsario en una declaración de su puño y letra, dirigida al juez, que te envía a ti... para que tú la presentes. —Toma...

»Diego se quedó asombrado.

—»¿Y con qué fin hace esto? —me preguntó, después que hubo leído la declaración.

—»Para que no creas que, si se defiende con tal interés del cargo que le diriges, lo verifica por miedo a ninguna especie de castigo, sino por amor a la verdad y a tu persona...

—»¡Pero es que yo puedo no ser generoso y presentar esta declaración a los tribunales!... ¡Es que yo la presentaré sin duda alguna!...

—»Te he dicho que para eso te la envía.

»Diego soltó las pistolas, sentóse en un sofá y se pasó la mano por la frente, cubierta de sudor.

—»¡A ver! ¡A ver! Dame esa carta... (dijo en seguida). ¡Tú eres demasiado hábil, y lograrías hacerme ver lo blanco negro!... —Me conviene más oír los aullidos del monstruo... ¡Él y yo no podemos engañarnos!

»Le di tu carta, y principió a leerla para sí con aire desdeñoso...

»Pero desde que recorrió las primeras líneas se puso grave y como pensativo, y, cuando hubo terminado la primera página, comenzó otra vez su lectura, en lugar de volver la hoja...

—»¡Dime, Lázaro!... (exclamó luego sin mirarme). ¿Y es verdad esto que dice el mozo?...

—»¿Qué?

—»Lo de haber conferenciado con un sacerdote...

—»¡Vaya si lo es!... ¡Y nada menos que con el padre Manrique! —Juntos los dejé en mi casa hace una hora...

»El semblante de Diego continuó transfigurándose y enlobregueciéndose cada vez más; pero no ya con los sombras del odio y de la furia, sino con las tinieblas y el luto de una mortal congoja.

»De pronto soltó una carcajada convulsiva, y dijo:

—»¡Ah, farsante!...: ¡qué manera de mentir! —Afortunadamente no lo creo...

—»¿Qué es lo que no crees? —interrogué yo.

—»Lo de que ha dado a los niños *expósitos* (¡villano epigrama, cuyo alcance no puedes tú entender!) aquellos ocho millones que robó al fisco...

—»Sin embargo, es la pura verdad... —Yo mismo fui testigo anoche de la escritura de cesión.

—»¡Toma! —Pues ¿y esto? (continuó en tono de zumba, cual si no me hubiese oído) —¡Que ha escrito a D. Jaime y a Gabriela, revelando al primero sus amores con Matilde, y a la segunda mi fulminante acusación! —¡Mentira también! ¡Necesitaría verlo para creerlo!...

—»Yo mismo acabo de enviar a D. Jaime de la Guardia las dos cartas de Fabián... —repliqué solemnemente.

—»¡Es que tampoco te creo a ti! —¿Te figuras que no veo clara la estratagema?... ¡Uno y otro os habéis repartido los papeles para embaucarme!

»Así dijo...; pero su rostro expresaba una incertidumbre espantosa.

»Sonó en esto un campanillazo.

—»¡Gracias a Dios! ¡ya están ahí los padrinos (rugió entonces el sin ventura, tornando, al menos en apariencia, a su ferocidad y a su risa). —¡Basta de embrollos y debilidades! ¡Os conozco a los dos! ¡Tan desalmado eres tú como él! —¿Qué noticias tienes del Marqués de Pinos y de la Algara?

»Pensé en tu inocencia, Fabián, que no en la mía; y a fin de poder servirte mejor, contesté inmediatamente y sin enfadarme.

—»En mi casa está la persona por quien preguntas... ¡En mi casa está..., acreditándome a todas horas la fe y el cariño que tú me niegas!...

»Volvió a sonar la campanilla.

—»¡Cómo mientes! (exclamó Diego, dirigiéndose a la puerta). Aquel chico volvió a América con ganas de ahogarte... —Y si no, ¿por qué no me lo presentaste ayer? —Pero voy a abrir... —¡Ahora caigo en que tengo yo la llave de este infierno!...

—»¡Aguarda, por favor! (le dije, estorbándole el paso). —¿Tendrías fe en mis palabras, y reconocerías que Fabián puede ser también inocente, si *mi hermano el Marqués de Pinos* viniese dentro de un momento y te dijera que *otra mujer* (su propia madre, madrastra mía) inventó contra mí una calumnia casi idéntica a la que tu esposa ha inventado contra Fabián Conde?

—»¡Respeta a la mujer que lleva mi apellido! ¡Respeta a la señora de esta casa! (exclamó con una especie de frenesí). —¡Yo tengo la culpa de que la insultes...; yo, que te he dado oídos, aun sabiendo que eres otra serpiente venenosa! —¡Paso; paso!

»Y salió, repeliéndome materialmente.

»Oí entonces abrir la puerta de la calle y que una
5 voz ruda preguntaba:

—»¿El señor de Diego?

—»Yo soy... (respondió éste). —¿Qué ocurre?

—»Esta carta... de la Fonda Española.

»Cerróse la puerta; y ya se acercaba Diego al des-
10 pacho, cuando estalló en el pasillo un fuerte altercado entre los cónyuges...

»Procuraban ambos hablar en voz baja; pero era tal la vehemencia de la disputa, que percibí a intervalos las siguientes frases de Gregoria:

15 —»¡Nada! ¡Es que ya no me quieres!... —¡Lo mismo será este amigo tuyo que el otro!... —¿No me dijiste que lo desheredó su padre?... —¡Tú no has debido consentir que me arroje del despacho!... —¡Oh!...: vámonos a mi pueblo... ¡Yo no quiero
20 estar en Madrid ni un día más!

»A lo cual había respondido el iracundo esposo con estas o parecidas palabras:

—»¡Déjame en paz! —¡Yo sé lo que me hago!... ¡Las mujeres... a la cocina! —¡Calla o te estrangulo!...
25 —¡Al infierno es adonde nos iremos todos!

»Pasaron después algunos instantes de silencio..., y Diego entró en el despacho afectando tranquilidad.

—»¿Sabes que tenías razón? (me dijo con una espe-
30 cie de pueril asombro, mezclado de dolor y manse-
dumbre, que me conmovió profundamente). ¡El que llamaba era un criado con una carta de D. Jaime!... —Aquí la tengo... Veamos lo que dice...

»Y sentóse, temblando como un azogado...; y
35 leyó...; y el mismo luto de antes cubrió su descompuesto rostro.

—»¿Será posible? —exclamó al terminar la lectura.

»Y clavó en el suelo una mirada inmóvil, atónita,
pertinaz y nula a un tiempo mismo; como la de algunos ciegos, o como la de los cadáveres a quienes ninguna mano amiga ha cerrado los ojos...

»Me apoderé yo entonces de aquella carta, y vi 5
que decía lo siguiente:

»Sr. D. Diego de Diego:

»Muy señor mío: Acabo de recibir dos cartas del
»señor Conde de la Umbría, una para mí y otra para
»mi hija, en las cuales el hombre por quien usted 10
»salió *fiador* desiste del proyectado casamiento con
»Gabriela, alegando dos motivos distintos: uno rela-
»cionado con usted, y que usted desgraciadamente
»no podría prever al dar su fianza, y otro que tiene
»relación con mi familia, y que no comprendo me 15
»ocultase usted la vez primera que tuve el gusto de
»hablarle.

»De cualquier modo, como ambos extremos tocan
»muy de cerca a mi honor, y se trata además de la
»felicidad de mi hija, ruego a usted que me espere 20
»hoy a las once en esa su casa, adonde iré en busca
»de las explicaciones o satisfacciones que se me deben
»y que espero de su caballerosidad.

»Suyo, afectísimo servidor, Q. S. M. B.,

»JAIME DE LA GUARDIA.»   25

—»¡Ya ves! ¡Ya lo has leído! (exclamé, sentándome
al lado del pobre enfermo). —¿Dirás todavía que Fabián y yo nos hemos confabulado para engañarte?...

»Diego no me respondió, pero volvió en sí, y cogiendo otra vez tu carta (que había dejado a medio 30
leer sobre el bufete), se abismó de nuevo en su
examen.

—»¡Que no se batirá!... ¡Que se dejará maltratar
por mí! (murmuró sordamente, pero ya sin ira, al

llegar a este pasaje de tu escrito). —¡Lo desconozco!...
¡lo desconozco!...

»Y siguió leyendo:

—»Que yo moriré de todas maneras... Que se
5 acerca mi última hora... (gimió melancólicamente).
¡Es verdad! ¡Entre unos y otros me habéis matado!...
—¡Pobre Diego!... ¡pobre Diego!...

—»Lee..., lee... —dije yo, designándole el párrafo
en que explicabas la conducta de Gregoria.

10 —»¡Oh! ¡Esto es imposible!... (exclamó lleno de
espanto). ¡Esto no puede ser verdad! ¿Cómo quieres
tú que yo crea semejante horror? *¡Es mi mujer!*
—¿Sabes tú lo que significan estas palabras? —¡Soy
yo mismo; es mi carne; es mi sangre; es la personi-
15 ficación de mi honra; es *la mujer de Diego!*

—»Eva era la mujer de Adán... (repuse yo).
—Pero continúa... Ya queda poco.

—»¡Ay de mí! (suspiró desconsoladamente). Creo
que he leído demasiado... —Mas no son sus palabras...
20 ¡sus elocuentes obras son las que me abruman y
aniquilan!... —¡Renunciar su título! ¡regalar sus millones! ¡dejar a Gabriela! ¡delatarse a los tribunales!...
—¡Ah, Lázaro, Lázaro!... ¿Qué va a ser de mí si
ahora resulta que Fabián es inocente? ¿Dónde escon-
25 deré mi vergüenza? ¿Dónde esconderé mis remordimientos?

—»¡Siempre te quedará el cariño de tu esposa!
¡siempre te quedará el corazón de tu amigo Lázaro!...
—Ya ves que el mismo Fabián lo reconoce...; Gre-
30 goria ha querido separaros *«por lo mucho que te ama, y
»temerosa de perder tu amor...»*

—»¡Oigámosla! (saltó de pronto). —Voy por ella...
¡Quiero interrogarla delante de ti!... —En medio de
todo, yo puedo estar impresionado en este momento...
35 —Vengo en seguida...

—»¡Espera!... ¡te lo suplico! (insistí yo, señalando
a tu carta). —Ya queda poco... —¡Lee! —¿Estás

viendo? ¡Se va a Asia! ¡Va a morir defendiendo la
verdad contra el error!... ¡Va a morir predicando la
fe del Crucificado!

—»¿Qué he hecho yo, Dios mío? ¿qué he hecho yo de
este hombre?... (exclamó con una gran agitación que 5
crecía por momentos). —¡Necesito hablar con Gregoria!... —¡Déjame, Lázaro!... Te juro que no la mataré...

—»Acaba... Lee... (repetí yo, poniéndole tu carta
ante los ojos). Mira lo que dice...; que no busca ni tan
siquiera tu amistad...; que, aunque llegues a hacer 10
justicia a su cariño, nunca volveréis a veros ni a
hablaros; que procede desinteresadamente..., y que
te emplaza para el cielo, donde verás un día su
inocencia y tu ingratitud...

—»¡El cielo..., su inocencia..., mi ingratitud!... 15
—respondió el infortunado maquinalmente.

»Y, llegando otra vez al colmo de la excitación,
principió a gritar con voz terrible:

—»¿Quién habla aquí del cielo? —¡Al infierno!...,
¡a los profundos infiernos es adonde iremos todos! 20
—¡Gregoria! ¡Gregoria! ¡Ven inmediatamente!

»Y luego añadió, sollozando sin lágrimas:

—»¡Ay, Lázaro! ¡Esta carta de Fabián me ha qui-
tado la vida!... —¡Conque el Marqués era tu hermano! ¡Conque tú eres inocente también! —¡Dile a tu 25
hermano que venga a visitar al pobre Diego Diego!...

—»¡Vamos a ver! ¿Qué pasa aquí? —chilló en esto
Gregoria, penetrando en el despacho amarilla como
la cera, pero afectando valor y enojo.

»En mi entender, había estado escuchándonos y 30
sabía a qué altura se hallaba su proceso.

—»¡Te he llamado para matarte!... (bramó Diego,
cogiendo una pistola). ¡Prepárate a morir si no me
confiesas ahora mismo que Fabián es inocente!...

---

14   En la I.ª ed.: «y su lealtad».
15   En la I.ª ed.: «su lealtad».

»Yo me interpuse entre los dos esposos.

—»¡Caballero!... (articuló Gregoria sin mirar a Diego y dirigiéndose a mí con tal frialdad, que su voz me pareció el silbido de una culebra). ¿No ha venido usted exprofeso a decirle a mi marido que me mate? —¡Pues deje usted que lo haga! —¡Tira, Diego!... Aquí tienes el pecho de tu esposa... ¡Hiérelo..., ya que lo desean tus amigos!...

—»¡De rodillas, señora!... (proseguía intimándole Diego, sin dejar de apuntarle cuando la hallaba a tiro). —¡Sólo la verdad puede desarmar mi brazo! —¡Ya sabe usted que estoy loco! ¡Ya sabes, esposa del condenado, que soy capaz de matarte y matarme!... —¡Confiesa, pues!... —¡Y tú, Lázaro, déjame! ¡Mira que también soy capaz de matarte a ti!

—»Pues si estás loco... (decía entretanto Gregoria), a mí me vive todavía mi madre... ¡Ella me defenderá en este mundo!...

—»¡Confiesa!

—»¡Es que también puedo quejarme a los tribunales y presentar una demanda de divorcio!...

—»¡Confiesa! (repitió Diego, logrando cogerla de un brazo y arrimándole una pistola a la frente).

»La pobre mujer dio un alarido.

—»Me has lastimado... —balbuceó.

»Yo arranqué otra vez a Gregoria de manos del furioso, y amparándola con mi cuerpo (en tanto que ella se acurrucaba en un rincón, poseída ya de un miedo franco y declarado), exclamé:

—»¡Señora, no tema usted nada mientras me quede un soplo de vida!... —¡Y tú, Diego, suelta ese arma, que nunca debiste empuñar contra tu mujer! ¡Gregoria va a confesar ahora mismo su disculpable falta; conociendo que de hacerlo así pondrá término a esta bárbara escena, evitará un desafío, cruel de todas suertes (pues tan grave es matar como morir), y te devolverá la salud y la dicha!...

—»¡Que confiese... y la perdono en el acto!... (agregó Diego, con la infantil sencillez propia de su complicado carácter). ¡Que confiese, y nos iremos a Torrejón, o a París, como ella deseaba, a que me vean los médicos!... ¡Que diga la verdad, y yo le agradeceré el exceso de cariño que la indujo a desear separarme de un hombre a quien suponía peligroso para nuestra felicidad!... —De todos modos, ¡insensata! ya has logrado tu objeto, pues Fabián Conde y Diego Diego no volverán a verse en esta vida... —Confiesa, pues, Gregoria... ¡Confiesa!... ¡Mira que, de lo contrario, no me quedará más recurso que levantarme la tapa de los sesos!

—»¡Ca! ¡No eres tú hombre de tantos bríos! —respondió Gregoria desde su rincón, siguiendo con una curiosidad infernal la boca de la pistola, que Diego aplicaba en aquel instante, ora a su garganta, ora a una de sus sienes...

»Diego se quedó espantado y bajó el arma (y yo mismo retrocedí, como desamparando a Gregoria), al ver aquellos ojos, al oír aquella frase...

»La astuta mujer comprendió en el momento hasta qué punto había empeorado su causa con tal exclamación (que nos permitió sondear el negro fondo de su conciencia), y se apresuró a decir humildemente:

—»¡Prefiero confesar la verdad!... ¡Yo no quiero que te mates, Diego mío! —Pero nos iremos a Torrejón..., ¿no es cierto? —¡Recuerda que me lo has jurado!... —Nos iremos con mi madre, lejos de estos amigos tuyos que tanto miedo me causan..., y seremos felices, muy felices...

»Diego no oía... —Era indudable que seguía viendo la cara con que Gregoria le había dicho aquella frase, equivalente a una excitación al suicidio...

»Creció, pues, el susto de ella, y, jugando el todo por el todo, con la temeridad que sólo poseen los débiles, se acercó a Diego y le rodeó con sus brazos,

sonriendo de una manera cariñosa y diciéndole casi
al oído:

—»¡Ingrato! ¿No conoces que todo mi crimen consiste en quererte más que tú a mí? ¿No conoces que
5 hasta el aire me estorba? ¿No conoces que, si he
mentido una vez... (¿y quién no ha mentido muchas?), ha sido porque tenía celos de tu amistad hacia
Fabián? ¿No conoces que te idolatro?

»Diego se estremeció convulsivamente, sin mirar a
10 su mujer...

—»¡Diego mío!... ¡mi Diego!... —prosiguió ésta, bus-
cándole la cara con la suya...

—»¡Calla! (exclamó entonces él, en el tono de quien
delira). ¡No me interrumpas!... —¿De modo, perver-
15 sa, que ahora salimos con que Fabián es inocente?

—»¡Sí!... (respondió Gregoria). —Pero, en cambio
yo soy tu mujer... —¿Qué digo tu mujer?... ¡Yo soy
mucho más! —¿Lo habías olvidado acaso... al ame-
nazarme con esta pistola?

20 »Y, acercándose a su oído, añadió unas palabras
que no percibí, pero que adiviné en el acto.

»Diego la miró entonces..., lanzó un hondo y largo
suspiro, y balbuceó mansamente:

—»No sigas... ¡No acabes de matarme!... —¡De-
25 masiado presente lo tengo!... ¡Por ese infortunado
hijo te perdono! —Toma... Vete a tu cuarto... ¡No
puedo más!

»Y, así diciendo, le alargó la pistola con aire imbécil, y luego la llave de la puerta de la escalera; y,
30 por último, viendo que Gregoria no se movía, la aca-
rició, pasando una trémula y enflaquecida mano por
los negros cabellos de la calumniadora...

»Ésta me saludó sin mirarme, y salió del aposento

---

26 En la I.ª ed.: «¡Por *él* te perdono!» Alarcón debió considerar algo ambiguo el pronombre, y de ahí la corrección: «ese infortunado hijo».

con firme paso, después de dejar sobre la mesa el arma que poco antes empuñaba su marido.

»Voy a concluir.

»No bien nos quedamos solos, Diego ocupó su sillón enfrente del bufete; rompió la declaración en que te delatabas a la justicia, y me entregó los pedazos tal y como yo te los entrego a ti; y, finalmente, llevándose las manos al pecho, como para sofocar un punzante dolor, me dijo con asombrosa tranquilidad:

—»He muerto... —Fabián me lo pronosticaba en su carta..., y el corazón me lo confirma con sordos latidos... —¡Dime qué debo hacer antes de morir para desagraviar a Fabián y poner remedio a todos los males que he causado!

—»Nada tienes que hacer... (respondí yo afablemente). Basta con que le escribas dos líneas reconociendo tu error... —Fabián no necesita más..., y hasta podría pasar sin eso... —En cuanto a tu salud, ya cuidaré yo mismo de remediarla...

—»Sin embargo, yo quiero hablar con él... —Díselo de mi parte. Dile que necesito su perdón...; pero no así como quiera, sino oído de sus labios..., y que le pido licencia para ir a demandárselo de rodillas... —Por lo demás, harto sé lo que tengo que escribir a don Jaime y a Gabriela...

—»No me toca a mí decirte a eso ni que sí ni que no... (respondí cordialmente). —¡Ignoro qué camino tomará Fabián en vista de esta novedad con que no contaba!

»Diego bajó la cabeza, y un momento después se puso a escribir, en tanto que yo daba gracias al Todopoderoso, que había hecho resplandecer tu inocencia en este mundo de engaños y de injusticias.

»He aquí ahora la carta de Diego... —Al entregármela estrechó mi mano silenciosamente, y después, al despedirme en la puerta del despacho, sólo tuvo fuerzas para exclamar:

—»¡Que vengas!...

»Dicho lo cual se encerró, echando la llave.»

—Tú me dirás ahora, querido Fabián, si quieres leer, o si prefieres que yo lea en voz alta la carta
5 de Diego.

—Lee... —murmuró Fabián con solemne tristeza.

Lázaro leyó lo siguiente:

«Al Conde de la Umbría.

»Madrid, 28 de febrero de 1861.

10 »Querido Fabián: No merezco que me perdones: tampoco merezco que me permitas hablarte ni verte; pero considera que me quedan pocos días de vida; que voy a comparecer en el Tribunal de Dios, y que tú eres hoy el árbitro del futuro destino de mi alma...

15 »Te han calumniado... —Lo sé. —Sé que siempre fuiste mi mejor y más leal amigo, y te pido humildemente perdón por mi duda de algunos días... —¡días horribles, en que ha padecido cruelísimos dolores mi pobre corazón, de resultas de no poder dejar de amar-
20 te! —Mi insensato furor no era, en suma, sino la medida de mi cariño.

»Adiós, Fabián. —Compadécete de Gregoria, o cuando menos del hijo que no he de conocer..., y dispón de la poca vida que les resta a tu desgraciado
25 amigo, que no quisiera morir sin verte,

»DIEGO.

»Quedo escribiendo a Gabriela y a D. Jaime...»

IV

EL HOMBRE PROPONE...

Al terminar Lázaro la lectura de aquella nobilísima carta, Fabián era muy otro de cuando pedía a gritos la sangre y la vida de Diego.

Ya le había inspirado sentimiento de conmiseración el relato de la terrible escena en que el engañado marido vio clara la verdad; pero las humildes palabras que le escribía aquel hombre de hierro, trocaron su lástima en admiración y gratitud... Así es que las oyó con entusiasmado semblante y alzada la vista al cielo, en tanto que alargaba una mano a Lázaro y la otra al jesuita —quien atraía a su vez cariñosamente a Juan para que participase de la felicidad y la gloria de aquel triunfante grupo.

—¡Gracias, Dios mío! (exclamó, por último, Fabián Conde, cuando todos estaban ya como pendientes de sus labios). ¡Gracias por haberme anticipado en este mundo la justicia de que estaba tan sediento! —¡Gracias también a usted, mi querido padre, que al marcarme el camino que debía seguir para desenojar a Dios, me ha proporcionado implícitamente los medios de iluminar el corazón de mi amigo! ¡Él me ha creído por mis obras; mis obras han sido hijas de mi fe en Dios; y ésta fe, que nunca se extinguirá ya en mi alma, usted me la inspiró con sus predicaciones! —¡Gracias, finalmente, a ti, generoso Lázaro, que me has pagado con tantos beneficios mis antiguas injurias, y que me has edificado y fortalecido con el ejemplo de tus grandes virtudes! ¡Yo te felicito lleno de amor y de alegría por la justicia que también

---

15 De nuevo Alarcón agrupa a los personajes de forma calificable de teatral.

has encontrado en el hidalgo corazón de este digno
hermano tuyo! —Y ahora escucha la contestación
que darás de mi parte a Diego, si el P. Manrique no
tiene nada que oponer a mis palabras.

5 —«Le dirás ante todo que no le escribo por suje-
tarme desde hoy a la regla de conducta que habré
de seguir respecto de él todo el tiempo que aún per-
manezcamos en este mundo, y que será la misma que
ya le anunciaba en mi carta... —a saber, no tratarlo
10 más, no verlo, no escribirle, hacerme cuenta de que
hemos muerto el uno para el otro..., a fin de que la
rehabilitación por que tanto he suspirado no me pro-
porcione ninguna ventaja temporal, ninguna dicha
terrena; ¡pues ventaja y dicha fueran para mí indu-
15 dablemente ver en mi casa a Diego... dentro de algún tiempo, cuando se hubieran cicatrizado mis heridas!...

»No venga, pues, a verme como desea: no lo intente
jamás... —¡Es el único favor que le pido, hoy que
20 pudiera abusar de su indulgente benevolencia!...—En
cambio, yo lo perdono, y perdono a su mujer sin
reserva de ninguna especie, y pediré a Dios a todas
horas que los colme de felicidad... —Añádele que mi
consejo es que acceda a los deseos de Gregoria y se
25 marchen a Torrejón. Allí los aires y la paz del campo
acaso mejoren su cuerpo y su espíritu... ¡Dile, en fin,
que lo abrazo con toda mi alma por última vez, y
que, si muere antes que yo, y es verdad que va a
haber en el mundo un hijo de su sangre, éste encon-
30 trará siempre abiertos unos brazos donde quiera que
se halle Fabián Conde!...

»Hasta aquí lo tocante a Diego. —Ahora, P. Manrique, hablemos algo de mí...

»No recele usted, como indicaba hace poco, que

---

4 En la 1.ª ed. falta: «Si el P. Manrique no tiene nada que
oponer a mis palabras.»

se me haya olvidado nuestra larga conversación de
ayer... ¡No seré yo con Dios tan ingrato y tornadi-
zo!... Por el contrario: ¡mantengo en la hora de la
bonanza todo lo que prometí durante la tempestad!
—Así, pues, aunque D. Jaime de la Guardia..., aunque la misma Gabriela... (¡la voz del infeliz amante
temblaba al pronunciar este adorado nombre!...) me
pidiesen que el casamiento a que renuncié anoche se
llevase a cabo, yo rechazaría como un crimen tan
anhelada felicidad... ¡Proceder de otro modo podría
dar margen a que se creyera que mis decantados sa-
crificios habían sido una indigna farsa! Diego (vuelvo
a decir) ha creído en mi inocencia al ver que yo re-
nunciaba a todas las dichas del mundo... ¡No debo,
por consiguiente, ni quiero tampoco destruir los fun-
damentos de su fe! —Lo hecho, pues, hecho está...
¡Y, así como no he de recobrar los millones que fueron de mi padre, ni su título de conde, ni las demás
cosas a que renuncié en el momento de la tribulación
para aplacar a Dios y a Diego, del propio modo, y
por mucho que a mi corazón le cueste, tampoco re-
cobraré a Gabriela!...

»En resumen: le prometí a usted ayer, y le dije a
Lázaro, y le escribí a Diego que me iría de misionero
a Asia si escapaba con bien, o a lo menos con vida,
del conflicto en que se hallaban mi honor y mi conciencia..., y por nada del mundo faltaré a tan solemnes compromisos. —Soy, por tanto, de usted, mi
querido padre... Disponga de mí... Nada tengo ya
que hacer en esta casa que fue mía, y que hoy per-
tenece a los pobres expósitos... ¡Partamos! —¡Vámonos a aquel convento en que tan dulces horas pasé
ayer! ¡No se me negará allí una humilde celda en
que albergarme mientras llega la hora de mi marcha
al extremo Oriente! ¡Ni usted me negará tampoco la
preparación indispensable para ser recibido en la
Iglesia de Cristo, primero como absuelto pecador, y

después como ministro del altar y predicador del Evangelio!»

Un religioso silencio acogió este severo discurso.

—El P. Manrique y Lázaro se miraban interrogati-
vamente, como cediéndose la palabra para el caso de
que al uno o al otro se le ocurriese algo que objetar
a aquel razonamiento. —Juan lloraba mansamente
como llora la melancolía.

—Nada hay que oponer a lo que acaba usted de
decir... (exclamó al fin el P. Manrique levantándose).
¡No hubiera hablado de otra suerte nuestro padre
San Francisco de Borja al renunciar el marquesado
de Lombay y el ducado de Gandía para ingresar en
la Compañía de Jesús! —Partamos, pues... ¡Ustedes,
amigo Lázaro y amigo Juan, a casa de Diego!... ¡Usted y yo, mi querido hijo, al convento de los Paúles!

—Partamos... —respondieron todos.

—Espero (dijo entonces Juan modestísimamente)
que volveremos a reunirnos para que decidan ustedes de mi porvenir. —Lázaro y yo no logramos entendernos... ¡Él renuncia a todo, y, en cambio, exige
que yo me aproveche de su generoso sacrificio!...

—No me mortifiques, Juan... (expuso Lázaro cariñosamente). Ya te convenceré de que mis consejos
son justos.

—Y, sobre todo... (observó el P. Manrique), ya
sabe usted dónde estamos Fabián y yo. —Vaya usted a vernos.

Fabián se despedía entretanto de su Administrador y de sus criados, dando tales órdenes en favor
de éstos, que las reverencias, las lágrimas y las bendiciones lo fueron acompañando hasta que traspasó
el umbral de la que había dejado de ser su casa.

—Ya volveré yo y arreglaremos esta especie de
testamentaria... —dijo el sacerdote al Administrador.

---

35   Estas líneas faltan en la 1.ª ed.

Llegados a la calle los cuatro amigos, Lázaro y Juan montaron en un coche, y partieron..., mientras que el P. Manrique y Fabián Conde (conviniendo en que ellos no tenían prisa y en que la mañana estaba muy hermosa) emprendieron a pie el camino del convento de los Paúles.

Al salir de su calle, Fabián se detuvo y volvió la cabeza, a fin de divisar por última vez la casa en que había vivido y que acababa de alhajar para recibir a *su esposa*...

Un sollozo se escapó entonces de su pecho, y sus labios balbucearon todavía este nombre:

—*¡Gabriela!*

El P. Manrique, que lo notó, se embozó hasta los ojos y apretó el paso...

Fabián siguió detrás de él maquinalmente.

V

DIOS DISPONE

Media hora después, y precisamente en el momento en que el jesuita y Fabián llamaban a la puerta de la hospedería de San Vicente de Paúl, vieron entrar a todo correr en aquella solitaria calle el mismo coche (*antigua* propiedad del ex Conde de la Umbría) en que Lázaro y Juan se habían ido a casa de Diego.

—¡Padre!... (exclamó Fabián). ¡Aquél es mi coche!... ¡Y en él viene Juan de Moncada!... Y... ¡mire usted!... ¡nos indica que nos detengamos!...

—¡Pronto! ¡pronto! ¡No hay momento que perder!... (decía al cabo de unos segundos el hermano de Lázaro, abriendo la portezuela del coche, parado ya delante de los Paúles). —¡Vengan ustedes conmigo!... ¡Diego se muere! —¡Una hemoptisis espantosa!... ¡El médico no le da una hora de vida!...

—¡Dios santo! (gimió Fabián, retrocediendo, en lugar de obedecer al joven). ¡Yo no quiero verlo!... ¡Yo no puedo ir!... ¡Yo no quiero encontrarme con Gregoria!...

5 —¡Lea usted!... (repuso Juan, bajando del coche, y alargándole un papel manchado de sangre). —¡Estas palabras las ha escrito casi expirando!... ¡Bien claro lo dice la letra... —Lázaro le suplica a usted también que vaya...

10 Fabián leyó el ensangrentado papel, que decía así, en caracteres casi ininteligibles:

«Fabián: De rodillas y muriéndome te pido por Jesucristo que vengas a endulzar la agonía de tu

»DIEGO.»

15 El joven miró al P. Manrique con espantados ojos, y murmuró lúgubremente:
—Debo ir...
—¡Vamos! —respondió el jesuita.

Y los tres subieron al coche, que partió a escape.

20 Juan les fue diciendo por el camino que, cuando Lázaro y él llegaron a casa de Diego, ya había tenido éste el primer vómito de sangre, no muy copioso, pero bastante a llenarlo de pavor; —que soportó con mansedumbre la noticia de que Fabián se negaba a

25 hablar con él; —que estuvo muy cariñoso con los dos hermanos, felicitándose de verlos tan amorosamente unidos; —que Gregoria, aterrada por el informe del médico acerca de aquel accidente de su esposo, estaba a su lado, vestida de luto, bañada en lágrimas y

30 realmente conmovida; —y que, hallándose todos así, le sobrevino a Diego otro vómito, y luego un tercero, tan abundantes ambos, que casi lo habían dejado sin sangre en las venas...

Con esto llegó el coche a la casa fatal.

El P. Manrique y Juan subieron delante a fin de preparar a Diego.

Fabián los siguió; pero se quedó en la sala principal, donde le estaba aguardando Lázaro.

Según le dijo éste, Diego acababa de tener un cuarto vómito, y estaba expirando... —Lo habían conducido a su cama desde el despacho, que fue donde le acometió aquella funesta crisis de sus antiguos males... —Gregoria se hallaba con él.

Fabián, sombrío y silencioso, fluctuaba indudablemente entre la piedad y el rencor, entre los restos de su antiguo cariño a Diego y el dolor, todavía vivo, de los crueles insultos que de él acababa de recibir... —¡No era lo mismo perdonar desde lejos, que hallarse en presencia del que algunas horas antes lo despedía ignominiosamente desde un balcón de aquella misma casa, llamándole canalla y ladrón, y amenazándole con la fuerza pública! —¡Hay situaciones que tolera el alma, pero que no pueden soportar los nervios! ¡La sangre no es tan generosa ni sufrida como la conciencia!... El lodo mortal no deja nunca de ser lodo.

¡Y luego tener que ver a Gregoria!... ¡acaso tener que hablarle..., cuando por su causa había perdido el calumniado joven la suma dicha de unirse a Gabriela! —¡Era, en verdad, horrible, muy horrible, el nuevo sacrificio que la desventura imponía a Fabián Conde!...

Así se lo manifestó a su amigo Lázaro...

—¡Acéptalo como penitencia!... (respondió éste). —Dios te lo agradecerá.

—Pase usted... —decía en aquel mismo instante el P. Manrique saliendo de la alcoba.

Fabián avanzó lentamente.

—Procure usted que Diego no hable... (le advirtió Juan al paso muy quedamente). —Opina el médico que la primera agitación que ya tenga el pobre enfermo será también la última.

Penetró Fabián en la mortuoria estancia.

Diego, medio incorporado en la cama, tenía vueltos los ojos hacia la puerta, y al ver aparecer a Fabián, los cerró y volvió a abrirlos por vía de saludo.

5 Fabián avanzaba con un dedo puesto sobre los labios, recomendándole absoluto silencio.

Los ojos del moribundo sonrieron como de gratitud y después, entristeciéndose y elevándose al cielo, expresaron claramente una súplica.

10 Fabián le cogió la mano derecha (aquella terrible mano que tan amenazadora se alzaba el día precedente), y se la besó repetidas veces en señal de perdón y de olvido.

Los ojos de Diego se mojaron, y al propio tiempo 15 sonrieron con algo de su antigua irresistible gracia... —En seguida los volvió hacia el médico, y agitó los labios como para significarle que quería hablar...

—Ni una palabra... —murmuró el facultativo.

Entonces se movió una masa negra que respiraba 20 al otro lado del lecho (y en que no había reparado Fabián)... y el rostro de Gregoria, pegado hasta aquel momento contra las sábanas, dejóse ver como trágica aparición, en tanto que su quebrantada voz decía:

25 —No hables...

—Media palabra no más... (balbuceó Diego, tan quedo y tan despacio, como si temiera que se le escapase el último aliento). —Te pido una gracia... (continuó diciendo, sin soltar la mano de su antiguo 30 amigo). —Dime que me la concederás...

—¡Lo que quieras!... —murmuró Fabián con generoso acento, en que vibraban la piedad y el cariño.

Diego reunió otras pocas fuerzas, y añadió:

—Júrame que no dejarás de hacerlo...

---

15 En la 1.ª ed. falta «y al propio tiempo sonrieron con algo de su antigua irresistible gracia».

—¡Te lo juro!... —respondió Fabián.

—Pues oye... —Para que me perdone Dios... (y al decir esto, miró al P. Manrique e hizo un esfuerzo de que no se le hubiera creído capaz); para que no me miren con horror los ángeles del cielo..., ¡cásate con Gabriela!

Un nuevo personaje, que acababa de penetrar en la alcoba, llegó a tiempo de oír aquellas supremas palabras del moribundo...

Este personaje era D. Jaime de la Guardia.

Fabián no lo había visto entrar... —Así es que, al oír la súplica de Diego, se estremeció como si acabara de recibir una mortal herida; tornó los ojos hacia el anciano sacerdote, y se arrojó en sus brazos, exclamando dolorosamente:

—¡Padre mío! ¡Explíquele usted que eso es imposible!

Pero Diego había ya expirado.

Así lo anunció un lastimero grito de Gregoria, —la cual estrechaba entre sus brazos el cadáver del que había sido su esposo.

EPÍLOGO

Había pasado un mes desde la muerte de Diego. Era una hermosísima mañana de primavera.

Las campanas del convento en que Gabriela habitaba hacía cerca de tres años repicaban alegremente, aunque, por el calendario, no era día ni víspera de ninguna fiesta eclesiástica.

A la puerta del templo adjunto veíase una silla de posta cargada de maletas y otros objetos de viaje, dentro de la cual no había persona alguna.

En la iglesia sonaba el órgano, acompañando las últimas respuestas de las monjas a las oraciones de una misa cantada; y es lo cierto, que si el que leyere estas postreras páginas de nuestro relato hubiera pasado por allí a tal hora y entrado a saber qué insólita misa era aquélla, habría visto que era la velación de Fabián y de Gabriela, a quienes acababa de unir para siempre el P. Manrique.

En efecto: Gabriela y Fabián estaban arrodillados delante del altar, y cerca de ellos veíase a D. Jaime de la Guardia, que había sido padrino del casamiento, y a Lázaro y Juan de Moncada en calidad de testigos.

Habría admirado también entonces el lector con sus propios ojos la peregrina hermosura de Gabriela, acerca de la cual sólo por referencia hemos hablado hasta ahora. —¡Nunca un ángel del cielo ha revestido tan gallarda y arrogante forma humana, ni jamás la clásica belleza soñada por el paganismo

reflejó tan intensamente los esplendores del espíritu
inmortal a que servía de vaso aquella incomparable
figura!

Por lo demás, las monjas, de cuya escondida morada acababa de salir Gabriela a la parte pública
de la nave del templo, se habían esmerado en ata-
viarla, como si fuera una santa imagen, objeto de su
culto más fervoroso, a quien adornaran para que
recorriese, llevada en procesión, plazas y calles...
—Cada una le había puesto un lazo, una flor, una
humilde joya o un relicario bendito, dándole al mismo
tiempo mil besos y abrazos, y bendiciones, y hasta
consejos..., que, por su misma religiosa sencillez,
podrían ser utilísimos en su nuevo estado. —Y, en
aquel instante, desde las amplias celosías del coro,
las vírgenes del Señor contemplaban con arrobamiento a su compañera, al par que le cantaban, por
vía de epitalamio, los solemnes himnos del cotidiano
culto a que ellas seguirían consagradas toda su vida.

Gabriela, que ya se había enterado de los terribles
acontecimientos que acabamos de referir y de lo
mucho que había padecido Fabián por purificar su
alma, miraba a éste de vez en cuando, y luego
tornaba la vista al altar, como arrastrando y condu-
ciendo con sus ojos los ojos de él a la consideración
de Dios y de su infinita misericordia.

El infeliz esposo, apuesto y ufano, aunque bañada
todavía su faz de una leve melancolía, miraba alter-

---

3 La 1.ª ed. ofrecía una descripción más extensa: «¡Nunca
un ángel del cielo ha revestido tan gallarda y arrogante figura
humana, ni jamás la clásica belleza soñada por el paganismo
griego viose en tal modo sublimada, ya que no oscurecida, por los
resplandores del espíritu inmortal a que servía de alabastrino vaso
aquella incomparable figura!»

14 La 1.ª ed. añadía: «consejos que, por su misma sencillez,
podrían serle útiles en su nuevo estado, aunque se los diesen
tímidas doncellas, que sólo de oídas tenían alguna idea de los
escollos y borrascas del mundo».

nativamente a su hechicera y santa mujer, al P. Manrique, a Lázaro y a Juan..., como dando a todos
gracias por la felicidad que sentía...; y luego alzaba
los ojos al Cristo del altar, y rezaba...

*

Concluida la ceremonia, Gabriela penetró aún en el 5
convento, de donde regresó algunos minutos después
vestida de viaje y trayendo en la mano su corona de
desposada. —Algunas lágrimas humedecían sus mejillas de rosa, indicando con cuanta emoción se había
despedido definitivamente de la digna Abadesa y de 10
sus tiernas hermanas de clausura.

Todas se habían arrimado a la celosía del coro
bajo, para ver a la desposada salir de la iglesia; y,
cuando observaron que la noble joven se acercaba al
altar de la Virgen de las Angustias y ponía a sus pies, 15
como ofrenda, su corona de desposada; cuando la
vieron pararse en medio del templo y dirigir los
brazos hacia el coro, saludándolas con el pañuelo y
tirándoles besos de amorosa despedida, una multitud
de blancos cendales ondeó detrás de la celosía respon- 20
diendo a aquellos adioses; tiernos gemidos resonaron
en el recinto sagrado, y lágrimas copiosas corrieron
de todos los ojos.

Renunciamos a describir circunstanciadamente las
escenas que ocurrieron después en la puerta del tem- 25
plo, cuando los dos recién casados subían en la silla
de posta que debía conducirlos a cierta quinta de la
carretera de Valencia, desde donde marcharían la
siguiente semana a la casa de campo en que se crió
Fabián; —cuando D. Jaime y su hija se abrazaban 30
ternísimamente; —cuando Fabián besaba las manos

---

30   En la i.ª ed.: «en la silla de posta que debía conducirlos
a la casa de campo en que nació Fabián».

del caballero aragonés; —cuando el P. Manrique bendecía una vez y otra a los que no se cansaba de
apellidar *sus hijos*, —y cuando Lázaro, apoyado en el
hombro de Juan, contemplaba todos aquellos cuadros
5 con amorosa sonrisa, digna de los ángeles del cielo...

*

Partió el carruaje, y quedaron inmóviles y mudos
en el atrio del templo el P. Manrique, D. Jaime de la
Guardia, Lázaro y su hermano Juan.
Pasado que hubieron algunos minutos, el jesuita,
10 sobreponiéndose a su emoción, dijo:
—¡Cuán misteriosos, pero cuán seguros, son los
juicios de Dios! —Véase por qué cúmulo de circunstancias Fabián Conde ha conseguido, cuando ya
había renunciado a ella, toda la felicidad que deseaba
15 en esta vida. —«*¡Yo no quiero el paraíso, sino el
descanso!*» (decíame últimamente, recordando una
frase del poeta inglés, para probarme que no debía
casarse con Gabriela, a pesar de lo que la amaba y
del juramento que le arrancó Diego en su lecho de
20 muerte). —«*Pues acepte usted el paraíso como penitencia* (le contesté yo). *¡Bien se me alcanza que le
fuera a usted más cómodo no volver a los mares de la
vida con tan preciosa carga!... Pero Dios, por medio de
aquel moribundo, nos demostró claramente su deseo de
25 que siguiese usted luchando con los huracanes de la
sociedad humana, expuesto a que el viento del escándalo,
por usted producido, vuelva a hacer zozobrar la nave*

17 *El poeta inglés:* De nuevo se trata de lord Byron. La
misma frase aparece citada en la *Historia de mis libros* (1884),
casi en las líneas finales: «sucedíame lo que a aquel héroe de lord
Byron, que exclamó al morir: *No deseo el Paraíso, sino el descanso;*
y por resulta de todo ello, decidí no componer nunca más novelas»
(*O. C.*, pág. 28, b). La frase recordada por Alarcón aparece puesta
en boca del protagonista de *The Giaour* (1813).

*de su ventura o la de los hijos que le dé Gabriela.
—Dios no cree, por lo visto, que se ha purificado usted
bastante en tres días de purgatorio, y le impone, como
resto de penitencia, el continuo temor de que los hombres
vuelvan a afligirlo con calumnias, o sea con nuevos* 5
frutos del escándalo.» —Fabián me dio la razón, y no
por otra cosa ha preferido el matrimonio, con sus
cuidados y responsabilidades, a los desiertos del Asia
con sus rigores y peligros...

—De todo eso se deduce, entre otras cosas (observó 10
don Jaime), que mi yerno será un modelo de maridos... ¡Y vean ustedes por qué he tenido yo la manga
tan ancha en el asunto referente a mi hermano!...
—Fabián no sedujo a mi cuñada, sino que fue sedu-
cido por ella..., como tantos otros...; y, además, la for- 15
ma y modo en que me confesó su falta me inclinaron
a absolverlo. —Conque, señores, me despido de ustedes para Aragón, adonde marcho esta tarde... —Crean
firmemente que me llena de júbilo el haber conocido
tan dignas personas en este Madrid, que yo creía 20
enteramente dado al diablo...

*

Después que el sacerdote y los dos Moncadas
hubieron despedido afectuosamente al padre de Gabriela, Lázaro miró solemnemente a Juan y le dijo:

—Ya lo has oído, mi querido hermano. A las veces 25
hay que aceptar la felicidad del mundo como trabajo y sacrificio... —A las veces hay que tener la
generosidad de ser dichoso... —Por eso se ha casado
Fabián, y por eso es menester que tú conserves el
título de Marqués de Pinos (aunque demos secreta- 30
mente a los pobres las rentas de mi mayorazgo); que
vuelvas a América, y que hagas allá tu antigua vida,
conservando para ello tus legítimas paterna y materna. —A mí me basta y sobra con lo que heredé de mi

madre... ¡El caso es no deshonrar a la tuya después de muerta; no deshonrar tampoco la memoria de nuestro padre; no frustrar mis propósitos y trabajos de tanto tiempo; no escandalizar, en fin, el mundo con la historia en que habría que fundar una *reha-bilitación*... que para nada necesito!

Juan se resistió largamente a aceptar lo que le proponía su hermano; pero terció en la conversacióu el P. Manrique, y al cabo lograron convencerlo...; —por lo que ofreció embarcarse inmediatamente para América.

*

Marchóse Juan a disponer su viaje, y quedaron solos el P. Manrique y Lázaro.

—¿Y usted, qué piensa hacerse? —interrogó entonces el jesuita al desheredado.

—Yo... (respondió éste como si no entendiera la pregunta) voy a llegarme al cementerio de San Nicolás a visitar al pobre Diego... —La mañana está muy hermosa...

—Bien...; pero ¿supongo que nos veremos?... —añadió el viejo, estrechándole la mano en señal de estimación.

—Sí, señor... (respondió Lázaro). Iré a ver a usted con frecuencia, y hasta creo que acabaré por pedirle hospitalidad y quedarme allí definitivamente. —En medio de todo, los dos pasamos la vida mirando al cielo más que a la tierra...; pero, a decir verdad, su *astronomía* de usted me gusta más que la mía.

---

1   En la 1.ª ed.: «conservando para ello tus legítimas paterna y materna, y pudiendo disponer de lo que yo heredé de mi madre...». Como se ve, la modificación es bastante sustancial.

ÍNDICE

ÍNDICE DE AUTORES
DE
CLÁSICOS CASTELLANOS

ÍNDICE DE AUTORES

DE LA

COLECCIÓN CLÁSICOS CASTELLANOS